TTS文庫

ジビンカ・レストラン

シャッター街の奇跡の再生物語

水之夢端
椋田　撩

東京図書出版

ジビンカ・レストラン
シャッター街の奇跡の再生物語

◇

目次

Chapter 1
二つの大学祭

鏡になった水面を、小さな水飛沫(みずしぶき)が弾けるように複数の円を描く。その後をのんびりとした波紋が広がっていく。

軌跡はもう少しで向こう岸に達するというところまで来て、水の中に消えた。後を追うように波紋も溶けてゆき、川は再び静寂に戻る。

秋の草の香りがする。

大谷野市と赤松市の境を流れる春見之川。空に薄く広がる鰯雲(いわしぐも)が、二十メートルほどの川幅を見下ろして流れていく。

「ちぇっ」

宝塚肇(たからづかはじめ)は手頃な石を探すのをやめ、土手の岩場に腰を下ろした。

白無地のロンTにブルーのデニム。褐色の顔は精悍(せいかん)そのもので、いわゆるイケメンの部類に入る。しかし今、彼の目元はいまいましげに歪んでいる。ほんのちょっぴり脱色したこげ茶色の短髪をワシワシとかきむしり、

「どうせ俺たちは、向こう岸にはたどり着けないってわけか」

「まあ、そう言うなって」

武井兵太（たけいへいた）が答えた。ブラウンの半袖Tシャツに黒の綿パン。うりざね顔に短髪。目鼻のつくりが濃く、無精髭を生やしている。屈んで足元の河原石を眺め回し、水切りに良さそうな代物を探している。

「そもそも、俺たちの向こう岸ってどこだよ」

「それは──」

肇は眉間に皺を寄せ、

「こっちじゃないどっかだよ！」

風を切る音とともに小石が飛んで、川面に新たな波紋を描いた。


宝塚と武井──この二人の大学生は、いましがた、川向こうの赤松市にある稲瀬川（いなせがわ）大学の学園祭「INA（イナ）祭」を訪れ、その帰りしなにこの河原に立ち寄ったところだった。二人の胸を、驚きと悔しさが席巻していた。その理由を語る前に、まず二人について説明しておかねばならない。

そもそも二人は稲瀬川大学の学生ではなく、赤松市に隣接する大谷野市の雛美（ひなび）産業大学の一年生である。

ＩＮＡ祭が行われたこの日、二〇〇七年十一月三日は、くしくも雛美産業大学の学園祭「雛美祭」の当日でもあった。

一年時からゼミのある雛美大では、ゼミごとに模擬店を出す。二人の所属する「香椎ゼミ」も例外ではない。ゼミで何をやるか――総勢十数名のゼミ生で模擬店について初会合を行ったのは、学祭の約三カ月前だった。

開口一番、肇は力強く主張した。

「料理店を出すなら俺に任せろ。俺がレシピを作るからみんなはそれを作って売ればいい。きっと儲かるし、もしかしたらマスコミが取材に来るかもしれないぞ」

ゼミ生らは唖然とした。まだ食べ物屋をやるとも決まっていないのに、この二浪の同級生は一体何を大言を吐いているのか――。

しかし、肇の案は意外に芯が通っていた。彼のプランは「カレーおむすび屋」。国民食であるカレーと、日本を代表する食材・米。ドライカレーのおむすびを網で炙って焼きおにぎりにする。中の具材は福神漬け。

「どうだ、面白いだろ！」

肇は勝ち誇ったように言った。さらに彼の口から、原価・販売価格・食材の仕入れ先・仕込み方法等々、事細かに説明がなされた。ゼミ生らは納得の面持ちで聞いていた。もっとも、内心では「やはり二浪もしていると、バイトやら何やらやってきて、世間を知っているんだなあ」と冷笑的ではあったが。

ゼミ生のほとんどがカレーおむすび屋に好意的だった。多数決を採ると、他のアイデアを出すのが面倒だったこともあり、賛成多数で可決した。

ゼミ長は乙成詩織（おとなりしおり）という現役合格の女子だった。真面目で可憐、しかしおとなしくて優柔不断。いつでもおっかなびっくりしている。その彼女が肇におそるおそる尋ねた。

「あのう……、宝塚さんはどうしてそんなに、レシピや仕入れなど、料理屋さんに詳しいんですか」

肇はフフンと腰に手を当て、

「なんたって、オヤジが昔レストランをやっていたからな！」

父の店は廃業して久しいが、肇は料理人である父を誇りに思っている。父と同じ道を歩みたい——それが肇が料理人を志すようになった理由である。調理ブースの出店は自分の夢に近いことだけに、シミュレーションの仕方が他のゼミ生よりいくらか現実的だった。乙成詩織にはそれが何か高遠な才能に見えただけである。

「カレーでおむすび？」

ただ一人、肇と同じく二浪の海老原夕が反論した。

細身であまり起伏のないシルエット。緑の黒髪を後ろ一つに束ね、項をすっきり見せている。彼女は細めた目蓋から訝しげな視線を肇に注ぎ、ハスキーな声で指摘した。

「これ、食べる時に指にカレーがつくわ」

「海苔で巻けばいい」

「カレーと海苔って合う？」

「腹に入れれば一緒だ」

「それって料理人を志している人の言葉？」

「シッ！」肇は顔を赤らめ、人差し指を唇に立てた。

夢を自分の口で言うのは何ともないが、人から言われるとこっぱずかしい。夕は肇と高校が一緒で、同じボランティアサークルに属していたこともあり、彼の将来の夢を聞き知っていた。

肇は自分の夢を語るのにまだ少々ためらいがあった。心の奥深いところで自分に自信を持てておらず、また、熱っぽく夢を語ること自体が何かダサく思われたからである。

「ま、いいわ」

夕は赤面する肇を見てほくそ笑んだ。

「みんなで決めたことだもんね。それでいきましょう。でも、売れなかったら肇のせいよ」

カレーおむすび屋の案は担当教員の香椎禅太郎(かしいぜんたろう)准教授も賛成し、本決まりとなった。

「面白いね。ぜひ食べに行くよ。楽しみにしています」

香椎はそう言ってゼミ生を励ました。肇はまるで自分だけが褒められたように錯覚し、有頂天になった。

――もしかしたら、俺は大学時代のうちに夢を叶えて料理人になれるかもしれないな！　学祭でマスコミにフォーカスされ、天才若手料理人出現……そうなりゃ中退してレストランを出してもいいな！

そもそも彼は大学進学に特段の理由を持っていなかった。親が行けというから、二浪してまで入ったに過ぎない。むしろ彼はこう考えていた。

――基本的に大学生という生き物は軟弱者だ。働く前にちょっとでも遊んでおこうという輩が通うところだ。特に雛美大はな！

肇は自分の通っている大学をまったく軽視していた。もっとも、雛美大は昔っから世間の評判がよくない。偏差値も就職率も低く、新卒の一年以内の離職率が著しく高い。卒業生からは「雛美大を出たなんて、恥ずかしくて言えない」、巷では「浪人は一時の恥、雛美大は一生の恥」という言葉を聞くくらいである。

肇は彼なりの実力主義・現実主義を標榜し、雛美大に通いながら「俺の心は雛美大に染まっていない」と強い反抗心を宿していた。中途退学してレストランを開業する可能性を、まったくの絵空事とは捉えていない。

——俺はやる！　やれる！　夢という向こう岸に泳ぎ着く！

雛美祭初日、キャンパスの路にホームレスの炊き出しのような簡易テントが点々と立ち、四方を囲んだブルーシートの隙間から湯気と油っこい匂いを発していた。評判の悪い雛美大の学祭を訪れる部外者はほとんどいなかった。せいぜい下宿のおばさんや学生街の定食屋などがお愛想でぶらつく程度である。学祭初参加のゼミ生らは、他所の学祭を知らないゆえに、「これが普通の光景」だと思いこんだ。肇も同じである。

午前中に「カレーおむすび」が三個売れた。一個は講師の香椎。あとの二個はどこかのおばちゃんと、留学生。

「メシ時でもないのに三個も売れたらスゲエんじゃない？」

ゼミ生らが不安にさいなまれる中、肇は自信満々だ。

「三個くらいで喜んでんじゃないわよ」夕はカレー粉のついた頬を膨らませた。「忙しくなるのは十一時半くらいからよ。肇、あんたが考えたレシピなんだから、追加の仕込みをしなさいよ」

「やーだーね！」肇は鼻先を天に向けた。「俺はレシピを考えたんだ。作ったり売ったりするのは他の奴の仕事だよ。戦争でも、参謀は陣営の奥にいて前線には出ないだろ」

「何言ってるの、戦争やってんじゃないわよ」

「とにかく俺の仕事は終わった。売上は仲良く分けような！　いくぞ、兵太！」

「おう」

「ちょっと、どこ行くのよ！」

武井兵太と肇はテントから飛び出した。二人はもともと示し合わせていた。仕込みや店番なんて、かったるいしガラじゃない。二浪を誇示すればゼミ生どもから文句は出ない——海老原を除いては。

ちなみに、兵太と肇はゼミが縁で知り合った。兵太は他のゼミ生とはほとんど口も利かないが、肇にだけは気を許し、いつもつるんでいる。同じ二浪だからかもしれない。

行く先は同日に学祭を開催している稲瀬川大学のＩＮＡ祭に決めていた。稲瀬大は女子の数が多い。行かないわけにはいかない。ＩＮＡ祭そのものはどうでもよかった。

——所詮学生のやるこった。どこも似たり寄ったりで、大したイベントじゃないだろ。

ところが――。

肇は稲瀬川大学のキャンパスを前に、息を呑んだ。

「マジかよ……」

構内に収まりきらない出店が、外の道にまで軒を連ねている。法被をきた実行委員会が整然と列をなし、「おはようございます」と爽やかな声で来場者をお迎えし、パンフレットを配っている。

肇と兵太は人波に呑まれるようにキャンパスに足を踏み入れた。ごった返す人、人、人。漂う香り、ゼネレータの連続音、どこからか聞こえてくるライブ音楽が、皮膚感覚に直接ビートしてくる。テレビ局のカメラクルーの姿も見える。

「なんだよこれ！　ウチの大学と全然違う！」兵太は目を丸くした。

「まるでアイドルのライブ会場だな！」

肇はパンフレットを見て目を疑った。夕方のライブ会場に本物のアイドルが出演することになっている。「まるで」ではなく現実である。しかもそのアイドルは稲瀬大ＯＢ。やはり人気校は何から何まで違う。二人は呆気にとられるばかりだ。

当初肇は、アイドルが来るから人がこんなに出ているのかと思っていたが、どうもそうではないらしい。まだ昼前だし、ごった返しているのは若者ばかりではなく、老若男女さまざま。

スーツ姿の中年男性は仕事をサボっているのだろう。お年寄りたちが連れ立っているのは、敬老会のイベントか。サブステージでは近隣の幼稚園のダンスの出し物をやっている。この大学は地域に好かれている。雛美大のように、通っている学生自体が自分の学校を嫌悪しているのとは大違いである。

「おい、カレーの匂いがしないか？」

兵太の言葉に肇は鼻孔を開いた。確かに食欲を刺激するカレーの匂いがする。

「兵太、食おうぜ」

「え？　まだメシには早えよ」

「敵情視察ってやつさ。二人で一つならいいだろ」

肇は人の波を掻い潜って匂いの元をたどった。学祭の規模では雛美大は完全に負けている。それは認めよう。けれども——俺の作ったカレーおむすびが負けるわけがない。アイデアでも味でも上に決まっている！

そんな思いが肇を突き動かした。

カレーの売店はサークルの出店で、サークル名はＩＫＣ【稲瀬川大学環境サークル】となっている。環境系らしく無農薬有機野菜のライスカレーを出している。昼前だというのに二十人以上の列ができている。目下三個しか売れていないカレーおむすびは、売上では惨敗だ。果たして味ではどうか。

肇は一皿買ってスプーンを二本もらい、花壇の敷石に兵太と並んで腰を下ろした。

そしておもむろにひと口。

「うッ……！」

肇はスプーンをくわえたまま言葉を失った。

――美味い……。

出店にありがちなレトルトやスパイスで誤魔化したカレーではない。いろんなものが混然一体となった豊かな味と香り。無農薬ならではの苦みもあるのに、食べていて心地よい。

この美味しさは何なのだろう――素材か、香りか、食感か。

「うめえな、これ！」兵太は満足げに頬張っている。

「馬鹿野郎！」

肇はスプーンを地面に叩き付けた。

――クソッ……トータルで負けている。何がいけないんだ？　雰囲気？　気持ち？　勢い？

俺たちには何か大切なスパイスが足りない……。

すっかり気落ちした肇は、ＩＮＡ祭にいるのが嫌になり、兵太を促して稲瀬大キャンパスを後にした。雛美大への帰り道、市境を流れる春見之川の河川敷に立ち寄った。苛立ちをかなぐり捨てるように力任せにやった水切り。石がどうしても向こう岸までたどり着けないのは、何か自分の夢の先を暗示しているようで、ますます気が沈んだ。

§

午後二時過ぎ。

雛美大・香椎ゼミのカレーおむすびは、いくつかの体育系サークルのお陰で完売御礼の札を下げていた。もともと大量に用意していなかったので、売上は仕入れの元が取れてゼミ時のお茶代が出た程度だった。それでも慣れない店舗運営で、ゼミ生らは疲れ切っている。

「明日は仕入れを増やさなきゃね」

夕がゼミ長の乙成にそう言った時、肇と兵太がぶらりと帰ってきた。両手をポケットに突っこみ、浮かない顔をしている。

夕は目を三角にして声を飛ばした。

「ちょっとアンタたち！　どこをほっつき歩いてたのよ！　お店、結構大変だったんだからね！」

肇は夕に顔を向け、

「大変？　何がどのくらい大変なんだよ」

「カレーおむすび、売り切れたんだよ」

「いくつ用意したんだっけ？」

「一五〇よ。アンタが見込んだんじゃない」

「はあ……」肇はため息をついた。

おむすび一五〇個くらいで何が「大変」だ。稲瀬大の無農薬カレーは、二人が食べた後も次から次に列をなしていた。たぶん、おむすび一五〇個分の売上なんて、一時間足らずで叩き出したことだろう。もっとも、香椎ゼミの学祭予算が微々たるもので、一五〇個程度しか仕入れられなかったのも問題だが。

「とにかく明日は二人とも店に出てよね！　それと、仕入れ数の測り直し。ちゃんとやってよ！」

「もういいよ」肇は首を横に振った。「夕がやってくれよ。俺、もうどうでもよくなっちゃった」

肇はそう言って夕に背を向け、とぼとぼと歩き出した。

「え？　何？　何があったの？」

夕は兵太の方を向いたが、兵太は無関心の体で肇の後をついていった。

この様子を、学部棟四階の一室から眺めていた二人の人物がいる。一人は香椎禅太郎。香椎ゼミの担当講師で、専門は統計学。三十七歳の若手准教授。もうひとりは、友田和人、四十七歳。大谷野市の若き市長である。

友田は今年のはじめに行われた市長選で、四期目を狙う奥田辯を破り、初当選を果たした。香椎とは地域活動を通じての間柄で、今回雛美祭を訪問したのもそのつながりである。驚いたのは雛美大の事務方だ。「市長を呼んじゃうとは、香椎先生は凄い」。奥田前市長は三期十二年にわたる在任中、一度たりとも雛美祭を訪れたことはなかった。

友田には学祭に来る理由があった。華々しく初当選を果たしたものの、議会や役人は前市長に手なづけられていて、役所にいると風当たりが強い。はじめのうちは彼らと真っ向から対峙し、それがメディアに雄々しく扱われもした。けれども半年も経つとメディアも世間も飽きて話題にしなくなり、かといってそれで風当たりが収まることはなく、ただ友田の神経をすり減らすばかり。やがて役所にいるのが苦痛になり、自然と外での仕事を増やすようになった。学祭訪問も、実は職場逃亡に過ぎない。

今、二人がいるのは香椎の研究室である。十六畳ほどのスペースを本棚が迷路のように仕切っている。窓辺に机があり、その上だけぽっこりと空間が広がって陽だまりになっている。窓はキャンパスの中庭に向かっている。光が入るのは午前中だけ。昼過ぎには薄暗くなり、空気が淀む。香椎はブラインドを上げて窓を開け、眼下で閑古鳥が鳴いていた香椎ゼミの出店を見下ろした。肩を落として歩く宝塚肇、それに従う武井兵太、途中まで追いかけて歩みを止める海老原夕の頭。

——何があったのだろう。動いているのに静止画のように冷たく感じる。だいたいキャンパス全体がガランとして学祭のムードが無い。学生自体がほとんどいない。事務方に「この時期、学生たちはどこへ行っているの？」と聞いたら、おおかたバイトか旅行——どうやら学祭を休業期間と取り違えているようだ。教員連中にも同様の傾向がある。

香椎は雛美大に来てまだ二年半だが、実は三カ月目くらいからこんなことを感じていた。

——学生も教師も事務方も、みんなしてやる気が無い。

「地域と教育機関の関係って、重要だと思うんです」

香椎はそう言って背後の市長を振り返った。

「異論はないよ」友田は淡白に答えた。

「大谷野市に大学は雛美産業大学しかありません。その雛美大がこの有様じゃ、大谷野市に未来は無い。だって、教育は未来に寄与する施設なのですから」

「そのことにも異論はない」

「だったら、なぜ——」香椎は眉をひそめた。

「言ったろ？　前市長派は未だ根強いんだ。私はキミの提案をこれまで何度も現場に指示した。けれども、全部握りつぶされた」

「それじゃ市長の存在する意味は一体……」

「いいかい、香椎くん」友田は陰の中からほのあかるい窓辺へ歩み出た。「前市長は再登板を狙っている。議会も行政もそのつもりで動いている。いろいろな思惑が交錯する中、私に対して反意を表明することが、彼らの処世につながっている部分もあるんだよ。実に嫌な世の中だ。もちろん、私はそれをそのままにしておくつもりはない。そんな思惑なんて、大谷野市市民の未来を損ねるばかりだからね。大谷野市行政を変えてみせる。私は命を賭けても、やりとおすよ」

「そのセリフは何度も聞きました」香椎はため息をついた。「このままじゃ、やるやる詐欺になっちゃいますよ。今度また何か提案しますから、ちゃんと時間をとって聞いてください」

「もちろんだとも。キミが来るのに時間をとらないわけがないだろ」

「最近は出張ばかりじゃないですか」

「悪いね。役所に連絡する前に、携帯に一本入れといてくれ」

　雛美産業大学が倒産の危機にあるという噂は、毎年秋口に出回る歳時記的なゴシップである。受験産業の発表する志望動向や大学パンフレットの申し込み状況から、その時期にそんな噂が立つのは何もおかしなことではない。で、噂の真相はどうかというと——雛美大は不人気、つまり、悲しいことに噂は事実だった。

そんな大学に香椎が講師として入ったのは、かつてお世話になった人からの頼みだった。「大変だろうけど、よろしく」。その言葉の裏に、若い力による大学変革を求められているのがハッキリと分かった。香椎は奮い立った。オレが何とかしてみせる——。

しかし雛美大は香椎の想像をはるかに超えてダメな大学だった。

この大学には一年時からゼミがある。謳い文句はこうだ。「少数精鋭主義。学生と講師の距離が近く、一人ひとりに血の通った教育を施します」。実際は学生が少ないだけである。あまたいる教員連中も、どこからどう流れて雛美大に辿り着いたのか、ほとんどがコネによるもので、中には食うに困ってやむなく巣食っている教員もいる。ゼミも講義もおろそかで、自分の研究論文ばかりに熱中し、早く立派な大学に住み替えたいと考えている。これでは学生が育つわけがなく、結果、就職率は低水準になる。いい噂がないから出願が少ない。学生が来ないから教員の給料が安い。教員は雛美大を早々に脱出しようと、ますます自分の研究に執心する。その悪循環が雛美大をますますダメにしているのである。

この悪しき連鎖を断ち切らねば雛美大に明日は来ない。そう考えた香椎は何か手を打とうと考えた。まず現状を把握すべく自分の講義に目を向けた。チャイムが鳴り、講義室に入って教壇に立つ。学生たちは私語こそしないものの、雑誌を読んでいたり、うつ伏せで眠っていたり。全体的にだらけた空気だ。他の教員に「あなたの授業の雰囲気は？」と尋ねると「さて……、どうだか？」。その教員は授業では自分の古いノートを黒板に延々と写すだけ。何かを読み聞かせる時も資料に目を落としているので、学生がどんなふうに聞いているのか注意したことがないというのである。それで十数年やっているというのだから、香椎は開いた口が塞がらなかった。学生に尋ねると、雛美大にはそんな教員ばかりだと知らされ、二度びっくりした。

——授業がつまらなければ、学生はついてこないよな。

香椎は学生が可哀想に思えた。雛美大は偏差値が低い。集まる学生たちはどこの高校でも下位を過ごしてきて、劣等感が強い。彼らは世間で「雛美大卒は恥である」と言われていることを知りながら受験している。これでは楽しく受講できるわけもない。まずは講師が良い授業をしなければ。そして学生に学問への好奇心を焚き付ける。さらに、褒めて劣等感を消し去り、雛美大にいることを喜びにする。そういう学生を次々に卒業させていけば、おのずと社会に雛美大のブランドが浸透していく——はずだ。

香椎は自分の「経済統計学」の講義を工夫し、緩急あるトークと学生とのやりとりを重視した授業づくりを試みた。学生の目はたちまち輝き、授業は劇的に変わった。香椎にとってそれはそんなに難しいことではなかった。

――なあんだ、これでいいのか。

まもなく、受け持っていた四年生が卒業した。受講生の半分以上が研究室を訪れ、「ありがとうございました」と礼を述べていった。

ところがだ。半年後、久しぶりに卒業生に会った時、「経済統計学を社会に出てどう活かしていますか？」と尋ねたところ、一人としてまともに答えられなかった。それどころか「ケイザイトウケイ？　なんでしたっけ？」と、ポカンとした顔を浮かべているのである。講義に確かな手応えを感じていた香椎はショックだった。あんなにいきいきと授業を受けていたのに。毎回のテストでも、社会で「雛美大で学んだことが役立った」と胸を張って言えるだけの知識を修めてくれたはずなのに……。

香椎は憂愁のうちに次の一手を模索した。自分の講義をもう一度振り返る。講義手法そのものに問題があるとは思えない。ただ一点だけあるとするなら――統計学を説明する際のデータが、政府発表のおカタい数値ばかり。これらは確かな数値に違いないが、学生には縁遠く興味関心の対象たりえないものだった。この材料でどれだけ講義の手法を工夫しても、せいぜい「面白い先生の面白い時間」にしかならない。扱う統計データに学生の好奇心が向くような、そんな情報を扱う必要がある。

何かいい方法は無いか。香椎は日々考えた。

ある時、ふと、こんなことを閃いた。

必要なデータを学生自身につくりださせてはどうか——。

まずはじめに、学生たち自身に企画を練らせる。次に実地に活動を行わせる。そこで生まれた数値データを持ちかえり、分析させ、自分たちの活動が正しかったかどうかを検証する。もし結果が良くなければ、どこが悪かったかを検討し、それを踏まえて活動をする。さらに、活動する前のデータと後のデータを比較させ、活動が地域に及ぼした効果についても検証できる。結果が悪ければ、活動を修正して、よい結果を目指す。いわゆるＰＤＣＡ（Plan, Do, Check, Action）サイクルの実践である。これこそ生きたデータであり、生きた経済統計学である。

——自分で作ったデータを自分で分析し、自分で活動に活かす。全て自分だ。これなら学生たちも、自分の事だと思って主体的に取り組めるはずだ。

香椎はこれを「ＰＤＣＡ経済統計学」と命名した。

年度が変わって四月、ゼミが設置された。宝塚や武井、海老原、乙成らが受講申請し、オリエンテーションで席を連ねた。

香椎は楽しみで仕方なかった。学生たちがどんな活動をすることやら……自分たちで積み上げた数値データを扱うのだから、興味関心の対象にならないわけがない。

こうして香椎の【雛美大再生計画】が始まりを告げた。

Chapter 2
市政提言会

大学祭が終わり、街路樹の銀杏が色づいた葉を落としはじめ、大谷野市に冬が兆してきた。

とある日曜日の午後、雛美産業大学准教授・香椎禅太郎は市の施設で行われた「街おこし」ディスカッションにパネリストとして参加した。壇上から客席を見ると、最前列に友田市長の姿を認めた。確か市長は開会の辞を務めた。普通なら公務のため退席するのだが、いつまでもいる。

――相変わらず登庁拒否か。……そうだ、ちょうど好い！

イベント終了後、香椎は帰ろうとする友田の背中に追いついた。

「市長、聞いていただきたいことがあるんですが」

友田はくるりと振り返り、

「喜んで聞こうじゃないか」

香椎は控室に友田をいざない、話を切り出した。

「今度私のゼミで、学生が地域活動を行って、そこで得た数値から統計学を学ぶというのをやるんです。それで協力をいただきたいんです」

「統計学？　分からんな」

「別に市長に統計学をやってもらおうとは思っていませんよ。学生たちに地域活動を行わせるにあたり、まずは活動そのものを用意しなければなりません。その段階で関わってほしいのです」

「市で何か活動を用意すればいいのか？」

「それだと学生たちが主体的に取り組むことになりません。この試みには統計学のゼミ以外にも、学生らの主体性を育てて雛美大ブランドを向上させる目論見があるんです。

ぼくが今考えているのはこうです。学生たちに大谷野市の問題点について自主調査させ改善策を練らせます。市長には彼らが政策提言する場を設けてほしいのです」

「それは面白い」友田は感心してうなずいた。「分かった。できる限り協力するよ」

「ありがとうございます」

翌日のゼミで、香椎はさっそくゼミ生らにその話をした。

「――というわけだから、市の問題点を追求するにあたって、今後どう進めていくか、みんなで考えてほしい」

「先生、それマジですか！」

椅子を倒して立ち上がったのは宝塚肇だった。

「ホントですよ」香椎はたじろいだ。

「市に対して雛美大の俺らがダメ出しとか、楽しみです！」

全身で喜びを示す肇。ゼミ生らは目を疑った。というのも、肇は学祭以降、すっかり沈み込んでいた。原因はＩＮＡ祭のＩＫＣの無農薬有機カレーである。あれが肇のプライドを完膚なきまでにうちのめした。学祭の出し物とはいえ、同じ年頃の大学生の仕事にこれだけ差が出るとは――心底ショックを受けていた。それ以来、目も当てられないほどへこんでいたのである。

だが、いま、彼は甦った――肇は不敵な笑みを浮かべてゼミ全体を見渡した。ゼミ生らは肇から目を逸らした。いまの肇は、自分の自意識が癒やされるのなら、相手が何者であろうと、「上から目線」になれる対象を求めている。誰でもいいからこきおろして自分のうっぷんをはらしたがっている。そこに香椎の話が来て、彼は我が意を得たような気持ちになって高揚しているのである。そのごく単純な変わりように、ゼミ生らは直視できない哀れっぽさを感じ、目を逸らしたのだった。

「あの――、宝塚くん」

香椎は燃え上がる肇にそっと告げた。

「これはあくまで問題提起であって、ダメ出しとはちょっと違うよ」

肇は水を差されて顔をしかめた。

「まあ、要は俺らが市の奴らにアドバイスしてやればいいってことですよね？」

ゼミにはただ一人、肇と真っ向から渡り合える人物がいる。

「まさかアンタ、市役所でカレーおむすびを売れとか言うんじゃないでしょうね」

肇に食ってかかったのは海老原夕だった。

「仕込みで焦がしたカレーを『焼きカレー』とかいって売って散々クレームもらったこと、私いまでも夢に見るわ。アンタと何かやるのは危なっかしくて御免よ」

「また学祭の話かよ。そうじゃねえ。俺はただ純粋に――」

肇は言葉をつまらせ顔をそむけた。

ふと、香椎と視線が合った。

その途端、肇の口から――当人すら思い及びもつかない、まったく彼らしくもない言葉が転がり出た。

「俺はただ純粋に、雛美大生でもやればできるってことを市の奴らに見せつけたいんだ！」

「はぁ？」夕は呆れかえった。

すると、

「宝塚君のキモチ、ぼくは大賛成だよ！」

声を上げたのは香椎だった。彼は拍手で肇を称え、

「学生だって行政に知恵を貸せるってところを見せつけてやろうよ。提言の日程は市が決めて連絡をくれることになってる。さあ、それまでの間に何を提言するか、みんなで話し合おう」

ゼミ生らはさざなみのようにざわめいて、肯定的な反応を示した。

香椎は内心ホッとした。

やる気のないゼミ生らが提言の件を受け入れてくれるかどうか、実は不安だった。ところが肇が分かりやすいカラ回りを見せてくれたおかげで、なんとなくやる方向で固まった。全く予期せぬ展開である。

——ありがとう、宝塚君。


それから一週間経ち、二週間経ち、一カ月が経過した。市からは何の連絡も無かった。肇らの「提言会の件はどうなったんすか？」という声に押され、香椎は市に電話を入れた。しかし友田市長がこの話をどの部署に振ったのか分からず、たらい回しにされるばかり。友田に直接電話を入れてみてもつながらない。あとから留守電に「秘書課で検討させている」と伝言があった。香椎は嫌な予感がした。

次の日、香椎は市の総務局市長室秘書課に直談判に赴いた。ゼミから乙成・宝塚・海老原が

同行した。窓口で対応した女性職員は怪訝な表情で「確認してみます」と引き下がった。次いであらわれたのは年配の男性職員だった。あからさまに不愉快な顔をしている。

「ははぁ、提言の件はあんた方だね？」目を細めて香椎とゼミ生を見渡す。「そういうことは前例が無いので、提言をされても実現できない。というより、はっきり言って困るんですよね。そういうことをされちゃあ……」

「ちょっと待ってください」肇が身を乗り出した。「ここにいる香椎先生は市長の知り合いで、直接約束したんです。なぁ、先生？」

「ああ、うん」香椎は苦しげに微笑んだ。乙成と夕が青くなって肇の上着の裾を引っ張ったが、

「ほらね。おじさん、あなたじゃ分かんないんですよ。市長に会わせてください」

しかし、

「市長は公務で外出している。不在だ」

男性職員はそう言って、後は何を言っても暖簾に腕押し。顔には「さっさと帰れ」という色がありありと浮かんでいた。

それから数日、ゼミ生だけで交代で毎日秘書課に出向き、提言の説明と市長への面会を求めた。対応はいつも同じで門前払い。ある時、香椎が研究室にいると大学事務から内線が入った。事務長直々である。

『市からいい加減にするように、とのことだ』

翌日のゼミで、香椎はゼミ生らに御百度は止めるように告げた。

「このまま引き下がるのかよ！」肇は激高した。「なんだい、市長なんて！　選挙の時は公約がどうのこうのと言うくせに、学生と会って話をする約束すら守れないのかよ」

「ちょっと、肇」夕がたしなめた。「市長はたぶん何も知らないのよ。悪いのは秘書課をはじめ役所の人たち。私たちが学生だからって馬鹿にしてるのよ」

乙成は半べそで声を震わせ、

「やっぱり大人の世界は怖いです……」

「まあまあ、みんな」香椎は無理に笑顔を作って言った。「この件はぼくに任せてくれたまえ。提言会は絶対実現してみせるから」

ゼミ生らはしぶしぶ承服した。

香椎は言ったものの、名案があるわけではなかった。

――このまま立ち消えかな……。

手の打ちようのないまま、無為に数日が経過した。ある夕方、研究室でくさくさしていた香椎は外の空気を吸おうと近所の公園にやってきた。そこは雛美大キャンパスと、そこから五百メートルほど離れた商店街通りのちょうど間に位置する、ごく小さな公園である。中央に滑り台とブランコ、隅に公衆トイレがあり、脇に水飲み場がある。どこもかしこも古ぼけて、昼は人の姿を見かけない。その静けさが香椎にとって格好の休憩場所だった。研究室で行き詰まるとたびたび公園を訪れ、ベンチに座ってぼんやりしたり、砂場の周りをくるくる回ったり。熱気を帯びた頭をクールダウンさせた。

その日は珍しく幼児が二、三人、滑り台と砂場の周りを駆け回っていた。遠巻きに見ているお母さんたちの姿。幼稚園の迎えの帰りだろうか。駆け回っても駆け回っても息をつかない子どもの走る足音と、高く周り中に響く声がする。いつもならしゃくにさわるところだが、今日はなぜか気にならない。

――どうやらぼくの中に諦めがついてきたかな？

香椎は心の中で自嘲した。が、次の瞬間、

「あっ！」

香椎は声を上げた。周囲の子どもたちやお母さんたちもビクリとした。

「そうか！　子どもか！」

香椎は沸き立つ興奮を丁寧になぞった。

――子ども、子ども……！　市役所の各課を通してもダメなら、教育委員会から通せばいい。幸い教育長はぼくも知っている。なんせ雛美大をぼくに勧めた師匠なんだから！

香椎は研究室に飛んで帰って教育長に電話を掛けた。電話はすぐにつながった。香椎は趣旨と状況を冷静に伝えた。教育長は「そういうことなら」と、弟子の頼みを快諾した。

一週間後、教育委員会から香椎の元に、市長・教育長・教育委員長の三者同席による市政提言会の開催通知が送られてきた。市の秘書課に二カ月近くソデにされていたのが、ほんの一週間でくつがえるとは！

次のゼミの日、香椎はチャイムが鳴ると同時に意気揚々と教室の引き戸を開けた。

「みんな！　聞いてくれ！」

午後のひとコマ目でゼミ生らの目蓋はくっつきかけていた。妙に高いテンションで入ってきた香椎に、眠たい視線が集まる。

「市政提言会の日程が決まった！　年明けて二月の上旬だよ！」

室内に香椎の声が際立って聞こえた。

——あれ……？

香椎は戸惑った。思っていた反応と違う。

「テイゲンカイ？」肇が首を伸ばして言った。「先生、もうそれ、俺たちの中で終わってますよ」

「そうっす」兵太も同調した。「それに、年明けなんて、年度末でごたつくでしょ。俺もバイト忙しくなるし」

「いつもどおりの授業でいいと思います」

海老原まで、欠伸(あくび)を噛み殺して目に涙を浮かべている。

「だいたいさ」肇が言った。「何で今になってやれるようになったんです？　俺たちに対するオナサケみたいなもの？」

「そうに決まってら」兵太が応える。「どうせ俺たちは雛美大。提言したところで馬鹿にされるのがオチだよ」

「ちょっときみたち」

香椎は泣きたいくらいだった。けれども顔には出さず、

「ぼくは市政提言会を中止すると言った覚えは無い。市の重役が三人も時間を取って学生の相手をしてくれる機会は、そうざらには無い。これはオナサケなんかじゃない。れっきとした公式の会議です。それと同時に大学ゼミなんだ。単位の査定に含まれるから、しっかりやってほしい」

ゼミ室は静まり返った。

「じゃあ、乙成さん、調査と提言内容についてディスカッションをはじめて」

「はい」

香椎はあとの進行を乙成に任せた。冬だというのに背中は汗びっしょりだった。一時期は肇を筆頭にあれだけ盛り上がっていた市政提言会だったのに……。香椎は学生の心の移ろいやすさに慄いた。

それ以降、ゼミでは乙成をまとめ役に、提言会への準備が続けられた。けれども一旦やる気を失った学生らの出すアイデアは、気まぐれで、思いつきのものばかりだった。香椎は突っ返して全部やり直させたかったが、それをやってこれ以上彼らのやる気を削ぐと、ゼミ崩壊につながりそうで怖かった。このままでは市長や教育長に申し訳ないが、仕方がない。スポーツや高校の課外授業と違い、大学の授業で大学生を結束させるのは非常に難しい。香椎はそれを痛感した。

年が明け、またたく間に二月。市政提言会の当日を迎えた。ゼミ生らはスーツ姿で教育委員会の庁舎を訪れ、準備された会議室に通された。正面に市長・教育長・教育委員長が居並ぶ。市の職員らは重役の揃い踏みにあたふたしていた。ゼミ生らも緊張の面持ちである。肇と兵太もさすがに落ち着かない様子で目をキョロキョロさせていた。

香椎は会議室の隅に下がり、影に徹することにした。前に出たところで何の役割も無い。学生らが褒められようと叱られようと、見守ることしかできない。

部屋の中には三重役、学生、数名の役人、香椎。その他数名、地元の新聞記者たちがいた。

そのうち一人は香椎と面識のある今津豊（いまづゆたか）という男だった。

「この会議、先生の差し金でしょ？」

男は小声で語りかけてきた。

「まあね、そうですよ」香椎はぼそりと答えた。

「相変わらず面白いことを考える。先生には今後ともつきまといますよ。あなたはニュースメーカーだからね」

「今日のこと、どこで知ったんです？」

「企業秘密です」

「ふうん」香椎は目を逸らした。役人が会議のはじまりを宣言したからだ。

――どうもいけ好かない男だ。

香椎は目を閉じた。

――まあ、彼のおかげで友田市長が当選したってこともあるから、むげにはできないがね……。

市政提言会がはじまった。

学生は一人ひとり用意したレジュメをめくり自分の意見を述べた。

「大谷野市にもっと人を呼ぶべく、地元空港を建設し……」

「お年寄りのために、全長一キロの動く歩道を敷設して……」

「市内の小中学校の校庭を開放し、無料駐輪場を設置したら、自動車の利用者が減って、CO_2削減効果を……」

香椎は固く目を閉じた。発表内容はもちろん知っている。しかし、何度聞いても突拍子も無い。少なくとも大学生がするような発想では無い——小学生の方がマシかもしれない。心の中で、早く終わってくれと祈る。どこからかプッと吹き出す音がした。目を遣ると、今津が口元に手を当て、香椎に緩んだ目を向けている。香椎は目を逸らした。

「はい、お時間です」

役人が鈴を鳴らし、学生の発表時間が終了した。

「いやあ、ご苦労様でした」

友田の「いやあ」には、「やっと終わった」感が溢れていた。教育長と教育委員長も同様だった。

「あ、あの」乙成が発言した。「今日の提言はどうなるんでしょう」

「心配しなくてもいい」友田はにこやかに言った。「提言は担当各課に回し、実現を検討させます」

学生たちの顔が明るくなった。やる気を失っていた肇と兵太も目に光を帯びている。香椎も安堵した。ふと、目の前が一瞬真っ白になった。振り返ると今津がレンズを香椎に向けている。

「なんでぼくを撮るんです」

声を押し殺してなじると、今津はカメラを下ろして笑みを浮かべ、

「記念記念。いやあ、今日の記事は、面白いことになりますよ」

いつまでもニヤニヤしていた。

市政提言会が終わり、一週間が過ぎた。教育委員会や市役所からは、何の沙汰も無かった。ゼミ生らの耳には市長の言葉が残っていた。

『担当各課に回し、実現を検討させる』

行政トップの言葉なら守られるはずだ――ゼミ生らは信じていた。しかし一方で、以前の秘書課のようなこともある。また悪い役人によって握りつぶされているのかもしれない。肇と兵太はまさにその考えだった。夕は「とにかく市長はああ言ったんだから、信じようじゃないの」と二人をなだめ、市長の言った「担当各課」に当てはまる部署に、乙成と手分けをして片っ端から電話を掛けてみた。だが、案の定、

『そのような指示は受けておりません』

『検討の結果、今回は見送る、ということになりました』

どこの課もこんな回答だった。

「アッタマに来るわ！」さすがの夕も激高した。「指示を受けてないのなら仕方が無いけど、検討の結果ダメだったんなら、その返事をくれるべきじゃないかしら！」

乙成は顔を歪め、

「やっぱり私たち、何をやってもダメなんですかね……」

香椎はゼミ生らの悲嘆を黙って見守った。掛ける言葉も思い浮かばない。香椎もどちらかというと肇と兵太と同じ考え方だった。役所には期待できない。

――万策尽きた。

香椎はせっかく打ち立てたＰＤＣＡ経済統計学を、データ取りの前段階で失敗したと認めざるを得なかった。別のデータ源を探すか、あるいは方針自体を改めるか――。

ところが、状況は大どんでん返しを見せた。

それは月曜日の朝だった。研究室で地元紙の朝刊をめくっていた香椎は、目に飛び込んできた文字に「あっ」と声を上げた。地域面にデカデカとこんな表題が躍っていたのだ。

【未来の街を若者がアドバイス　雛美大生が市長に提言会】

その記事は直近一週間のトピックスを新聞社が特集する月曜限定のレギュラーコーナーだった。先日の提言会の模様がカラー写真入りの十段抜きで扱われている。内容は非常に好意的で、学生の発想（具体的な内容には触れていなかった）と市長の度量を評価していた。締めくくりはこうだ。

『友田市長は公約に【若者が夢を持てる市政】をうたっており、今回の雛美大からの提言聴取は、まさにその約束を果たしたといえよう』

市長の公約と結び付け、きれいに終わらせている。文末に「文責：今津豊」の文字があった。

――さっすが。やってくれるじゃないか！

香椎は心の中で拝んだ。

ゼミ生らが喜んだのは、言うまでもない。もっとも、彼らの浮かれようは「俺、写ってる！（肇）」「ざんねん、後ろ姿だわ（夕）」「俺、乙成に隠れてる（兵太）」「武井さん、すみません（乙成）」等々、他愛の無いことばかり。

当然ではあるが、ゼミ生らより大人の世界の方が反響は大きかった。香椎の元には、以前勤めていた大学の教員仲間の他、出版社、地域活動の関係者から賛辞の電話が相次いだ。学内ではまるでヒーローの扱いだった。すれ違う先生たちがみんなしてちやほやする。理事長からも直々にお言葉をたまわった。

「香椎先生には今後とも大学の牽引者となっていただきたい」

新聞掲出によってもっともフォーカスされたのは友田市長だった。

「若い人たちの意見を聞き、それを実現させようとしている」

「地域活性化と若者の育成を同時にやろうとしている、今まで大谷野市でこのような首長は全くいなかった」

市政提言会は若手市長の斬新な手腕としてマスコミを通じて全国に紹介された。行く先々で記者とカメラに待ち構えられ、どこにも逃げ場がない。友田は顔では喜んでいたが、内心は面食らっていた。

「市長、素晴らしいアイデアです」

「お見事です！」記者らは煽る。

――違う！　提言会は、企画は香椎で広めたのは今津だ！

白状したいのはやまやまだが胸に納める。ともかく、これで市政は友田に追い風である。周辺は「次期選挙は安泰だね」と胸を撫で下ろした。選挙ばかりで市政そのものには関与しない応援者たちはいい気なものである。

しかし友田はこの流れのために、一つの巨大な難問につきあたった。「学生らの提言事案を実現する」義務である。これだけメディアにさらされたら、退くに退けない。友田は改めて提言書を見た——まさかこんなことになるとは思っていなかったので、ほとんど忘れかけていたのだ。

「面白いけど……荒唐無稽すぎる」

さしもの友田も呆れ果てた。しかし追い風は追い風。一つでも実現して次のステップにつなげたい。友田は市役所内の数少ないシンパを集めて特別チームを組織させ、実現に向けて準備を急がせた。

この状況を面白くない顔をして見ている男たちがいる。

新聞が市政提言会を取り上げて一カ月ほど経ったある晩。大谷野市の老舗料亭の座敷に二十人ほどの男たちが集まっていた。皆スーツ姿で、畳の上に畏まっている。年はばらばらで、三十代もいれば七十代もいる。唾を飲む音も憚(はばか)られる緊迫した空気。全員神妙な面持ちで、正面に座する一人の男を見つめていた。正面の男は苦虫をかみつぶしたような顔つきで、座椅子に身を預けていた。年の割に豊富な白髪を、全て後ろに撫でつけている。しわだらけの顔にはめこまれたどす黒い目玉が、時折俊敏に瞬きをする。目の前の卓に、新聞や週刊誌が広げられている。いずれも友田の特集を組まれたものだ。

男は目を上げ、低く響く声で喋りはじめた。

「市議諸君にはご承知のとおり、友田君がこのように取り上げられるところとなった。内容はさておき、ここまで知名度を上げられると、私も次を躊躇せざるをえん――」

「奥田先生、お待ちください」上座にいた男が口を挟んだ。

奥田は憮然とした表情で男を振り返り、

「安浦議長、『先生』は止め給え。私は今、ただの無職の老人だ」

「や、私どもにとって先生は常に先生です」安浦と呼ばれたその男は、奥田と目を合わすでも逸らすでもなく、落ち着きの無い様子で答えた。「畏れながら申し上げます。我々は長年先生と共に、大谷野市のために尽力してまいりました。友田がこの間の選挙で『長期政権は害悪』などと市民を煽り、市長に収まったのは、ちょうど各地で汚職が話題になっておりましたから、それゆえでございます。秘書課長が話すには、友田は無能です。恐るるに足らんのです。先生が矛を収めては、市政に望みはなくなります。そもそも例の提言会も、友田の発案では無いらしいですぞ」

「ほう。誰の企画だ」

「雛美大の香椎とかいう准教授風情です」

「ふん。知らんな」

座敷の空気は重苦しかった。市議らの視線は安浦に半分、奥田に半分向けられている。

「友田が無能なのは先刻承知だ」奥田は一同に目を移して言った。「大谷野市の未来のためにも、彼にこのまま市長でいてもらうのは困る。だが、私は私で、この間の選挙で呆れ果ててしまってな……」

一同は苦い顔をして聞いていた。「呆れ果てた」の真意が何なのか――誰に対し何を呆れているのか――。

左右の人間の顔色を見て、答えを探り合う。

「奥田氏――いや、先生」再び安浦が口を開く。「先生の呆れられるのもイチイチもっともでございます」

奥田は目を細め、

「お前は私が何を呆れているのか分かっているのか」

「いや、先生、先生。もう何も仰らずに」安浦は遮った。「私の申し上げることに『ウン』と言っていただけませんでしょうか。先生におかれましては、何もお考えなさらず、これまでの予定どおり四年後の選挙にご出馬あそばして」

「おいッ！」奥田は声を荒げた。「お前は私に七十を過ぎて赤っ恥をかかせようというのか」

「滅相もございません。なあ、諸君」

安浦は身を捻り、一同に答えを促した。

五秒ほどの静寂ののち、

「はいッ！　小生は奥田先生についてまいりますッ！」

末席の若手議員が声を裏返してそう言った。ほとんど叫び声に近かった。すると、それに倣うかのように、

「小生も！」

「私めも！」

一人また一人と声を上げる。奥田はそれをひとつひとつ細い目で確かめながら、口角を少しずつ上げていった。

「先生、これが総意でございます！」

最後に安浦が絶叫するように言った——これが今夜の最大の見せ場であることを、あらかじめ分かっているような絶叫だった。

奥田は腕組みをし、

「マスコミや市民から反感を買うかもしれんぞ？　それでもいいのか？　自分たちの選挙にも影響しかねんぞ？」

はい、と声が揃った。

「そうか、そこまで乞われては、私も退くわけにいかんな」

奥田はいかにも仕方無さげな表情を浮かべた。やがて手をひとつ打った。障子をずらして仲居があらわれた。目で合図をすると、仲居は礼をして引き下がった。

まもなく、女中たちが座敷に入りこんできて、膳を誂えはじめた。瓶や皿の音がかしましく鳴りだすと、自然とあちこちでおしゃべりがはじまった。

奥田は安浦に顔を近寄せ、低い声をますます低くし、

「打ち合わせ無しにしては、上首尾だな」

安浦はこぼれそうな笑みを返して、

「我々の間柄ではございませんか」

「敵はどう動く」

「秘書課長が言いますには、来週の市議会に提言会由来の議案が初提出されるそうで。まずはそれを蹴ろうかと」

「マスコミは」

「すでに含ませております」

「いつも頼もしいな」

「全て先生から学んだことです」

二人はにんまりと笑みを交わした。

料亭の明かりは夜更けまで灯り続けた。


ゼミ生が期待を募らせ、マスコミ・市民が注目する中、大谷野市市議会は提言会ゆかりの議案をひとつひとつ潰していった。市議会は反市長派すなわち奥田前市長派が半数以上を占めていた。これでは何を立案しても通らない。無論マスコミはこの状況を叩いた。けれども市議たちは覚悟の結束を誓っているので、批判にさらされても反対票を投じる。やがて、マスコミも次第に攻めの手を緩めていった。どうやら裏で安浦とのやりとりがあったらしい。

さて、ここに一人の中年男性役人がいる。秘書課長、鎌田蓮司（かまたれんじ）。年齢五十歳。改革派の現市長の役所での秘書業務を務めているが、内心はコチコチの保守である。常よりかつての主人へのご奉公とばかり、現市長の情報を奥田派にリークしていた。会期中は安浦の命を受け、各部署に落とし込まれていた提言会由来の立案の妨害を行った。また、市長が組織したシンパの特別チームを謀略で仲間割れさせ、解散に追い込んだ。役所の裏の裏を知り尽くす鎌田だからこそできた仕事である。

ある夜。

役所を出た鎌田は、人目を憚って市議会棟の外柱の陰に潜んでいた。やがて議会が終わり、建物から市議らがぞろぞろ出てきた。一人また一人、車寄せのハイヤーに乗って散っていく。最後に一人、お供もつけずに安浦が出てきた。鎌田は足音を消して傍に駆け寄った。

「議長。今日否決されたものが、提言会絡みの最後でございました」

「いや、ごくろう」安浦は周りに目が無いかを確認し、「しかし、まだ安心はするな」。

「と、申されますと」鎌田は相手の顔を覗き込んだ。

「雛美大の香椎准教授を知っているな？」

「提言会の仕掛け人とか」

「友田より香椎の方が要注意だ。市長選では友田陣営に絡んでいたし、奴自身の知名度もなかなかのもの。いいか、あの大学から上がってきたものは、何が何でも潰せ。学生相手でも容赦するな」

「承知しました」

「ああ、それと」

安浦は引き下がりかけた鎌田を呼び止めた。

「今回のキミの働きは、奥田先生にしっかり伝えておく。四年後、先生が勝てばキミも勝者だ。その頃キミは五十四歳か……。そろそろ部長と呼ばれたくはないか？」

「私は、別にその……」

口籠もる鎌田であったが、その顔はにやけて仕方が無い様子だった。

「さあ、もう行きなさい。マスコミに見つかる」

鎌田は軽く会釈すると回れ右をし、急ぎ足でその場を去った。しばらくすると、傍らを黒塗りのハイヤーが走り抜けていった。それを見届け、鎌田は歩くスピードを落とした。

――「部長」、か。

鎌田の両手は、ひとりでに胸の前で揉み手をした。

Chapter 3

宝塚と海老原

ゼミ生のアイデアは役所と議会に全て否定され、結局一つも実現されなかった。香椎はPDCA経済統計学ゼミの存続を真剣に危ぶんだ。だが、新聞に取り上げられて以来、内外から「応援してます」と激励をもらっていたため、引くに引けず、もう一度取り組んでみることにした。彼は改めてゼミ生らが市政提言会に提出した提案書を引っ張り出し、紐解いた。荒唐無稽なアイデアの中に、一つだけ「これは」と思うアイデアがあったことを思い出したのである。

【商店街の空き店舗を使ってレストランを開店する】

提出者の氏名欄には「宝塚肇」と記されている。料理人を志す彼の自我が結晶したようなアイデアだ。肇の実家は北方のさびれた商店街のレストラン（現在は廃業）で、そういう点をバックボーンにしたためか、やや感傷的・独善的な内容だった。

■レストランは料理を学びたい学生の練習の場にする。
■利益度外視。経営は寄付と市の予算で賄う。
■食材はコンビニの廃棄が問題になっているからそれを使う。

まだまだ項目は並んでいるのだが、どれもこれも現実性を欠いている。議会に掛かるまでもなく、役所の担当レベルで突っ返された。怒りに駆られた肇の抗議文への市の回答は、「資金が曖昧／衛生面の配慮不足／無資格」等。香椎はむしろきちんと回答してくれた役所に恐縮したものだった。

――中身はともかく、空き店舗を利用するのはアリだろう。

香椎は市民活動を通じて消費者や商店主、商店街の地主たちの様々な声を聞いていた。誰もがシャッター街化しつつある商店街の未来を憂えている。香椎もいろいろな場で、官民協力して何かできないかと訴えてきた。宝塚のアイデアは、そういう憂慮に対する問題提起になるかもしれない。

折しも、ある日の市の広報紙にこんな募集が載っていた。

【募集・「商店街にぎわい創成事業」で助成金を受け取れます】

記事によると、商店街の空き店舗を活用して事業を行おうとする事業者に、三年間で最高三百万円の助成金を出す、とのことだった。むろん企画内容を審査される。応募締め切りまではまだ時間があった。

——これだ。

翌日。香椎はゼミ生に、肇の提案書と広報紙のコピーを回覧して見せた。

香椎はゼミ生らのリアクションを待った。

「ほらね」肇がうんざりした様子で口を開いた。「俺のアイデアに近いことが、後からこうやって事業になってる。俺たちの提案は何も間違ってなかったんだよ。だのに市の奴らは、学生のアイデアだから、雛美大のアイデアだからって、雑に扱うんだ。アイデア泥棒じゃんか。あーあ、俺この市にいること自体がもう嫌だね」

隣で兵太がうなずいている。最近兵太は出席率が非常に悪かった。バイトを入れまくっているらしい。

険悪なムードの中、乙成が消え入りそうな声で香椎に尋ねた。

「先生がこれを私たちに見せるということは、この助成金募集に出てみないかということですか」

「まあ、そういうことです」香椎はうなずいた。

「市と絡むのはもう嫌だね」肇は声を荒げた。「先生がしつこく言うから提言会にも出た。一度は止めようとしたのを、ムリヤリ頑張ってさ。その挙げ句がこのザマだ」

「でも、ぼくはきみのアイデアをいいと思った。あれをベースに応募したら、ひょっとしたら――と思っているんだよ」

肇は口を尖らせ、

「先生にそう言ってもらえてマジで嬉しいですよ。でも、助成金を決めるのは先生じゃない。市の奴らだ。どうせ俺らは門前払いされる。決まってらぁ。これ以上馬鹿にされてたまるかよ。ホントにいいアイデアがあったって教えたくないね」

肇の怒りは想像以上だった。香椎は口を噤(つぐ)んで他のゼミ生を見渡した。一番前の席の海老原夕は、肇の提案書と広報紙を見比べ、思案顔だった。目元にはネガティブな色が溢れている。

香椎は苦笑を浮かべ、

「まだ時間はあるから、いろいろな角度から検討してみようよ」

けれどもゼミ生はみな「先生がまた変なことを言っている」と、うんざりした表情を隠さなかった。

それ以降も香椎はゼミでたびたび「大谷野市商店街にぎわい創成事業」の話題を切り出した。肇と兵太はあからさまにやる気が無く、否定的な発言をしたり、そっぽを向いたりした。

しかも悪いことに、香椎のゼミ生は、このへそ曲がりの二浪の同級生に引っ張られやすかった。特に肇の影響は大きい。肇はひとたびやる気になるとずば抜けたエネルギーを発する。そんな時の彼の放つオーラはすさまじく、近くにいる人間を精神的に呑み込んでその気にさせる。大学祭でのカレーおむすびや、最初に提言会の話が来た時も、彼のオーラで全員が動いたと言っていい。だが、逆に「いじけモード」「へそ曲がりモード」になると厄介で、本人のみならず周囲のやる気まで滅してしまう。

今はまさにその状態で、ゼミ全体を無気力が覆っていた。

——宝塚君さえ懐柔できれば……。

しかし香椎は何一つ名案を思いつかなかった。

——今度こそダメか……。

そんな中、日を追うにつれ、ゼミに動きが出てきた。

乙成詩織と海老原夕が、徐々にではあるが商店街事業への参加を前向きに捉える発言をしはじめたのである。

「市政提言会は確かに不愉快な結果だけど——」

ある時、夕が全員の前で心境を吐露した。

「今になって振り返ると、あれはとてもいい経験だったと思う。社会に出たら自分の主張を叩き折られることなんて、ザラにあるはずよ。どんな痛い目でも学生時代のうちに経験しとけば、あとあとの助けになるんじゃないかしら。ダメ元、当たって砕けろで、チャレンジしてみるのもアリかなぁって思うの」

「私も、ちょっとそんな感じ、かなぁ……です」

乙成がおずおずと付け加える。普段無口な彼女が自分の意見を言うのは非常に珍しかった。窓際で外を眺めていた肇は舌打ちをしたが、それは彼女の声がしっかり耳に入ったことを全員に伝えていた。香椎は是非を決めず、もう少し成り行きを見守ることにした。

夕と乙成の意見が変わったのは、別段具体的な理由からでなく、それぞれの育った環境と、培われた性格や考え方によるものだった。

海老原夕は母子家庭に育った。母は働き詰めで、姉として弟と妹の面倒を見てきた。裕福とはほど遠く、社会の冷遇については幼い頃から身につまされていた。その割に彼女が歪（いびつ）な性格に育たなかったことは、目を見張るべき点といえる。高校生になると、地域のボランティア活動に参加するようになった。彼女が貧しさの中で培った気付き・気配りは、そこで輝きを放つことになる。みなが「困難だ」「無理だ」「やめようか」と悩むことも、彼女の行動力と辛抱強さによって覆され、実現した。ボランティアサークルは地域で脚光を浴び、誰もが夕を称えた。

けれども彼女にとってはどれもこれも「そんなもの困難のうちに入んないわよ」と鼻で笑うような些細な事柄で、むしろ壁は高く厚い方が燃えるのだった。

夕は大学入学と同時に独り暮らしをはじめた。家は裕福とは言えなかったので、高校を卒業したら進学せず、すぐに就職するつもりでいた。だから、母が「大学に行っておいで」と言って貯金通帳を見せてくれた時は、驚きと嬉しさでいっぱいだった。その上、「家のことを気にしていたら学業に集中できないから」と、独り暮らしまでさせてくれた。夕は母の気持ちに応えるためにも「大学生活は完璧なものにしなければならない」と心に誓い、大谷野市に出てきた。

夕はボランティア活動を通じて宝塚肇と知り合った（肇がボランティアに参加した経緯を説明すると、それだけでおびただしいページ数を割くことになるので割愛する）。付き合いが長い分、夕は肇の物事の考え方が、他のゼミ生や香椎よりもよく分かっている。今回の商店街創成事業に反発する気持ちも痛いほど理解できた。夕だってこれまでの市の対応を思い返せば胸糞が悪い。これが肇の場合、プライドが高いので怒りが思考停止に直結し「金輪際(こんりんざい)関わってたまるか」となる。だが、夕は違う。

「ここで動きを止めたら、状況は永遠に変わらない」

夕が商店街創成事業になびいたのは、商店街の再興もさることながら、立ち向かう壁が高く厚いこと、自分たちのパワーで市を見返してやること――といった、彼女なりの美学があってのことだった。

乙成詩織は、夕とは真逆で、郊外に庭付き一戸建てを構える比較的裕福な家庭に育った。末っ子で上に兄が二人いる。兄たちは東京のエリート大学を卒業し、大手商社に勤めている。乙成は真面目で努力家なのだが、なぜか結果に結びつかず、同じ血を引く兄のように成績優秀とはいかなかった。両親から「行かないよりはマシ」と勧められ、雛美産業大学に入学した。行く先があってホッとした乙成だったが、それがケチの付きはじめだった。付き合いの多い両親は、たびたび家に客を招いた。その際は兄の自慢話ばかりする。ところが客に「娘さんは？」と訊かれると、一瞬暗い目をし、はぐらかすように話を変える。乙成はそんな状況に出くわすと、自分の不甲斐なさに哀しくなり、自室に籠もってしまうのだった。

そんな彼女に変化をもたらしたのは、実は先の市政提言会だった。

提言会では役所に馬鹿にされ、アイデアを潰され、ゼミ生はみんなしてヘソを曲げた。乙成も泣きたいくらいにつらかった。だがその一方で、地元新聞が好意的に取り上げてくれた際の反響は、彼女がこれまでの人生で一瞬たりとも経験したことの無い類いのものだった。称賛と声援。湧き立つ自己肯定感。あの両親までもが新聞を見て「詩織が載るとはなあ」と笑顔を見せた。その瞬間、乙成は、自分がこの世に存在することを初めて許されたような、そんな気がした。

――香椎先生のゼミは無茶苦茶なこともあるけど、しっかりついていったら、またこの間みたいなことがあるかもしれない……。

彼女は自分が再び社会に取り沙汰されることで、親や世間から疎外されていることへの解決の糸口が見つからないかと思った。それは、たった一度スポットライトを浴びる快感を覚えたばっかりに、延々と搾取され続ける芸能人のはじまりのように危険な思惑であった。しかし、若い上に自己肯定感の虜になっていた乙成に、それを嗅ぎ分ける分別などありはしない。同じく、商店街創成事業の具体的なアイデアや肇らを事業に引き込む手立ても、何一つ思い至らないのだった。


日頃大人しい乙成詩織の変化に、夕はすぐに気付いた。彼女は放課後の廊下に一人で佇んでいる乙成に話しかけた。

「どうやら商店街創成事業に賛成なの、私たちだけみたいね」

「ええ、でも」乙成は苦笑交じりに答えた。「反対しているのは宝塚さんと武井さんの二人だけのようにも思えます」

「そうなのよ。他の人たちは日和見(ひよりみ)主義、自分の意見を持っていない。そのくせ、ひとたび何かが決まって動き出せば、まるで当たり前のようにずるずるとついてくる。ＴＨＥ・大衆って感じ」

「そのキモチ、分からなくはないです。みんなと意見が違うって怖いことですからね。できるだけ同じでいようとしちゃいます」

「私は何とも思わないけどな」

「誰もが海老原さんのように強くはないです」

「ねえ、同級生なんだから敬語止めてよ」

「あっ、その、すみません……」乙成は口籠もった。

「ほら、また敬語」夕は苦笑した。「それより、香椎先生はこの話を進めたいはずよ。どうすればいいかしら」

「反対しているのは宝塚さんと武井さんだけだから、二人を説得するしかないのかな、と」乙成はたどたどしく語尾を結んだ。

「そうね。肇を押さえれば、武井くんも従うと思うわ。ここはターゲットを肇に絞るのが得策ね」

「でも、どうやって説得を」

「呼び出して話をするわ」

「直球ですね」

「ええ。肇は単純だから。かえって小細工は通用しないわ」

「単純だから通じないんですか？」

「そう。ピュアだからこちらの雑念に気付いてしまうの。心でぶつからないと、何も返してくれない」

「心、ですか」乙成は感心している。「海老原さん、宝塚さんのことをすっごく理解してるんですね。それって、まるで、ええと……」

「ヘンな想像するんじゃないの」夕はほんのり赤面した。「とにかく、私が説得してみるから。失敗したら詩織、次はあんたが説得して」

「ええっ？　私がですか？」

「賛成派は二人しかいないんだから、しょうがないでしょ？　それと、また敬語に戻ってる。止めてってば。じゃ、さっそく行ってくるね」

夕は身を翻しトコトコと駆けていった。廊下に一人残された乙成は耳まで赤く染めて、嬉しさと恥ずかしさに悶えていた。

――名前、呼び捨てにしてもらった！

「なんだよ。こんなところに呼び出して」

宝塚肇は、雛美大と大谷野市商店街の真ん中、街の一角にある古ぼけた公園に、海老原夕と向かい合って立っていた。時刻は十七時を回っていた。滑り台やブランコのあたりに、近所の子どもたちの姿が見えた。

「まさか愛の告白とかじゃないよな」

「んなわけないでしょ」

夕は左右の腰に拳をあてがい、眉をひそめて長身の肇に対峙している。

「じゃあ、なんだよ」

肇は夕を見下ろした。夕は目元を尖らせ、

「別に私がこんなことを言う必要は無いのかもしれないけど、最近、またあんたの悪いところが出ているような気がして」

「悪いところ？」

「そう」

「バカな」肇は引きつった笑顔を見せた。「ドジって強制的にボランティア活動にぶちこまれた高校時代じゃあるまいし。俺の大学生活はバラ色だよ。短期バイトで小遣いはあるし、二十歳になったから酒も飲める。兵太がバイト先で合コン組んでくれるって言ってるし――とにか

く、青春を謳歌しまくってるよ。まあ、ネックは俺の履歴書に『雛美大卒』って刻まれること
かな？　あ、でも俺、将来はレストランを開業するから、履歴書なんて書く必要ないんだよ
ね」
「バッカじゃない？　あんた、卒業してすぐ開業できるとでも思ってるの？　――って、そう
いうことじゃなくて、私が言いたいのは、あんたの視野がまた狭くなってるってこと」
「視野？」
「分かんないみたいだから、ストレートに訊くわ。あんたが香椎先生の意見に乗らないのは、
なぜ？」
「ああ、例の商店街なんちゃら事業のことか」肇は口元を歪めた。「先生がどんなつもりで俺
らにあんなことばっかりやらせようとするのか、さっぱり分からんよ。それに、先生はたぶん
市役所に嫌われてるな。地域活動とかやりすぎて、悪目立ちしてるんだよ。そういうの嫌がる
じゃん、日本人って。出る杭は打たれるとか言ってさ」
「それはそうかもしれないけど、あんたが反対する理由は、先生に原因があるわけじゃないで
しょ」
「まあな。先生がどうだろうと、俺は行政と関わり合いになるのが嫌なんだ。俺らが若造だか
らって馬鹿にしやがって。あんな融通の利かない分からず屋の集まりと何かしようとするのは、

今後一切御免だよ」

「あんた、悔しくないの？　市の人たちに、見返してやるってふうには思わないの？」

「そりゃ悔しいさ。でも、俺たちに何ができるっていうんだ？　向こうにしてみれば、俺たちなんてただのガキ。虫けら同然さ」

「ほらね」夕は肇の目の奥を見据えた。

「ほらねって、なんだよ」

「肇、あんたが見てるのはいつも『真向こう』。相手・敵・ライバル。それだから視野が狭くなってるっていうの。確かに市のやり方は気分悪いし、真っ向から挑んでも相手にしてもらえないわ。でも、市長と教育長、教育委員長は、約束どおり市政提言会を開いてちゃんと耳を傾けてくれた」

「市長なんて票作りだよ」

「それ以外にも、新聞が取り上げてくれた。テレビは日本中に知らせてくれた。全国の雛美大OB会からたくさんの激励が届いた。大学近辺のお店は学生にサービスしてくれるようになった」

「知ってるよ。でも、そんなのも全部、大谷野市の市役所は潰しちまうのさ。それが社会、それが汚い大人の世界」

「違うわ」夕は声をワントーン張り上げた。「大人の世界では、一つの意見に対し、ダメという人もいれば、良いという人もいる。今のあんたは、ダメという人にばかり気をとられて、怒ったりしょげたりしてる。でも、実際に世間には、私たちのことを良いと言って応援してくれた人もいた。なのに、あんたは視野が狭くなってるから、それに気が付かない」

「べ、別に気が付かないわけじゃ」

「あんたはそんな人たちの気持ちを全部無視して、悔しい思いをしながら何もかも諦めるのね！　人でなしで、根性なし。それじゃ今までの雛美大生と同じよ」

夕は唾を飛ばして言い放った。ブランコで遊んでいた子どもたちがそそくさと公園から走り去った。

肇は顔を凝らして何かを考えていた。やがておずおずと口を開いた。

「おまえ、俺に何を期待してるんだ」

「あんたになんか、何にも期待してない」

「だったら、何で」

「ちょっと思い出しただけよ」夕は胸に手を当て、気持ちを抑えるように言った。「昔――といってもほんの三年くらい前、ボランティア活動で高齢者施設に行ったわよね」

「ああ、行った」

「そこに持ち込んだのは、あんたのアイデアだった。高齢者に喜んでもらうためのイベントで、誰が聞いても名案だったから、ボランティアのみんなで揚々と持ち込んだっけ。施設長はすぐにOKを出してくれた。けれども、施設の職員さんたちは、私たちのやろうとすることをうっとうしそうに見ていた。それどころか、無視したり邪魔したり」

筆は目を伏せた。

「だけど、あるおじいちゃんが私たちのことをとても喜んでくれた。それを聞いたあんたは、がぜんやる気になって、職員を説得して活動を貫いた。その結果、あの施設のお年寄りたちはみんな元気が出て――実際に病気が緩和したり、想定よりずっと長生きしたりした人もいた」

「そんなのたまたまさ」

「私が言いたいのは結果のことじゃなくて、あんたが体制に反抗しながらも物事をやりきった、その姿勢よ。あの時はできて、どうして今はできないの？　あんたがホントに何かをやりたいんだったら、市の奴らがなんなの？　それともあんたはホントに腑抜けになってしまったの？」

「わ、分かったよ」

筆は夕の目に光るものを見て引き下がった。

「確かに、夕の言うとおり、俺は市の奴らのことしか念頭に無かった。あんまり腹が立ったもんで、他のものが目に入らなかったんだ。新聞に取り上げられて、たくさんの人に期待されてたこと、忘れてたよ」

「またあの時のように、頑張ってみたいとは思わないの？」

「うーん……」肇は少し考え「確かに、応援されてたことを思ったら、市への怒りがちっぽけなものに感じられる気がする。そんな小さな心の動きに、若い俺たちの行動力が阻まれるなんて、もったいないよな」。

——よし。

夕は心の中で拳を握った。肇にいつもの単純さが戻っている。もう一押しすれば、彼は考えを変えるだろう。

彼女はそんな手ごたえをおくびにも出さず、

「ええ、もったいないわ。私はあんたのあの時のエネルギーを一度見ているだけに、他の誰よりももったいないと思うの。それに」

「それに？」

「私たちの力で商店街が復活したら、面白いじゃん？　すごいじゃん？」

と言ってニヤリとした。

そう！　何を隠そう、夕の肇に対する籠絡作戦は、全てこのニ、ヤ、リに帰結するように描かれていた。かつて高齢者施設でのボランティア活動で、肇が折れそうになった時、彼女はこの手を使った。

『私ら高校生がオトナを飛び越して高齢者と仲良くなったら、面白いじゃん？　すごいじゃん？』

そうしてニヤリと笑うと、肇はたちまち心を立て直した。

肇の内面はシンプルだ。逆境を前に、単身だと「負けることをきらう」ため、あくまで強気に逃げを打つ。だが、誰かに「面白いことをやろう」「目にもの見せてやろう」と持ちかけられると、逆境だろうが不可能だろうが、がぜんやる気を燃やす。逆境・友情・絆・共闘——これらの要素が自分を物語の主人公のように思わせ、ヒロイズムをかきたてるのである。

夕は肇の顔色から彼の転向を確信した。そして肇は、夕の思惑どおり、すっかり気持ちを前向きに転じていた。だが、一旦は拒否を示している手前、

「まあ、面白いけど……考えてみるよ」と、言葉を濁した。

「いいわ」夕はあっさりと答えた。「じっくり考えて。いい返事を待ってる」

「夕は相変わらずだな」

「何が？」

「何て言うんだろう。何でも前向きで、元気があって。俺、いつも乗せられてる気がする」

「何言ってんのよ」夕は一笑に付した。「もう言いたいことは言ったから、私は帰るわ」

「ああ、じゃあな」

肇は決まり悪そうに軽く手を上げ、回れ右して公園から出て行った。

――バカね。

肇の背中を目で追っていると、夕は力の抜ける思いがした。

――私の方が、ずっと乗せられてるんだから。


一週間後、ゼミ生らは一台の貸し切りバスに乗り、東京に向かっていた。目的地は東京都心の商店街。ここに実際に空き店舗事業で運営されている店があるというので、その視察旅行である。

事業を運営しているのは都内の大学で、群馬県の某村と共同し、八百屋を展開しているという。テレビや新聞で紹介されたこともあり、ゼミ生らも興味があった。

「同じ年の奴らにできて、俺らにできないわけがないよ」

バスの一番後ろの席の真ん中で、肇が気勢を上げた。隣には武井兵太が、肇同様勝ち誇ったように笑っている。

一番前の席では、乙成と夕が隣同士に座っていた。

「海老原さん」乙成は口元を隠して笑いをこらえ、そっと訊ねた。「よく宝塚さんをひっくり返せましたね」

「なあに、わけないわ」夕はフフンと笑った。「だけど、まさかあそこまで分かりやすく転がるとは思わなかった」

「なんて言って説得したんです？」

「うーん。詩織に言って分かるかな」

「おや？　秘密ですか？」

「え？」

「二人の間だけの何かですか？」

「やめてよ」夕は赤くなった。「それと、また敬語になってる！」

二人と通路を挟んで反対側、運転席の真後ろの席に香椎がいた。

――さすが海老原さん。宝塚君をすっかり転がしてしまったな。

一週間前の夕方、突然夕が教官室を訪ねてきて「たった今、宝塚肇を説得しました。じき、全てが問題無く運びます」と言った時は、全く意味が分からなかった。だが、確かに翌々日に開かれたゼミで、肇は前言撤回し、商店街事業参加に名乗りを上げた。すると不思議なことに――そうなることの予想はついていたが――ゼミ全体がやる気を出した。何もかも夕の言うとおりになったのだ。香椎は安堵して、前々から企画していた「東京商店街事業バスツアー」

計画を発表した。全員一致、全員参加で事業へのチャレンジが決まった。

そうして迎えたツアー当日。東京への道程、バスの中は和気あいあいとしていた。そういえば、大学祭以来、ゼミ生が一緒になって何かを行うのは久しぶりである。こうした絆づくりも、積み重ねていけば今後のゼミ運営につながっていくだろう。香椎はＰＤＣＡ経済統計学ゼミを打ち立てて初めて前途が明るく見えた気がした。

一行が訪れたのは、神田駅のそばの繁華街だった。ゼミ生らのほとんどが初上京で、大都会に圧倒され呆然としていた。同じ商店街事業でも、雛美大周辺の商店街とは雲泥の差がある。ゼミ生らは列をなし、香椎の後に従って雑踏を縫うように歩いていった。目的の店は群馬県の某村と共同で行っている八百屋。そこでは、同年代の学生たちが元気いっぱい働いている。客が押し寄せ猛烈に忙しそうだったが、笑顔と掛け声が絶えない。

「やあ、お待ちしていました」

出てきたのはリーダー格の人物で、商学部の三年生だった。話を聞くと、仕入れ・販売・会計まで全て学生が管理しているとのこと。それを説明する態度もハキハキして、まるで社会人そのものだった。雛美大のゼミ生らはまるで自分らが子どものように思えてならなかった。バスの中で元気だった肇と兵太も、口をポカンと開け、黒目を落ち着き無く揺らしている。夕から何度も「アゴを引いて」と注意された。

見るべきものを見て、一行は帰途に就いた。帰りのバスで、香椎は通路の真ん中に立って言った。

「みなさん、今日はどうでした？」

誰も口を開かなかった。全員、見るからに消沈している。肇と夕が何か言いかけたが、口を噤んだ。バスは高速道路を真っ直ぐ走っていた。香椎はゼミ生らの顔をひととおり見回すと、表情を緩めて、

「ま、ぼくとしては、大したことはなかったですね」

あっさり言った。

「今日見た店は、立地が東京のど真ん中ですから、お客さんが多くて盛況感があります。仕入れや販売なんかも『自分たちで』と言われると何だかすごそうですが、よーく見ていたら、ちょっと出来のいいバイトと変わりません」

ゼミ生らは香椎の顔を見ている。

「最初にレールを誰が敷いたのか。学生が自ら敷いたのなら、どんなふうに敷いたのか――そういう点を考えたら、雛美大で空き店舗事業を始めた場合、ぼくはみなさんの方がずっとうまくやれると思います」

車内にどよめきが起こった。

「先生、そりゃ買いかぶり過ぎですよ」肇が一番後ろで声を上げた。「俺たちのやる気を考えてそんなことを言ってくれてるのかもしれないけど、さすがに『ずっとうまくやれる』ってことはないでしょう。だって俺たち」

「雛美大生だ、とでも？」香椎は笑って言った。

「そうじゃないっすけど……」

「ぼくがそう言うのにはちゃんとわけがあります。あなたがたは市政提言会で経験を積んでいる。体制に批判されたり、人々に称賛されたり。ビジネスは試行錯誤の繰り返しです。一度の失敗でへこたれていては絶対に成功しません。そういう意味で言ったら、あなたがたは同年代の学生よりも一段成長している。なぜならこの間、散々苦汁を嘗めさせられたからね。自信を持っても大丈夫です」

車内のどよめきはため息に変わった。ゼミ生らの目にほんの少し輝きが戻ったように見えた。

「ほんと……ですか？」

香椎のそばで、乙成詩織が蚊の鳴くような細い声で尋ねた。

「もちろんですよ」

香椎は微笑んだ。乙成は目を潤ませてうなずいた。

Chapter 4
コンセプトメイキング

年度が変わり、ゼミ生は二年時を迎えた。

雛美大キャンパスは桜が満開で、風に舞う花びらの中を新入生の歩く姿が見られた。ところどころでサークルの勧誘が行われ、上級生が声を掛けている。春らしい活気で満ちている。

香椎ゼミの学生らは、東京バスツアーから帰ったのち、年度を挟んでミーティングに明け暮れていた。

テーマは「商店街の空き店舗でどんなお店をするか」。

若者らしい熱気で積極的に意見を交わしていたが、具体的なことは何も決まっていなかった。夕がこんなことを言ったからだ。

「いきなり八百屋だ、物産館だって決めても、私たち自身にそれをやる根拠が無ければ続かない。だからはじめにちゃんと意義を練るの。コンセプトを立てるのよ！」

言っていることは立派だが、おかげで議論は抽象的になり、滞ってしまった。香椎は敢えて助け舟は出さなかった。みんなで紆余曲折することにも意味はあると思ったからだ。

「こんな会議を続けてても、らちが明かねえぜ」

最初に根を上げたのは肇だった。

「大学祭の『カレーおむすび』みたいに、閃きを大事にするってのもありじゃねえか？」

「とんでもない！」夕は肇を睨みつけた。「大学祭は三日間限り。今度の企画は街ぐるみでずっと続くのよ。私たちが卒業した後も、香椎先生のゼミで連綿と受け継がれていく。あんた、もしかしてあのカレーおむすび、ずっとやってて持つとでも思ってたの？」

「そうは思わないけどさ。このまま漠然とした意見ばっかり言い合ってても仕方がねえだろ」

確かに肇の言うとおり――他のゼミ生らは明言こそしないが、肇と同じ意見だった。理想の街づくり、若者の望む未来、夢。どれだけ想いを並べても、「何がなんでもそれをやりたい」という確信には至らない。答えの出ようのない議論である。

肇はみんなに呼びかけた。

「希望を言うのはもう止めだ。この際、不満を並べてみようぜ。世の中の嫌なことをみんなで言い合うんだ」

「不満？」夕は首をひねった。

「おおよ。どうせ何にも決まんないんだから、やってみようぜ。もしかしたらそこから何かヒントが見つかるかも」

ゼミ生は全員乗り気だった。なにしろ定まらない議論で疲れていた。彼らは面白半分で不満を言いはじめた。

「ケータイの新機種を持ちたい！」

「バイトの面接に通らない！」

「親が『将来将来』ってうるさい！」

「あっ。それ、ウチも！」

ドッと笑いが起き、教室はにわかに活気づいた。

さて、ゼミ生の中に進藤翔（しんどうかける）という学生がいた。この後、彼の意見で教室のムードは一変することになるが、その前に少しだけ彼のことに触れておこう。

進藤翔は雛美大生の中でもだいぶ垢抜けた方で、日頃は女の子のお尻ばかり追いかけているような学生である。高校時代まで地味で目立たぬ日陰者だったのが、大学進学を機に変貌を遂げた。いわゆる大学デビューである。彼は「他人よりちょっと違うことをして目立とう」という標語をおのれに敷き、それを守って生きることで、一定の成果と自己肯定感を得ていた。最近では目立つ必要の無いところでもそれをやるようになっていたが、この日も、どんよりした空気に包まれていた教室を自分の意見で変えることで、「ちょっとでも目立ちたい」という魂胆があったのは、疑いのないところだった。

「最近、不満というか、不快に思うことがあるんですけど」

進藤は滑らかな口調で言った。

「テレビ番組で、タレントが外国に行って現地の食用の虫やトカゲを口に入れ、ヒーヒー言って笑いを取っているでしょ。あれってどうかと思うんですよ」

「おお、まったくだ」肇が言った。「俺もああいうので笑いを取るなんて、意識が低いと思っていたよ」

「ですよね？」

「あと、進藤くんがそんな真面目な意見を言うってのが意外だな」

「そうっすか？　恐れ入ります」

教室内にさざなみのような笑いが立った。進藤は二浪の同級生に持ち上げられてニヤリとした。肇と絡めばゼミで目立つ――彼はそれを理解していた。

夕は眉間に皺を寄せて言った。

「進藤くんが真面目かどうかはさておき、私も同じ意見よ。ああいう番組は、食べ物を粗末にするだけじゃなく、相手の食文化を大事にする心が無い。タレントさんたちはテレビ局からそういうふうにやれって言われてるのかもしれないけど、とにかく私も、観ていて不愉快」

「そうだよな」肇はうなずいた。「あと、食材の話が出たついでに言うけど――田舎に行くと、山の獣を狩るだろ？　畑に害を及ぼすからって、野性のシカやイノシシを撃ち殺す――害獣駆除ってやつさ。その肉は、少量出回るケースはたまに聞くけど、ほとんどがそのまま処分されているらしい。ウシやブタは食べるじゃんか。だったらシカやイノシシも『ごめんね』『いただきます』の気持ちできれいに平らげた方が、命への礼儀だと思うんだ。これってもっと広められないのか？」

「ああ、俺、それ知ってます」進藤が反応した。「確かジビエといって、狩猟した動物の肉を食べるって」

「そうそう、私も聞いたことがあるわ。でも今は猟師さんが高齢化して狩りができなくなり、供給が少ないからジビエも浸透しないって……あ、そうだ」

夕の顔がパッと明るくなった。

「こんなのはどうかしら？　レストラン事業をやって高齢の猟師さんや農業者の人たちを助けるの！　ボランティアで高齢者の方にたくさん会ってきたけど、みんな元気なのに活躍する場が無いって嘆いてらっしゃるの。高齢者の活躍の場を守ったり、新たに作ったりするのは、どう？」

「それ名案じゃん！」

肇は人差し指をピッと夕に差し向けた。

教室に拍手が起こった。他のゼミ生も賛同した。さっきから話をしているのは夕と肇と進藤ばかりだったが、みなしっかり耳を傾けていた。

§

肇が夕のアイデアに惹かれたのには、もう一つ個人的な理由があった。それは、彼が幼い頃に見た、母の涙と父の遣る瀬無い薄笑い——それらが相まって記憶の一ページに焼き付いている、とある出来事のためだった。

肇の父は、かつて北方の商店街にオーナーシェフとしてレストランを経営していた。地域の名店で、マスコミの取材も頻繁にあった。肇が物心ついた頃、テレビに店のコマーシャルが流れていた。「ウチの父ちゃんのCMだ！」肇は方々で吹聴し、学校で鼻が高かった。

父は地元の成功者として、いろいろなところに講演に招かれた。町内会、企業の式典、業者会、社会奉仕団体等々。父はどこでも自説を訴えた。

「プロなら自分の仕事にこだわりを持つことです。私は、自店で扱う食材の全てを知らなければ、お客様に提供できません。魚なら、船、釣り具、餌、生簀（いけす）の大きさ、漁師の氏素性等々。野菜なら、畑の土、肥料、水源、農家の人柄、家族構成、健康状態等々。目下市内に三店舗目を検討していますが、私の店で扱う食材は、全てこのポリシーで集めています」

誰もが父のスタンスに称賛を贈った。しかし、ライバル店もあれば、成功者を妬む輩もいる。

ある時、父の周辺にこんな批判が起こり始めた。

「宝塚の言っていることは暗に農協漁協批判である」

「彼のスタイルは儲け第一主義で、血も涙も無い」

根も葉もないことも、つもりつもれば周囲に影響し始める。徐々に同業者が距離を置くようになり、信用金庫が渋い顔を浮かべ、三店舗目の話は立ち消えになった。お店は相変わらず連日予約の繁盛ぶりだったが、父の顔色が日々かげっていくのは、幼い肇の目にも感じ取れた。

ある晩——店はとうに看板を下ろし、片付けを始めた頃、父の懇意にしている近所の居酒屋のおやじが、五分の酔い加減でふらりと訪れた。宝塚家はレストランの二階を居住スペースにして暮らしていた。肇は階段の中ほどから格子越しに二人の会話を聞いていた。

居酒屋のおやじは「忠告」と前置きして言った。

「タカラ。おまえさん、今に干されるぞ」

「あっちこっちで批判されてるのは百も承知よ。しかし干されるとは穏やかじゃないな。一体誰に？」

「誰にって、おまえは今、社会全体を敵に回してるんだ。言うなれば社会秩序に反する罪で、干されるんだよ」

「アンタも言葉を選べよ。俺のどこが社会に反してるって言うんだ？」

「俺はおまえさんを友達だと思うから、言いたくはないが敢えて言うんだ。怒る前に、まず聞いてくれ。

　おまえさんが敵に回しているのは、簡単に言えば生産者組織よ。農協や漁協ってのは、みんなで作ったり獲ったりした物を一手に集めて、値段を決めて売る。それだから全ての従事者にお金がわたる。ところがおまえさんは、そういったものをすっ飛ばし、買いたいところから買ってる。悪いとは言わん。こだわりも理解できる。しかし、それが許されてしまうと、結果、人が死ぬことになる」

「人が死ぬ？　どうしてだ」

「農業にも漁業にも、携わる者の中には若者もいれば年寄りもいる。若者は体力もチャレンジ精神もあるから、良品をどしどし打ち出せるし、量を作ることもできる。ところが、年寄りはそうはいかない。痛い腰をさすって収穫をし、ついていけないコンピュータ管理に苦労する。経験値はあるけど体力が無いから量を作れない。まともにやったら若者には勝てない。

　農協や漁協はそういった部分をフラットにし、業界全体に需要が回るようにしているんだ。それで年寄りの生産者は生きていられるんだ。

もし、世界中の店が、おまえみたいに好き勝手な仕入れ方法を取り入れてみろ。年寄りの生産者はみんな売れなくなってお陀仏だ」

「俺のやっていることは、農家や漁業のじじばばたちを殺していると言うのか」

「結論として、そうなるわな」

父は暗い顔をしてうつむいた。しばらくして居酒屋のおやじは帰っていった。

それからの父は、どこかうつうつとして、仕事をするにも以前のようにエネルギッシュな感じは消えてしまった。

やがて父は仕入れ先を替えた。自分で見付けた生産者に詫びを入れ、普通の魚市場や青果市場から仕入れるようになった。まもなく店の客足が止んだ。父は「俺の腕が悪いからだろう」と苦笑した。その腕に「素材の目利き」も含まれているとするなら、父はまさに腕をもがれたも同然だった。まさかそれだけが理由では無かっただろうが、あとは転がるように落ちていった。テレビコマーシャルが打ち切りになり、二店目が閉鎖され、三年後に本店が閉店した。気丈な母が泣き、父は苦しげに笑みを浮かべた。

それから七年が経ち、肇は雛美大生になった。いくらか大人らしい分別を帯びるようになり、彼は父が店をたたんだ経緯を多少客観的に捉えることができるようになった。

いま、肇は考える。社会は無農薬の有機農業生産を促進しようとしたり、食料の輸出入拡大を図ろうとしたりしている。社会の方から従来の仕組みを切り替えようとしている。それはつまり、以前父を追い詰めていた連中が、手の平を返して父のやり方を取ろうしているのと同じ――そのように、肇の目には映る。

古い制度に文句をつけるのは簡単なことだ。物事の功罪とは往々にして表裏一体で、世間はいつも「罪」の部分をあげつらうが、ちゃんとした批判をしようと思うなら「功」の部分も無視してはならない。たとえば、先の居酒屋のおやじが言ったように、農協や漁協は高齢者の職業を守ってきた。これは「功」である。父はその点を諭されて仕入れを替えた。制度の「功」の部分を取ったのだ。

『親父はあの時、お年寄りを守ったんだよな？』

肇は父に尋ねてみたことがあったが、父は薄笑いを浮かべてはぐらかした。元来の職人気質で、褒められたり認められたりするのを嫌う。だがしかし、肇は自分が父の立場だったら、世間に文句の一つも言いたくてしょうがないだろう。

――親父のやったことは立派だ。だから俺は息子として、親父の店を再興したい！

これが、肇が料理人を志すきっかけとなった思いである。

そんな折に飛び出した「高齢者のためのレストラン企画」は、肇の心を一瞬で捉えた。独自の理念にもとづいて仕入れルートを開拓し、同時に高齢の生産者を守るレストラン。かつて父が選択を迫られた両立しえない二項を、一挙に成し遂げる企画である。

　肇のやる気は一気に燃え上がった。

§

　香椎ゼミは「レストラン事業」構想に具体的な理想を肉付けしていった。香椎は相変わらず口出しをせず、ゼミ生らのやりとりを見守っていた。乙成詩織はゼミ長らしく、みなの意見を黒板に書き出していった。まもなく、コンセプトとなる三つの柱が出来上がった。

- 高齢の生産者の職業を守る。
- 地元大谷野市の活性化に寄与する。
- 消費者と生産者の距離を近づける。

「まあ、妥当な線ね」

　夕は黒板をざっと見て言った。「肇はどう思う？」

「異論は無いよ。要は高齢者の作った物をレストランで扱うってことだろ？」

「ええ。高齢者の生産物を学生が調理して提供する――素晴らしいコラボレーションでしょ」

「あのう」

乙成が口を挟んだ。

「実際のところ、高齢者の方々の作った物だけで、レストランを賄いきれるんでしょうか。お客さんがたくさん来たら、材料が足りなくなったりして……」

「そうね。質はともかく、一定の量は必要よね」

「農業は天気とかいろいろなものに左右されますから」

「そうだよなあ」肇はいかにもむずかしげに顔をしかめた。「霜に長雨、日照りに害虫。そういうのを考えると、農業って高齢者に限らず、誰がやっても大変な仕事だよな」

「しかも肉体労働ばっかり。私たちがいくら高齢者に仕事を供給したとしても、当の生産者が応えられるかどうか」

「じゃあ、俺たちが手伝いに行くとか」

「それだと高齢者の仕事を守ることにならないわ」

「そっか」

「あの、ちょっと話変わりますけど」

進藤が口を挟んだ。

「以前、著名な学者の講演会で聞いたんですが、農薬って基準値内なら健康被害は無いそうです。最近ではオーガニックとか何とか言って、みんな農薬を嫌いますよね。でも、農薬や除草剤を使うことで農業がどれだけ効率化するか」

「どういうこと？」

「農業は、農薬や除草剤でうんと楽になるんです。肥料や草取りの労は高齢者には厳しい。それが現代科学で肩代わりできるわけです。昔はよく、畑や田んぼの草取りで腰の曲がったおじいちゃんおばあちゃんを見かけましたけど、最近はそういう人を見なくなった気がしませんか？」

「確かに見ないな」肇は目をぱちくりさせた。「てことは、逆に今はやりの有機農法や無農薬は高齢者の仕事を奪っているってことか？」

「そこまでは言いませんけど、高齢者も従事できる農業を推進しようとするなら、農薬・除草剤は『ありき』ってことになるんじゃないでしょうか」

「基準値内なら食っても問題無いんだろ？　だったら正々堂々とその食材で料理を出せばいい」

「でも、世間では『無農薬・有機農法』がスタンダードよ」

「言わなきゃ分かりゃしないよ」

「最近の健康志向は凝り固まってて、農薬の有無でお店を選んだり食材を購入したりするケースも多いようです」

「面倒臭い世の中になっちまったなぁ」

乙成がこわごわとした調子で発言した。

「レストラン事業はもちろん成功しなきゃダメですが、私たち学生が取り組むからには、そこに独自の切り口やポリシーがあってもいいと思うんです」

「というと？」

「事業に私たちなりのメッセージを込めていいと思うんです。『農薬や除草剤を使った野菜はそんなに悪いものではない』という意見を世間に発信するのも、大事な活動の一つだと思いますし、学生だからこそできることだと思います。一般企業じゃ絶対にできないことですから、私たちがやらないと、誰もやれないんです」

乙成はそこまで言い切ると、真っ赤になってうつむいた。彼女がここまではっきりと自分の意見を発言したことは——相槌程度はまだしも——ゼミ開始以来はじめてのことだった。彼女の心臓は口から飛び出そうなほど動悸していた。

「詩織の言うとおりよ」

夕は立ち上がって乙成のそばへ寄り、「よく言った」と乙成の頭を優しく撫でた。乙成はますます真っ赤になって顔を両手でおおった。

肇はうなずき、

「乙成は大人しいけど、ちゃんと考えてるなぁ、そのとおりだよ。『農薬は撒くな。それが美徳だ』なんて考えていたら、高齢者だけじゃなく、若い人たちも農業に従事したいと思わない。結果、農業はどんどん痩せ細っていく。俺たちが発信しなきゃ、日本の農業は滅んじまうってわけだ」

「でも」夕は顔をしかめた。「『当店は農薬で育てた野菜を使っています』なんて言ったら、実際どうなるかしら」

「お店にお客さんが来てくれるかどうか」

「完全に時代に逆行しますね」

乙成と進藤も思案顔だ。

「なに、構うもんか」肇は声を荒げた。「批判されようが、ケチを付けられようが、そっから這い上がるのが雛美大生のスタイルだろ。そもそも俺たちは間違ったことをしようとしているんじゃない。正しいことを推し進めようとしているんだ。最初はブツブツ言われるかもしれないけど、ここで俺たちがやらなかったら、永遠に高齢者に仕事は無いぜ」

「永遠ってのはちょっと大袈裟だけど、そうかもね」

夕は肇の勢いに思わず笑みを浮かべた。

「だろ？　俺らがやるっきゃないわけよ！　な？」

「そうかもしれません」

乙成も進藤も、他のゼミ生らも笑顔を浮かべた。

香椎は教室の片隅で彼らを見つめながら、噛みしめるように何度もうなずいた。

――それにしても、いつから雛美大生のスタイルはそんなに泥臭くなったんだろう……？


その後も話し合いは続いた。

農薬野菜を扱うことによる客足の不安が議論になったが、乙成と肇の言うとおり、メッセージを批判承知で発信しつづければ、それが話題になって店に人が来るかもしれないという逆の発想も生まれた。興味を抱かせてとにかく一度来店してもらう。それだけでも商店街が活性化するはずで、コンセプトの三つの柱の一つである「地元大谷野市の活性化に寄与する」の実現につながる。来てもらえればシメたもの。料理をちゃんと提供できれば、「農薬野菜だってこんなにおいしいんだ」と、その価値を証明することができる。

ゼミ生らは次に「消費者と生産者の距離を近づける」方法を考えた。地元高齢者の生産品を使えば「地産地消」となり、おのずと距離は近くなる。さらに農産物だけでなく、大谷野市の市境の山々から出るジビエで、肉も大谷野市産一色で提供したいところだった。また、ゆくゆくは「地産外消」を視野に入れていくことも検討された。大谷野市内の人だけでなく、他市・他県・海外の人々にも、大谷野市の食材を食べて知ってもらおうという考えだ。これについては批判の余地は無く、満場一致だった。夢はどんどん膨らんでいった。

香椎はゼミ生らが方向性を大まかに定めたのを見て、今度は具体的な部分を考えるように伝えた。コンセプトに沿ったレストランの青写真づくりである。香椎はゼミ生をデザイン班とメニュー班の二つに分けた。

デザイン班は夕と肇を中心に約半数のゼミ生が参加した。検討会を重ねてレストランのデザインを考えた。若者らしい空想力が漠然としたアイデアに徐々に輪郭を与えていった。

メニュー班はどんな料理を提供するか考える役割で、進藤と乙成が中心である。これには料理人を志す肇も、班を超えて首を突っ込んだ。いざメニューを考えるとなると、大谷野市の高齢の生産者が実際に何を生産しているのか知る必要があり、情報収集からスタートすることになった。進藤と乙成はインターネットや図書館を駆使して調べだした。肇は「じゃあ、情報が集まったら俺を呼んでくれ」と、面倒な作業を避けて自分の持ち場に戻った。

「もう、勝手な人だなぁ！」

息を荒げる進藤を乙成はなだめすかした。

このあと、二人の探り出したデータが、ゼミ生らにショックを与えることになる。


ある日の午後のゼミ。デザイン班は机を囲んでミーティングを行っていた。彼らはすでに意見をまとめ、一つのイメージに肉付けを行っていた。そのイメージとは、流行の「古民家風レストラン」だった。言い出したのは夕である。彼女は最初にみんなの前で「古民家」という単語を口にした時、まるで夢の中を漂うように、思い出を語った。

「昔、小さな頃に家族で、今でいう古民家風の古ぼけたコテージに泊まったことがあるの。外から見たら粗末な山小屋みたいな感じなんだけど、何とも言えない不思議な魅力があってね。中に入ると床も壁も天井も家具もみんな木製で、温かみがあって、窓から差し込む太陽の光、空の青、茂みの緑、全ての色がキラキラ輝いているの……」

「おお、何だか分かるぞ。その良さ」肇が声高に割り込んだ。「非日常な感じがワクワクさせるんだよな、ウン。そういうところで料理を作ったら楽しいだろうな」

「何言ってるの。大事なのは料理人の気分じゃなくて、お客さんの気分でしょ。ねえ、みんなはどう思う？」

ゼミ生らは口々に答えた。

「いいねえ。古民家風って今トレンドじゃん」

「『お洒落ひなびた』感じっていうの？　落ち着くよね」

「それなら料理も田舎風家庭料理みたいなのが合うかも」

みな古民家風の方向性に賛成のようだった。

ただ一人、席の一番端に座る武井兵太だけが、つまらなそうな顔をして黙っていた。

彼はそもそもレストラン企画に乗り気ではなく、それどころか、みんなで事業を行うこと自体に関心が無かった。唯一心を開く肇が執心しているから一応席に着いているだけで、本当は帰りたくて仕方がなかった。

――こんなの所詮学生のアソビだろ？　バイトしてた方がマシだ。

そうは思っても、せっかく入った大学でもあるし、単位は欲しい。ただ邪魔にならないよう、大人しく端っこに座っていた。

さて、話し合いが落ち着きを見せ始めた頃、進藤と乙成が教室のドアをガラリと開け、「大変です！」と、血相を変えて飛び込んで来た。

「何？」

肇と夕は二人を見た。

「大問題発生です……」進藤は息を喘がせて答えた。「大谷野市の生産物についていろいろと調べていたんですが、何もかも足りないんですよ」

「足りない？」

「はい。農産物はバリエーションが無く、葉野菜も根菜もみな同じようなものばかり作っているんです。高齢者の農家に絞り込んだら、話になりませんよ」

ここまで言って進藤が咳き込んだので、乙成が引き継いだ。

「ジビエはもっとひどくて、量そのものが足りないんです。大谷野市の獣害はシカがほとんどで、数少ない猟師さんが、時々撃つには撃つんですが、年間にほんの数頭程度で……」

「ジビエはシカだけじゃないわ、山鳥とかイノシシとかは？」

「なくはないんですけど、シカと比べたら全部足しても半分に足りません」

「少しは予想していたけど、それほどだとは……」

和気あいあいとしていた教室は、一気にどん底に突き落とされた。

近年の日本の農作物の獣害は、シカとイノシシが抜きんでて多く、全国的な被害額が報告されている。二〇〇六年のシカ被害は約八十二億円、イノシシ被害は六十二億円にものぼる。

乙成はそのへんの事情をざっと説明した上で、大谷野市はむしろ獣害がほぼない土地で、レストランを運営するには全然足りないことを強調した。

「どうしようもないわね」

「船出する前に暗礁に乗り上げた感じです」進藤は苦い顔をした。

「もう一度、最初から考え直しでしょうか……」

乙成はそう言って肇に目を向けた。

肇を見たのは、乙成だけではなかった。夕も、進藤も、他の面々も眼差しを向けている。ゼミ生らはみな肇がどのような態度を取るのか知りたがった。なにしろ全体の原動力は彼のやる気によってもたらされている。誰もが肇の口から発せられる言葉を待った。

ところが、当の肇は涼しい顔を浮かべていた。満を持して彼の口から飛び出した言葉は、これだった。

「それって何か問題なのか？」

「あんた、いま何を聞いてたの？」夕は拍子抜けして目を丸くした。「レストランをするのよ。食材が足りなかったら料理を提供できないじゃない」

「足りなきゃ、有るところから持ってくればいいじゃないか」

「持ってくるったって、大谷野市の高齢者の生産品は限られているの！」

「べつに大谷野市じゃなくても、よそのじいちゃんばあちゃんの作ったモンでもいいだろ」

「はぁ？」今度は進藤や乙成が声を上げた。

夕はムキになり、

「私たちみんな、『地産地消』でやろうって決めたじゃない」

「そんな青筋を立てて怒るなよ。足りないんなら仕方ないじゃないか。何も最初っから他所のものを使おうっていうんじゃない。足りない分だけを、他所から持ってくればいいって言ってんだよ」

「でも」

「でももへちまもねぇよ」肇は早口で言った。「地産地消や大谷野市の活性化も大事だけど、高齢の生産者は日本中にわんさかいる。どうせなら、みんな守るくらいのつもりでやろうって気は、起こんないのかよ！　どうだい、みんな？」肇は一同を見渡した。

進藤はおずおずと手を挙げ、

「い、いいと思います」

すると、誰から始まったか、

「賛成！　ここは枠を取っ払って考えるべきだね」

「日本中の高齢者を守るって発想は無かったな！」

「いいぞ！　宝塚さん」

声とともに拍手が起こった。

乙成は肇の檄（げき）を聞いて、垂れこめた雲の晴れる思いがした。

「場所を問わないのなら、この件は問題にはなりませんね」

「だろ？」肇は椅子にふんぞり返り、「ハッハッハ。みんな頭が固いな。キモチがあれば問題なんて解決よ。俺は今、やる気になってんだ。このくらいの発想は朝飯前よ」。

「さすがだな、肇」

声を発したのは武井兵太だった。これまでずっと黙っていたので、周りのゼミ生らは一瞬誰が発言したのか分からなかった。

「兵太。おまえ、もっとしっかり絡んでこいよ」

「はいはい」兵太は薄笑みを浮かべた。「しっかし、肇って暑っ苦しい男だが、たまに面白いことを言うよな。さすが『日本一を目指す』と言うだけあって、人間も大きいや」

「え？　日本一？」

夕は口をへの字にして肇に目を遣った。さっきまで大きい態度をとっていた肇が、赤面して目を泳がせている。彼は恥ずかしげに顔を歪め、

「兵太……そういうことはみんなの前で言うんじゃねえ」

「フフ。すまんね。つい口が滑った。みんな、肇はね、みんなでやるレストランを、学生一なんてヤワじゃなく、日本一にしたいんだとよ」

どよめきが起こる。

肇は伏せた目を細くし、喉を締めつけられたような声で、

「へ・イ・タァ……」

兵太は意地悪な笑みを浮かべ、肇に見せつけるようにした。

全てを見ていた乙成は、

——日本一……そんなスケールのことを私たちはやろうとしてるんですね？　私、そんなこと、今まで考えたことも無かった！

心の中でワクワクが止まらないのだった。

Chapter 5
ぬかるみ

ある日の午後、夕は肇、乙成の二人を誘い、商店街を歩いてみた。事業の舞台がどんな状況にあるのか見てみたかったのである。こういったこともひとえに「完璧な大学生活」の実践の一環であり、もともと完璧主義な彼女らしい部分でもあった。

商店街は夕のアパートとは大学を挟んで反対側で、ほとんど来たことは無い。昨年の学祭で、プラスチックパックが欠品して買いに走ったのが記憶にある最後である。要る物を買うとすぐに大学に馳せ戻った。そのわずかな間にも「シャッター店舗が多いなあ」と感じられるほど、さびれている印象はあった。

商店街は全長五百メートルほどの一本の路地である。道幅は軽自動車が離合できる程度で、東西の両端に鉄製のアーチが掛かっている。掲げられた看板は錆だらけで、商店街の名称が書かれているようだが判読できない。

夕ら三人がアーチをくぐった時、一見して人通りは皆無だった。軒を連ねるシャッター店舗の前に、錆びた自転車が点々と置き去りにされている。電柱脇のポリバケツは側面が割れ、風に煽られカタカタ鳴っている。街灯を見上げると、てっぺんに一羽のカラスが止まり、くちばしを上げて遠くの空を眺めていた。

三人は歩き出した。開いている店は、精肉、鮮魚、衣料品、小間物、化粧品……数えるほどしかない。空き店舗を挟んで離れて立っている。のぼり旗を立てて営業中をアピールしているが、覗き込んでも客も主人も見えない。

まるで肝試しの道を行くように、三人が路地をおそるおそる進むと、通りのちょうど中ほどに、他の店より間口の広いスーパーがあった。夕が学祭の時にパックを買いに飛び込んだ店である。雨風で薄汚れたトタン板の壁。軒先の野菜の箱は、半分以上が空。自動ドア越しに中を見ると、ここにも人はいない。

「うわぁ……よくもってるな」肇は嘆息した。

夕は気が重たくなった。

先へ歩くにつれ、商店街がさびれている理由がいろいろと思い浮かぶ。外的要因を考えると、コンビニや大型ショッピングモールの進出、インターネット通販の拡大などがあり、内情を考えると、高齢化による閉店、核家族化で家業の世襲の習慣が失われた——などもあるだろう。果たして、学生主体のレストラン事業が商店街復活の原動力になりえるのか。全然ならなくはないと思うものの、現実の商店街を目の当たりにすると気が滅入る。

商店街を見届けた三人は、大学へ戻りしな、途中の小さな公園に立ち寄った。ここは学生たちが連れ立って遊びに行く時に待ち合わせに使う場所で、昼間はほとんど人の姿が無かった。塗装のはげたブランコと滑り台が、時間の流れに取り残されたようにぽつんとしている。学生たちはここでしばしば香椎の姿を見かけたものだった。香椎は疲れた頭をクールダウンするためにここを訪れ、ぶらぶらしながら独り言を言ったりしているのだが、それはどう見ても挙動不審の怪しい人だった。それをたびたび目撃していたゼミ生らは、いつの頃からかこの公園を「香椎公園」と呼ぶようになっていた。

三人はベンチに掛け、商店街の感想をあれこれ言った。商店街の半分以上を占めるシャッター店舗。あのうち一軒分を借り受けて商売をする——どうも現実感が無い。せっかく温めた古民家風レストランのイメージは、あの路地のどこにあてはめても似つかわしくなく、仮に強引に埋め込んだとしても、周囲のくすんだ色彩に挟まれれば、たちまち魅力を失ってしまうだろう。

「あんなところで店やったって、焼け石に水だよ」

肇はズバリ言い切った。

乙成は思い出すような顔をし、

「確か公募の書類によると、事業の対象は商店街の空き店舗だけでなく、その周辺地域の空き家・空き店舗でもよいそうです」

「そうなの？」

「ただし、商店街への動線計画書が必要です」

「ドーセンケーカク？」

「要は商店街を通る人が増える工夫があればいいってことでしょ」夕が割り込んだ。「たとえば、この公園にお店を出したとする。あっちの方角が商店街で、その先に市営住宅がある。市営住宅の住民がこの公園に来る時、必ず商店街を通ることになる——そうすると商店街は通行量が増えて商売のチャンスが生まれる。

商店街以外の場所で事業をするなら、そういう仕掛けが要るってことね」

「なるほど。だったらあんな商店街に店を構えるより、この公園にテント張って店やった方がマシだな」

「ひどい言いようね」

「でも、否定できません」三人は苦笑を浮かべた。

しばらく沈黙が流れた。

三分ほど経った頃、

「なあ、二人とも」

　ふと肇が尋ねた。

「ここにこんな建物、あったっけ？」

　肇はベンチの斜め後ろに広がる垣根を指差した。

　そこは公園の隣の敷地で、竹製の柵で囲まれた一角だった。柵の向こうに建屋があり、渋茶の板壁が左右に続いている。板は縦長で一枚ずつ斜にはめられ、幾筋もの細い影を描いている。

　大きな屋根は白い破風にのっかっている。白壁に小さな四角い窓が三つ、つかず離れずの位置についている。庭に大きな木が植えられ、枝葉が屋根の大半を覆っている。風に葉がそよいでいる。なにか泰然としたたたずまいである。

「何言ってるの？　前からあったわよ。ねえ、詩織？」夕は訊いた。

「ええと……どうでしたっけ？」乙成は首を傾げた。

「まあ！　この公園には何度も来てるじゃない」

「じゃあ夕、おまえはこの屋敷が何だか知ってるのかよ」肇は尋ねた。

　夕はやや戸惑い、「それは……屋敷は屋敷よ」

「なあんだ、お前も知らないんじゃないか」

「当たり前でしょ」夕は目を三角にして言い返した。「家があることを知ってても、中に誰がどういう事情で住んでるかなんて、分かるわけがないわ」

「でもこの家――」乙成は竹囲いを凝視した。「誰も住んでいないみたいですよ」

「そこなんだよ」肇はその言葉を待っていたように身を乗り出した。「ってことは、ここも事業の場所としてOK……ってことだよな？」

三人は立ち上がり、竹柵のすぐ前までできた。柵はざっくりと造られて中の様子は丸見えだった。脇に回って奥を覗き込むと、ちょっとした庭園風になっている。それは洋風でも和風でもない、ごくシンプルなこしらえだった。庭の中央に四角い敷石が並べられ、上に大きな卓と木椅子が置かれている。

屋敷に目を移すと、壁は総板張りで、腰壁から下は焼きを入れたらしく、こげ茶色をしている。窓と戸口には木製の雨戸がはめられ、中の様子はうかがい知れない。奥に大きな木戸がある。磨かれた太枝がドアノブとしてついている。きっとそこが玄関なのだろう。

三人は公園を出て屋敷の周囲を回ってみた。区画は台形で、西側の一辺を公園に、北側の一辺を空き地に接していた。北側の様子は空き地越しに見ることができた。空調の室外機が並んでいる。

「あれは業務用のだぜ」肇は興味津々だ。

三人は南側に回り、改めて建物を正面から見た。ところどころ埃をかぶっているけれど、総木造で、広くて、ちょっと手を入れれば、理想的な古民家風になるのではないか――。

しばらくして肇が口を開いた。

「俺、ここじゃなきゃレストランやらない」

「は？」夕は面食らった。「確かに私も理想的だと思うけど、ここじゃなきゃやらないって、何もそこまで」

「いや、ここがいいね」肇は建物から目を離さずに言った。「俺は雰囲気だけで言ってるんじゃない。建物の広さや出入り口の位置、室外機の数、庭の様子なんかを見て、レストランにうってつけだと思ったんだ。そもそもここってレストランをするつもりだったんじゃないのか？

　この広さだと……おそらく半分が客席、半分が調理場だな。換気扇の位置からして、あっちが調理場だ。すると後ろの戸口が勝手口。竹垣をブチ抜けば、真っ直ぐバックヤードの入り口ができる。客席は、親父の店の様子を思い出して計算するに、二十～三十席ってところかな。あの大きな雨戸は庭に出られるガラス戸だろう。玄関と同じ側だから南向き。明るい店になるぞ。ま、欲を言えば天窓をとりたいな。

　もちろん庭も客席スペースとして活用する。二人は気付いたか分からないけど、あそこの岩の陰に蛇口がある。ドリンク場を外にも設けられるってことだ。あの大きな木のテーブル。雨ざらしでひどいことになってるけど、よく見たら一枚ものじゃないか。いい値段がするぞ。あれは磨きなおして中で使うべきだ。それとな」

「ちょっと待ってください」乙成が制した。「まだここでお店ができるとは決まってないんですよ」

「いやだ。俺はここでやる」

「正直、ここは商店街から離れていますし」

「ドーセンケーカクがあればいいんだろ」

夕は門扉を指差し、

「ここには『貸店舗』とか『貸家』の札も掛かっていないわ」

「どう見たって使ってないんだ。借りればいい」

「誰のものだか分からないじゃない」

「そんなの調べればいいだろ。とにかく俺は、ここが気に入ったんだ。ここじゃないなら、俺は下りる！」

夕と乙成は呆気にとられた。

この男をこじらせたらもう手の付けようがない。

二人の目の前で肇は無邪気に「あそこはレジ、あそこはディッシュアップ」と、見えもしない建物の内側を空想し続けた。

　翌日、夕はこの建物について調べてみた。地図で住所を確かめてインターネットで検索したり、近隣の不動産屋を回って直接訊ねてみたりした。すると意外に簡単に情報を得ることができた。

　家の持ち主は大谷野市在住の轡森光（くつわもりみつ）さんという七十歳の男性。建材屋を経営していたが、六十歳で会社を後進に譲り、今は楽隠居をしている。例の公園横の屋敷は元々轡さんの実家で、両親の没後、物置同然になっていた。それを東京の建築デザイン学校が古民家リフォームの実習用に借り受けた。実家は立派にリフォームされ、そのまま契約終了。建築デザイン学校は「更地にしてお返ししましょう」と申し出たが、轡さんは辞退し、そのままにしているのだという。

　管理を委託されている不動産屋が言うには、

「轡さんは若者を応援する気持ちが強くてね。タダ同然で物件を貸して、好きなようにリフォームさせて、必要な建材は元の自分の会社から提供したり、重機やトラックも貸したりした。親切な人なんだよ。今もそのままにしているのは『卒業生が通りかかった時に無くなっていたら寂しがるだろう』ってことでね。でも、さすがに傷んできているよ」

　夕はこの話を聞いて、若者を応援してくれるなら私たちも……と思った。だが、評判の悪い雛美大のこと、期待をするわけにはいかない。

古民家の件は、次のゼミで夕が報告し、何枚か撮った写真を皆に見せた。ゼミ生らは「ここがいいね」と軒並み賛成だった。

乙成は全体の反応を見て、

「それでは、この家で話を進めてみましょう。持ち主の方に連絡をいれてみます」

ゼミ生らは拍手で応えた。

すると、

「──あ、そうだ」

端の席で聞いていた香椎が、突然口を開いた。

「レストランのコンセプトと立地も見当がついたら、急いで公募の申請手続きに移らなければなりません」

「いよいよね」夕は一人うなずいた。

「で、その件についてなんですが──実は明後日、市役所で公募の説明会があります。説明会といっても、こちらが話を聞くんでは無く、こちらが検討中の事業案の概要を担当者に説明する会です」

「えっ？　明後日？」

夕が声を上げた。

「ってことは、今日あと半日と明日一日で、何もかもまとめなきゃいけないんですか？」

「概略を口頭でいいそうです」

「そんな……、いくらなんでも急すぎます！」

「そうですかね？」

肇は立ち上がり、

「先生、さっき『あっ』て言ってた。忘れてたんだろ！」

「そ、そんなことは、ありません」

香椎は平然と――目を逸らした。

夕は軽く眩暈を覚えた。

乙成が目をおどおどさせ、

「行かなきゃならないなら、仕方がありません。で、市役所には誰が行きますか？」

「できるだけ大勢で行こうぜ。相手は因縁の市役所だ。二、三人じゃ舐められる。ごっそり固まって睨みを利かすんだ」

肇の勢いにゼミは騒然となった。

とりあえず事業案のとりまとめは乙成・夕・肇の三人ですることになり、あとは市役所に行くメンバーの選定だった。ほとんどのゼミ生が急な予定にもかかわらず都合をずらして説明会かった。夕は、肇が興奮気味なのでストッパー役として兵太についてきてほしかった。

「武井君も来てよね」

兵太は教室の隅に座っていたが、笑みを浮かべ、

「わりぃ。明後日はバイトが」

「どうにかならないの」

「ならないよ。あーあ、残念だ。明日なら大丈夫だったのに。明日ならぜひ行きたかったのにぃ」

夕は兵太の態度に胸がむかむかした。

と、その時、

「あっ、そうだ！」

香椎の声に全員の視線が集まった。

「明日は誰かに商店街の会長への挨拶に行ってもらわなきゃいけないんだった。もうアポも取り付けている」

「そんな大切なことを忘れてたんですか！」と乙成。

「先生しっかりしてくれよ！　一度ならず二度までも！」

肇は声を荒げた。

他のゼミ生からも非難の目が香椎に集中した。

しかし香椎は淡々として視線を兵太に向け、

「そういうわけだから武井君、明日は会長のところへ行ってください」

「な、なんで俺なんだよ！」

「だって、明日は空いているんでしょう？」

「他に誰かいないのかよ」

「さっきの打ち合わせを聞いていなかったんですか？　みんな明後日市役所に行くために、明後日の予定を明日に振り替えたんです。誰も明日は空いていない。もうきみしかいない」

「肇は来るよな？」

「わりぃ。事業案のとりまとめをやんなきゃ」

「うわぁあああ」兵太は頭を抱えた。

「観念なさい」夕は兵太に歩み寄った。「会長さんと仲良くならないと事業は始まりもしないわ。ここを押さえないと商店街が立ち行かないだけじゃなく、みんなゼミの単位を取りこぼすことになる。責任重大なんだから、ちゃんとやってよね」

「くそ、単位とは痛いところを突きやがる」

香椎は軽く手を挙げ、

「武井君、ぼくの方で会長さんに電話して時間など決めとくから」

「先生も一緒に行こうぜ」

「ぼくも忙しいんでね」

「そんな。いつもキャンパスをぶらぶらしてるじゃん」

「地図、あとで渡すよ。知ってるかな？　『薬のワタナベ』。商店街の真ん中あたりのスーパーの隣です」

「ちぇ。ていうか、ぶらぶらしてるのは否定しないのかよ」

その後、兵太がどれだけ文句を並べても誰も取り合わなかった。香椎は一旦研究室に戻り、地図をコピーして兵太に渡した。香椎の中でも兵太の登用は賭けだった。しかし、彼をもっと活動に対し積極的にするには、敢えて重責を担わせるのも手だと思った。

夕と乙成をはじめ、ほとんどのゼミ生がこの人選に不安を隠せなかったのは言うまでもない。

結果、残念ながら、香椎の期待は裏切られ、ゼミ生の不安は的中してしまった。

翌日の午後四時頃、大学のとある空き教室で、乙成と夕と肇が一台のノートパソコンを囲んでいた。真ん中で乙成がキーボードを叩いている。夕は隣に座って書類を見ながらあれこれ指示をだす。

夕はふと教室の時計を見上げた。

「そういえば、武井君が商店街の会長のお宅に伺うのは、十五時だったわよね」

「そうです」乙成が答えた。

「じゃあ、もう終わった頃よね。会長にお礼の電話を入れようと思うのだけど」

「番号知ってるのか？」と肇。

「香椎先生に聞いておいたの。……だいたい、武井君の方から、私たちの方に訪問が終わったってことを報告してくるべきだわ」

夕はブツブツ言いながら携帯電話を取り出し、香椎から教わった番号――ワタナベ薬局に掛けた。

乙成は申し訳なく思った。

――ホントはそういう電話って、ゼミ長の私がしなきゃならないんだよね……。

そもそも番号を先生に聞いておこうという気の利きようも自分には無い。乙成は自分の鈍さ加減が悲しくなった。

「もしもし？　わたくしは雛美産業大学の学生で、二年の海老原夕と申します……」

いつもより半オクターブ高い声。乙成はますます感心する。日頃サバサバして男子も敵わない夕は、強いだけではなく器用に声音を変えて人付き合いもできるのだ。しかも、初対面でも、商店街の偉い人でも構わない。

——海老原さん、なんて大人なんだろう……。

乙成はますます自分を不甲斐無く感じた。

夕の電話はしばらく穏便に続いた。

しかしそれも束の間、

「えっ？　武井が来ていない？　本当ですか？　えっ、それは……いや、あの……」

突然調子を変えて夕は青ざめた。視線が泳ぎ、唇を何度も舌先で湿らせる。ちらりと目を上げ、乙成と肇に視線を配る。やがて、

「申し訳ありませんでした」

夕は電話を顔に当て、深々と頭を下げた。

「はい……はい、それはもう。ええ、決して今後は、こういうことの無いように……」

消え入りそうな声で平謝りが続く。

どうやら兵太は会長との約束をすっぽかしたらしい。乙成は夕を見ていて胃がキリキリした。

たぶん電話口で相手さんは激怒しているのだろう。私だったら泣いてしまうかもしれない。そ

して一秒でも早く電話を切ろうとする――。

しかし夕は違った。

「渡辺会長。電話口で失礼ですが、ほんの少しでよろしいので、私たちの企画について聞いていただけませんでしょうか」

乙成は重たい唾を飲みこんだ。肇の喉も大きく上下する。

夕は祈るような目で虚空を見つめていた。

しばらくして、

「――ありがとうございます。では手短にお話しします。実は私たち香椎ゼミは、このたび市の公募企画に乗りまして……」

「……夕、マジすげえな」

肇は目を丸くした。乙成も息を呑みっぱなしである。

兵太はなぜ行かなかったのだろう。乙成には皆目分からなかった。元々行きたがっていなかったが、責任重大と知りながらすっぽかす感覚は理解できない。相手にもゼミにも迷惑が掛かり、すさまじい非難を受けることになるのは承知のはずである。人に嫌われたり、ダメ人間のレッテルを貼られることに抵抗は無いのだろうか――。

乙成がそんなことを考えている間も、夕は電話口でとうとうとコンセプトを説明している。

ちょうど整理がつきはじめていた内容だったので、言葉が淀みなく流れていく。

「――え、いや。そういうわけではありません」

急に夕のトーンが乱れた。

「私たちのコンセプトは高齢者に重きを置いていますが、別に高齢者のため、というわけではなく……はい、ですから、限定では無く……。へ？　同じことと？　はあ、一見そう見えますけど、あの、もしもし、あの！」

夕は唇を噛んで電話を顔から離した。

「何を言われたんだ？」肇は気が気でない様子だ。

夕は興奮冷めやらぬ目を二人に向け、

「私たちが高齢者を推しているのを勘違いして、『高齢者が商店街に来るための施策』だと思ったらしいの。『商店街は若者に来てほしいんだ！　時代錯誤も甚だしい！』って。誤解を解こうとしたら切られちゃった」

「掛け直さないのか？」

「あの剣幕よ――って、分かんないか」

夕は目を伏せた。が、思い出したように顔を上げ、

「ちょ、肇。武井君に電話して！　アイツなんで行かなかったわけ？　行ってしくじるならま

だしも、約束を破るなんて！　全部ブチ壊すつもり？」

　肇は掛けたが、つながらなかった。

「絶対許さないんだから！」

　夕は鬼の形相で顔を背けた。ふと乙成と目が合った。

「詩織。なに涙を浮かべてるの」

「あの、あの――」

　乙成の声は上擦っている。

「何だかすみません」

「あんたが謝ることないじゃない。悪いのは武井よ」

「武井君も問題ですけど、ほんとは、そういう仕事は、ゼミ長の責任かもと思って……」

「何を言ってるの」夕は無理やり笑みを浮かべた。「こういうのは一人じゃできないわ。適材適所よ。私は昔、ボランティアをしていた時にいろいろ厄介な局面を乗り切ってきたから、叱られるのも問題に直面するのも平気なの。詩織は詩織にできることをやって」

「はい……」乙成はまだ打ち沈んでいる。

「時間が無いわ。とにかく明日の説明会に向けてラストスパートよ。そう――、これはパソコンを使うから詩織の得意分野よ。ね、肇、そうよね？」

「お、おう。そのとおりだとも」

「お二人に気を遣わせて、ごめんなさい」

「そういうこと言うなって」

乙成の胸に二人の優しさが沁みた。

夕方の教室で、三人は再びノートパソコンに戻っていった。


その晩、夕が自室で寝支度をしていると、携帯に知らない番号から電話が掛かってきた。しばらくすると留守電に切り替わり、相手がメッセージを吹き込みはじめた。

『武井だけど。肇がかけろって言うから番号を聞いて――』

夕は電話を引っ掴み通話を押した。

「武井君！」

『うわっ。いたのかよ』

「今日、どうして挨拶に行かなかったの」

『それなんだけどさ』兵太は口籠もるように言った。『商店街まで行ったんだけど、場所が分からなかったから帰ってきたんだ』

「先生に地図をもらったんでしょ」

『うん』

「ワタナベ薬局って言ったらスーパーの横で一番分かりやすいじゃない」

『分かんなかったんだから仕方が無いだろ』

「私とか先生に連絡するとか、調べる方法はあったでしょ」

『俺、二人の番号知らないし』

「肇でもいいじゃない」

　すると兵太は苛立った様子で、

『分かんなかったんだし、済んだことだからもういいだろ！』

「何逆ギレしてるのよ！　武井君、あんた責任感なさすぎ。何考えてるの？」

　夕は込み上げてくる悔しさに喉が詰まり声が上擦った。涙が頬を伝う。しかし電話口の兵太に伝わるわけもなく、

『とにかく電話したからな』

　兵太はそれだけ言うと電話を切った。

　夕はしばらく電話を顔に当てたまま、茫然としていた。

　急に、底知れぬ不安が彼女を包み込んだ。

　これは兵太だけの問題では無いかもしれない。レストラン事業に躍起になっているのは、実

は自分と肇と乙成だけで、他のゼミ生は流れで動いているだけのように思える。一体どれだけのゼミ生がこの件に責任を持って取り組もうとしているのか。

そう考えると、誰の顔を想像しても疑わずにはいられない気がした。


翌朝、ゼミ生ら総勢十八名は、スーツを着込み、市庁舎を訪れた。最前線に立つのは肇。後ろに乙成と夕。さらに後ろに居並ぶ他の面子は威圧のための要員である。ゼミ生でないのは兵太。あと、香椎も大学の用事で同行できなかった。

驚いたのは政策企画課である。まさかこんなに大人数で来るとは予想だにしていなかった。むしろ迷惑である。

香椎ゼミ一行は女性職員の後に従い、会議室に通された。床も壁も天井も白いがらんとした部屋で、長机が二つ、パイプ椅子がその前後に三脚ずつ並んでいる。

片方が政策企画課、もう片方がゼミ側である。

「しばらくしましたら課長が参ります」女性はゼミ生らをざっと見て、「申し訳ありませんが、三名以外の方はお立ちいただくか、外で待機を」。

「立たせていただきます！」

肇は大声で返事した。女性はびくっとして後ずさった。

女性が部屋を去り、一分足らずで再び扉が開いた。

あらわれたのは中肉中背の男で、ノーネクタイのカッターシャツ、パツパツに張った黒のスラックス。

「あっ、あんたは！」肇は声を上げた。

「こらっ！」夕は拳を固めて肇に凄んだ。「何て言い方をするのよ。……私どものメンバーが、失礼を申し上げてすみません」夕は頭を下げた。

ところが相手の男もまた、

「なんだ、また君たちか」

――え？

夕は下げた頭を元に戻し、相手の顔をつぶさに見た。

確かに――見覚えのある顔である。

男はパイプ椅子に傲然と掛けた。夕は男の首から下がるネームを見て、その時はじめて相手が誰だか理解した。

大谷野市市役所政策企画課
課長　鎌田蓮司

そう、この男こそ、市政提言会の時にゼミ生を歯牙にもかけず追い払った仇敵中の仇敵。昨年は秘書課だったが年度が変わり政策企画課に異動していた鎌田課長である。

「今日は香椎センセイは？」

鎌田は薄笑みを浮かべて乙成に訊ねた。敢えて一番弱そうな彼女に矛先を向けた。

答えたのは夕だった。

「先生は大学の用事で。今日は私たちだけで説明させていただきます」

「ふん」鎌田は片眉を上げて鼻息をついた。

夕はごく冷淡に机上に資料を並べた。

「それではさっそく私たちの事業案をお話しします——」

§

そして——その日の午後。

「おや、どうしたんです？」

香椎は教室でスーツ姿のゼミ生らを見て目をしばたいた。

みな肩を落としてうつむいている。乙成は目を腫らして泣いたあとさえある。落胆ムードの中、夕と肇だけは顔に怒りをにじませている。

二人は香椎の前に進み出て、

「先生、俺たちまた門前払いだよ！」

「私たちの企画は市の趣旨にそぐわないですって！」

「まあまあ落ち着いて。話を聞かせてください」

香椎は全員席に着くように促した。夕は興奮してたどたどしかったが、香椎に経緯を説明した。

『商店街を動線に含む位置に古民家風のジビエ・レストランを展開し、その中で高齢者の仕事を守る試みとして農薬や除草剤を使用した作物を用いる』——ひととおり説明したのは夕だった。

概要を耳にした鎌田課長はどこか漫然と構えていた。そして夕の口から出る単語に、

『ジビエってのは、野良動物の死肉かね？』

『古民家？　古いんだよね？　衛生的にどうなの？』

『高齢者の仕事を守る？　若者なのに殊勝なことだ』

と、まるで揚げ足を取るかのようにケチをつけた。

一番ネックになったのは、農薬と除草剤だった。

『おいおい、敢えて農薬使用をうたうのか？　それじゃあ農薬の宣伝をするようなものじゃないか』

鎌田は笑止とばかり手をひらひらさせた。夕と乙成はそうではないと主張した。しかし、

『君たちにそのつもりが無くても、世間はそうはいかない。どんな農薬を使っているんですかと訊かれたら、提供者として商品名・会社名を提示できなきゃいかん。それはつまり、特定の農薬商品を知らしめることになり、ひいては宣伝になるじゃないか』

肇は「そんなの尋ねる奴はいないよ！」と声を上げた。

だが鎌田は首を横に振り、

『それに、農薬使用を公言して店に客足が向くと思うかい？　この事業は税金でやるんだ。受諾者にはちゃんと決算報告をしてもらう。君たちがどんなに正義を訴えようとも、事業は維持されなきゃダメだ。いや、維持だけじゃない。商店街の復興がこの事業の目的だからね。自分たちだけが儲かっても失敗なんだよ。失敗したら君たちは税金を返してくれるのかね？　え？もっとも、いまはまだ納税する身分でもなかろうが。ハッハッハ……』

皮肉たっぷりに笑い、鎌田はさっさと部屋から出て行った。面談は三十分の予定を半分以上残して打ち切られた——。

「——と、こういうわけです」

怒りに震える夕の目にうっすら涙が浮かんでいる。

「そうでしたか」香椎は顔を曇らせた。「まさかあの秘書課の課長が担当だったとは」

肇は憎々しげに呟いた。

「だから言ったじゃねえか。農薬なんて実際はどこでも使ってるんだから、敢えて言うことはないって」

「でも宝塚さん、そこは主張しようってみんなで話し合って決めたじゃないですか」乙成はまだ声を上擦らせている。

「よーし」肇はみなを振り返った。「こうなりゃ、前みたいに毎日のように説明に行こうぜ。分かってもらうまで何度でも挑むんだ」

「だめよ」夕は制した。「あっちは最初から話を聞く気がないわ。それにまた香椎先生に迷惑が掛かる」

「じゃあ、どうすんだよ。このままじゃ俺たち、始まる前から終わっちゃうぞ」

「分かってるわよ」夕は涙声で訴えた。

市役所に話を聞いてもらえず、兵太の無責任に泣かされ、商店街会長につっぱねられ――。まるでぬかるみの中を歩むようだ。全然前に進んでいる気がしない。

さすがの夕も、心が折れそうだった。

同じ頃、市役所の屋上に鎌田の姿があった。彼は柵沿いに一回りして誰もいないことを確かめると、持参した鍵で屋上の扉を外から閉めた。そうして懐から携帯電話とメモ紙を取り出し、メモに記された番号に電話を掛けた。

電話はすぐにつながった。

「あのう、轡さんのお電話でしょうか。私は市役所の鎌田蓮司と申します。はい。以前、奥田先生の選挙の際に。その節はお世話になりました。いやはや、昨年は轡さんのお力添えが無かったために、奥田先生どころか私もひっくり返ってしまいまして……いや、改めて轡さんのお力の絶大さを知りました次第です。

実はちょっと、お願いがございまして。市営公園脇に物件をお持ちですよね。——ええ、失礼ながら、緊急でしたので調べさせていただきました。あそこをですね、現勢力が借り受けて根城にしようとしているというか……いえいえ、物騒なことはありません。ただ、まあ私どもがやりにくいというか。それで、大変ぶしつけですが、もし学生を中心とした連中が賃貸を申し込んできましても、拒否していただきたく——はい、これはもう奥田先生と安浦議長から、ぜひともと。ええ。私も釘を刺されましてして——」

鎌田は電話したまま空を見上げた。

初夏の厚い雲が市役所の建物にかかろうとしている。目を下ろすと、屋上の床がちょうど中程あたりで日向と影に二分されている。その真上を、トビの影がくるくると弧を描いている。

日向と影を行ったり来たりして、とどまる様子も無い。

「――ではよろしくおねがいします」

鎌田はしたり顔で電話を懐に収めた。

Chapter 6

戦略

大谷野市では雨が降り続いていた。

雛美大のキャンパスは暗雲に閉ざされ、降りしきる雨が木々の枝葉を揺らしていた。

このところ、夕はうつうつとしていた。天気のせいもあるが、やはり事業のことが気掛かりだった。

公園横の空き家の持ち主である轡さんに連絡を入れたところ、事情があって貸せないと言われた。

——何から何までうまくいかない。

さすがの夕も、この企画は実現不可能ではないかと思いはじめた。うまくいかないと分かった以上、もっと他のことに時間を使った方がいいような気がする。それこそ兵太のようにバイトをしていた方がマシかもしれない。

夕は思い悩むとともにやり場のない憤慨も覚えていた。

大人の社会は若者の話を聞いてくれない。

商店街の渡辺会長も、市役所の鎌田課長も、話を表面だけ聞いて、ゼミ生が訴えたいことを誤解している。違うと声を上げてもまともにとりあってくれない。こんな世の中だから商店街はダメになるのだ。役所は批判されるのだ。とどのつまり、若者が未来に夢を見ることができないのだ。

あんな大人にはなりたくないと夕は思う。でも誰だって好きこのんで嫌な大人になるわけではないはずだ。人は社会に揉まれるにつれ、徐々に歪んでくるのだろうか。学びとは、一体なんのためにあるのだろう。

土曜日。この日も朝から雨だった。夕がアパートで悶々としていると、携帯電話が鳴った。ディスプレイに宝塚肇の文字。

「珍しいわね。何か用？」夕はぶっきらぼうに言った。

『ひどい言いようだな。機嫌悪いのか？』

「別に」

『ゼミに来なかったから心配したぞ。風邪でも引いたか？』

「うん、まあ、大丈夫よ」夕は空いている手で鼻の頭を掻いた。「みんな来ていたの？」

『半分くらいかな。この間の市役所の件が効いてる。士気はガタ落ちだ』

「詩織は？」

『いたよ』

「ふうん」

『お前、今日ヒマ？』

「えっ？」

『勘違いすんなよ』

「分かってるわよッ」

『怒るなって』

「何の用よ」

『実は事業の件で、ある人に相談しようと思って、今日の午後に会う約束をしてるんだ。でも、よく考えたら俺一人で会っても説明ができないから、お前にも来てほしいなと思って』

「ある人って誰」

『会ってからのお楽しみさ。悪い人じゃないよ。クセはあるけど。まあ、何しろ俺は、市役所の一件から毎晩床に就こうとすると鎌田課長の顔がちらついて、安眠できないんだよ。奴をぎゃふんと言わせなきゃ俺の腹の虫がおさまらない。それに、俺は事業を諦めてなんていないからな。絶対に諦めない！』

また肇のコレがはじまった――夕は思った。

だが不思議と気分が軽くなった。今まで独りでモヤモヤを抱えていたつもりだったが、同じ感覚の人間が自分以外にもいて、その上まだあがこうとしている。

「いいわよ、行くわ」夕は口元に笑みをつくった。「詩織や進藤君も誘ってるの？」

『いや。これは俺たち二浪組の独断行動だ』

「その変な名前やめてよ。あとその、独断行動って大丈夫なの？　香椎先生には伝えた？」

『いいからいいから。まだそのタイミングじゃねえし』

一時間後、夕は大谷野市の中心街にいた。バスを降り、傘を差して歩く。やがて肇に教えられた古い喫茶店を見付けた。

「お、きたきた」

ドアベルの鳴るうちに肇の声がした。彼は一番奥の席で立ち上がって手を振っていた。他に客はいない。

夕が席に近づくと、肇の対面に一人の男性の姿があった。齢の頃は四十前後、麻色に焼けた肌につぶらな目が光っている。精悍で精力的な印象である。

肇は夕を自分の側に立たせた。

「紹介します。俺の所属するゼミの実質的な番長、海老原夕です」

「ちょ、番長ってどういう意味よ」

「あはは、二人は仲がいいねえ」男は座ったまま朗らかに言った。「海老原さんは、私のことを覚えているかな？」

夕はまじまじと男の顔を見た。数秒を経て、記憶の欠片（かけら）にヒットした。

「あなたは市政提言会の時の——」

「そのとおり。お久しぶり。今津です」

そう、この男こそ、香椎ゼミ市政提言会の特集を組み、市長と雛美大の株を大いに上げた、地元新聞記者の今津豊である。

夕は肇の魂胆が少し分かった気がした。

テーブルの片側に肇と夕が、反対側の真ん中に今津がデンと座る。学生相手だからか、素がそうだからか、態度が大きい。けれども嫌味な感じは不思議としない。

夕がテーブルに目を遣ると、男二人の前にはカップが置かれている。スティックシュガーの細い紙屑が二本。今津の前には灰皿があり、長く残した吸い殻が二本。

「海老原さん、宝塚君は実に目先の利く若者だよ」

今津はいかにも理解者然として言った。

「あなたが来る前に、宝塚君が言ったんだ。政治家や役所はマスコミに弱い。そのとおりだね。まあ、もう少し掘り下げて言うなら、マスコミの拡散力を怖れているんだけど」

「あのう」

　夕は眉をひそめた。

「肇——いや、宝塚は今津さんに一体何をお願いしたんですか？　私、何も聞いていなくって」

「え？　そうなの？」今津は肇を見た。

　肇はうなずき、

「はい。先に話したら絶対ダメって言うと思って」

「ダメ？　キミの狙いはそんなに悪いことだとは思わないが」

「夕は俺がやろうとすることには何でも反対なんですよ」

「じゃあどうして彼女をここに呼んだの？」

「うーん。保護者？　みたいな」

「はあ」今津は顎をしゃくった。「つまりきみもどこか自分に自信が無いんだね？　けれども彼女には信を置いているんだ」

「面倒見のいいところは信用できるんですよ」

「ちょっと待って」夕は二人を制した。「ねえ肇、誰が面倒見がいいっていうの？　どういうこと？　そろそろ説明しなさいよ」

肇はややぶっきらぼうな調子で答えた。

「今度の事業の件、前に市政提言会の逆転評価を勝ち取ったみたいに、マスコミの力を借りたらうまくいかないかと思ったんだよ。俺たちが真っ向から挑んだって市役所は動かないからさ」

「それで新聞記者の方を？」夕は呆れた顔をした。

「たった今、『俺たちのことを記事にしてほしい』と頼んだのさ。『学生がアイデアを出して、商店街で何かやろうとしている。こないだの市政提言会の学生たちだ。また何か面白いことをはじめるかも』――みたいにね。世論が起きれば、市役所も門前払いはできないし、商店街の会長さんだって怒りを解かないわけにいかない。空き家の持ち主だって、気が変わってあっちから『貸します』って言ってくるかもしれないぜ」

「相変わらず安直ね」

「そう、安直だ」今津は取り出した煙草を真っ直ぐに立て、フィルタ部分で机をトントン叩いている。「でも、マスコミの力に目を付けたところは鋭いよ。さすが香椎先生のゼミ生だね」

「今津さん、それじゃ記事を書いてもらえますか？」肇は食いついた。

「結論から言うと、無理だ」

「えー、マジで？」肇は頭を抱えた。

今津はくわえ煙草に火を点けて煙を吐き、

「考えてみたまえ。キミみたいにマスコミを使って何かを広めたいって人は世にゴマンといる。そんなのをいちいち聞き入れていたら、新聞は何ページあっても足りない。仮にそんな新聞があったとして、キミたちは読む気になるかい？　新聞は記事を厳選している。だから新聞の信頼が成立している」

「じゃあ、なんで提言会の時は取り上げてくれたんです？」

「あれは普通に地元の話題として成り立っていた」

「今回の件は成り立ちませんか？」

「成り立たないね。前回のは雛美大の初めての試みだったから注目を集めた。それに、提言会は実際に行われたことだ。今回の件はまだ実施されるかどうかも分からない。そんなレベルでニュースにするわけにはいかないよ」

「そっか……」

夕はマスコミを使うことの是非をまだ判断できかねたが、拒まれたことがゼミの活動を否定されたようで、淋しい気持ちになった。

「でもね」今津は密かな笑みを浮かべた。「何気ないことでも、さじ加減でニュースにすることはできるんだ」

肇と夕は頭を上げた。

「いいかいキミたち。たとえば、一万円札一枚を募金してもニュースにはならないが、一円玉を一万枚集めて寄付したら、ちょっとしたニュース性が生まれると思わないか？」

二人はきっちり二つずつうなずいた。

「ニュースのポイントはここにある。事態の特殊性と、読者に想起させる何か。仮にキミたちが今頑張っているのを記事にしても、流し読みされるか、せいぜい『学生のくせに鼻に付く』とケチがつくのがオチだよ。ということは――私の言っている意味、もう分かるよね？」

肇はゴクリと唾を飲み、

「ニュースを作れってことですね」

「人聞きの悪い言い方をするね」

「間違ってます？」

「あってるよ」今津はニヤリとした。

肇はテーブルに身を乗り出し、

「じゃあ、具体的に何をすればいいんでしょう」

「キミたちの望む結果から逆算すると……」今津は少し考え「商店街でのボランティア活動はどうだろう？　清掃やお年寄りへの道案内・荷物運びサービス。その他、祝日に子どもたちと遊ぶ会をやるとか。そういうのを継続的にやってくれたら、新聞としては取り上げやすいかな。取り上げられたら、後はキミたちの努力だよ。新聞に掲載されたことでゼミは一時的にブランド化する。泣く子も黙る、道理も引っ込む、無敵時間の到来だ。その効果が持続している間に、事業が実現できるように頑張るんだね」。

「すごい！　そのネタ、全部もらっていいですか？」

「構わないけど、私が入れ知恵したなんて絶対に言わないでくれよ」

今津はそう釘を刺して夕を振り返り、

「海老原さんも、それでいいかな？」

「え、あ、その」

夕は慌てた。今津のアイデアは、夕の心を覆っていた厚い雲を晴れ渡らせるだけの説得力を持っていた。それで事業計画を再建できるかは分からないが、少なくとも可能性はありそうだ。夕の胸に希望が差し、気分がみるみる軽くなった。

「――ありがとうございます」

「お礼には及ばないよ」今津は微笑んだ。「じゃあ、私は行くから」

カランと音が鳴って扉が閉まった。

「ちょっと肇」夕は肘で肇の腕を突いた。「なんであの人の電話番号を知ってたの？」

「提言会の時に聞いといたんだよ。これは使えるスジだって」

「香椎先生には何て言うの？」

「黙っておけばいいよ。ボランティアはゼミで決めたこと、新聞が取材に来るのも勝手。今津さんだってそれを望んでいる」

「この代償は、いつか高くつきそうだわ」

夕は眉をひそめた。


市役所での門前払いの一件でガタガタになったゼミのモチベーションは、その後再び活気づいた。肇がやる気になるとみんな引っ張られるという法則は、いよいよ間違いの無いものになっていた。

肇は新聞狙いの種明かしこそしなかったが、「まずは商店街を味方に付けよう」と、ボランティア活動を提案した。ゼミ生らは一も二も無く賛同した。香椎はその様子を「さすが元ボランティア高校生」とほめそやした。

商店街との交渉はゼミ生らにとって非常にナーバスだった。兵太が前に会長相手にやらかしている。どこをどう攻めたらいいいか。

こういう繊細なシーンを肇に任せるわけにはいかないと、夕と乙成が頭を痛めていると、香椎が助け舟を出した。

「知り合いの税理士さんが商店街のお店をいくつか顧客にしているんですが、会ってみませんか」

すがれるものなら何でもと、夕と乙成は税理士さんに挨拶に行った。税理士さんはきさくな人で、何でも話してくれた。

商店街はどこも自転車操業で、人を雇えず自分の店でいっぱいいっぱい。そのため、通りの清掃はおろそかで、商店街全体で行う季節の飾りつけ、イベント企画に人が出せない状況だという。

「昔は商店街の夏祭りなんかもあって、大勢の人が集まったもんだよ」

夕は税理士さんの紹介で商店街の運営委員会に渡りを付けた。すると税理士さん経由で「さっそくいろいろ相談に乗ってほしい」と連絡を受けた。

はじめは清掃活動だった。日曜日の午前中に地元の奉仕団体と合同で、付近のゴミ拾いをする。ゼミ生らは一も二も無く引き受けた。

いよいよ第一回目の清掃日。朝七時、都合のついた十五名のゼミ生がジャージ姿で商店街に集まった。黙々とゴミを拾い、路肩の雑草を引き抜き、掃き溜めを掃除する。

清掃中、空き店舗のシャッターを眺めていた肇がこんな提案をした。

「来週はこの汚いシャッターを全部磨いちまおうぜ！」

通り沿いに並ぶ空き店舗のシャッターは、ほぼ全部が雨風にまみれて汚れていた。いちばん目につくだけに、その汚さが全体のイメージを損なっている。そこに手を入れようというのである。

後日、夕と乙成が税理士を通して空き店舗のオーナーたちに申し入れをすると、彼らに断る理由は無く、「ぜひ、一丁きれいに」とゼミ生らにブラッシングをお願いした。

翌日曜の朝、ゼミ生はタワシやデッキブラシを持ち込んで、えっさえっさとシャッターを磨いた。

商店街の人々は目を見張った。

たったこれだけのことで、どれだけ通りが明るく見えることか！

利用客も感心している。

数日後、空き店舗のオーナーたちはシャッターがきれいになったのを見て、「もっと整備したら借り手がつくかもしれない」と、錆止めやペンキを塗り始めた。それでますます通りは明るくなった。

「やっぱり若い人の発想は柔軟だなあ！」

商店街の人々はゼミ生らの行動に感心した。

ゼミ生はそれ以降も、ボランティア活動を通じ、商店街のありとあらゆるシーンに存在感を浸透させていった。彼らの活動は短い期間で高い評価を博した。

ゼミは時折、地元奉仕団体と合同で清掃作業に取り組む機会があった。この奉仕団体は地元企業の経営者の集まりで、二週にいっぺん程度、商店街を含む地域清掃を行っていた。彼らはゼミ生と清掃活動をするうちに、いつしかそれを楽しみにしだした。

「若い連中と何かをすると、エネルギーをもらえるわい」

地域の名士の覚えがめでたくなると、ゼミ生の評判はたちまち広がった。

ある日曜の朝、定例化した朝清掃にゼミ生らがやってくると、一眼レフを肩に掛けた見慣れない大人が数人、メモを取りつつ店から店へ歩き回っている。肇はその中に、あの男の姿を見付けた。

「今津さん、おはようございます」

「おはよう」今津は心底にこにこしていた。「まさかここまでやるとはね」

肇はニヤリとし、

「今津さんに言われたとおりにしているだけですよ」

「おや。まるで私がニュースを作ったみたいだな」

夕も今津を見付けて駆け寄ってきた。

「どうですか？　記事になりそうですか？」

「うん。キミがかわいい感じでそこのゴミを拾ってくれたらね」

今津はそう言ってカメラを構えた。

「じゃあ撮るよ」

どうせ地域面だろう。ゼミ生らはタカを括っていた。

ところが、新聞社は何を考えたのか、その写真は翌日朝刊の一面左下、広告突き出しのあたりにカラーでデカデカと掲載された。

ピカピカのシャッターの前で、夕がゴミを拾っている。

「ようやくスタート地点に達したぞ」

肇はゼミに持ち込んだ新聞をまるで絹織物でも扱うように大切にした。地元紙に影響されてテレビやラジオも取り上げた。雛美大はまたしてもフォーカスされることとなった。事態は全て肇の思惑どおりに進みつつある。

マスコミの力は偉大だ。新聞の一件はゼミの内外にいろいろな変化を巻き起こした。

一番大きな恩恵を被ったのは商店街である。新聞に掲載されて街路の通行者数が増えた。それに合わせ、各店とも力を振り絞ってセールを打った。人通りに幟旗（のぼりばた）が加わり、にぎわいに彩りが添えられる。引き付けられるように通行者が増える。ますます活気づく――。通りに良い循環が生まれつつあった。くわえて、店と客の間に共通の話題が生まれたのも活性化を助けた。

「最近、通りがきれいになりましたねえ」

「ええ、学生さんたちがいろいろやってくれて」

「学生と言えば、うちの子も受験なんですけど。雛美大ってどうですかね？　今まであまり評判がよくなかったでしょう？」

「昔はさておき、今はいい子ばっかりですよ。お受験、応援します。はい、おまけ」

「あら。ありがとうございます」

商店街の役員連中は、好転続きの状況にホクホクが止まらなかった。察しの良い者はすぐに事態の根拠を見抜いた。

「学生と組めば新聞が取り上げ、新聞に載れば客足が増える」

大人がやればスタンドプレーにとられるネタも、若者がやればそうならない。学生と商店街のイメージがオーバーラップし、荒んだ商店街の印象がリフレッシュされる。役員たちは渡辺会長にどしどし提案した。

「もっと学生と何かやりましょう」

「そういえば、商店街復興事業にも名乗りを上げているとか」

「我々の方からもバックアップしてあげては？」

渡辺会長は顔をしかめた。打ち合わせに来なかった兵太の件、電話口で高齢者寄りの提言をした夕の件が、まだひっかかっていた。また、「学生ごときに」と根本的な疑問もあった。しかし学生と絡むメリットがここまではっきりすると、渡辺も考えを改めざるを得ない。

——俺も大人気無かった……かもしれん。

渡辺会長は気持ちを切り替え、自ら日曜の朝清掃に参加しはじめた。驚いたのは夕である。電話口で怒鳴られたのはまだ耳に残っている。びくびくする夕に、渡辺は何事も無かったかのように声を掛けた。

「おはよう。いつもありがとう」

夕の目からさめざめと涙がこぼれた。

「あ、あれ？　一体どうしたの？」

うろたえる渡辺に、

「う、うう、ありがとうございます……」

夕は涙を拭うと笑みを浮かべ、ぺこりと大きく頭を下げた。それ以降、渡辺の学生に対する態度がかなり軟化したのは言うまでもない。

さて、時を同じくして、もう一人ゼミと和解を試みた人物がいる。

武井兵太である。

これも、ある日曜清掃の朝だった。ゼミ生らが通りに散らばっていると、兵太が上下ジャージ姿、手に軍手をはめてやってきた。ゼミ生らは目を丸くした。誰かが夕に告げた。彼女はうなずき「何も言わずに受け入れて」と告げた。

これには筋書きがある。

夕は兵太が来ることを、肇を通じてすでに知っていた。

前日夜、肇から夕に電話があったのだ。

『兵太の奴、ゼミの活動に興味を持ったらしくて、明日の朝の清掃に参加したいって言ってんだけど』

「何それ、どういう風の吹き回し？」

『俺たちの活動が新聞に載っただろ』

「目立ちたいから交ざりたいわけ？」

『そうじゃない』肇は言葉を慎重に選んでしゃべった。『新聞を通して、俺たちが本気だってことに、やっと気付いたんだよ。あいつ、一本気なところもあるんだけど、損得勘定がはっきりしてて、ゼミで何かするにも、自分ばっかりやる気になるのは嫌なんだ。一人だけマジになるのが恥ずかしいってやつさ』

「面倒臭い男ね」

『あいつはゼミの全員のやる気を疑ってたのさ。一生懸命なのは俺と夕と乙成くらいで、あとの奴らは金魚のフンみたいについてくるだけ。そういう集まりとは力を合わせたくない――。そう思ってたんだよ、新聞に載るまでは。

ホントはあいつ、大学時代にみんなで力を合わせて何かに取り組むとか、暑苦しい青春ストーリーに乗りたくてたまらないんだよ』

――あんたも似たようなものじゃない。

夕はそう思ったが口には出さず、冷静な口調で言った。

「でもさ、武井君が会長への挨拶をすっぽかしたのは揺るぎ無い事実だよ。私たちが許しても渡辺会長がどう思うかしら。今、せっかく商店街とゼミが良い関係になりつつあるのに、彼が出てきたら全部ぶちこわしかねないわ」

『そこは任せてくれ』肇はあっさりと言った。『兵太のことは俺が預かるから。とりあえず明日の朝清掃に呼び出すんで、あんまり冷たい顔をしないでやってくれよ。変な出方をすると、あいつ、強がってまたへそを曲げかねないよ』

「なんで私の方が遠慮しないといけないの？」

『まあまあ、俺の顔を立ててくれよ。じゃ、明日はよろしく』

そして迎えた今朝の定例清掃。

上下ジャージの清掃スタイルで商店街にあらわれた武井の傍らには、肇がぴったりと付き添っている。二人の表情は引きつって、心なしか青ざめている。目だけがギラギラ光っている。まるで決死隊だ。

夕は戸惑った。兵太が来るとは聞いているが、それからどうなるのかは知らされていない。肇は一体何を企んでいるのだろう。

ゼミ生らが遠目に見守る中、兵太と肇は一歩一歩厳かに通りを進んでいった。二人は、ある目標地点に向かってまっすぐ歩いていく。その延長上に目を遣ると――渡辺会長の背中があった。二人は会長の元に真っ向から突っ込んでいこうというのである。夕は引き留めようかと迷ったが、肇を信じて見守ることにした。

「渡辺会長！」

兵太の声が通りに響いた。通りにいた全員が声に目を向けた。一番驚いたのは渡辺会長だった。突然後ろから大声で呼び止められ、手にしたチリ取りを取り落としかけた。反射的に振り返る――が目の前には誰もいない。ふと視線を下に向けると、足元に二つ、小山のような土下座が出来上がっていた。

「ななな、何だね！　キミたちは！」

渡辺はしゃがみこんで二人の肩に触れた。兵太は通りに額づいて大きな声で、

「俺は武井兵太と申しますッ！　先日ご挨拶に伺う約束をしておきながらすっぽかした張本人です。今日はお詫びと、これから先ゼミの仲間たちと活動することをお許しいただきたく、改めてご挨拶に伺いましたッ！」

「同じく、宝塚肇ですッ！」

渡辺は目を丸くした。肇とはすでに面識がある。

「宝塚君、一体これは何の真似だい？」

「俺は武井の仲介人です。こいつの失態は俺の失態。俺もこうして謝らせていただきます！」

「おいおい、まるで任侠映画だよ。とにかく頭を上げて」

渡辺は困り果てた。周囲を見ると、唖然とする者、おかしさを堪えている者、感心してうなずいている者など様々だった。この珍妙な謝罪風景の一幕に自分の姿も含まれていると思うと、こっぱずかしくてたまらない。

その一方で、「若造とはいえ、これだけの謝罪をやってのけるにはよほどの覚悟が必要だったはずだ」と感嘆しもした。

渡辺は精一杯穏やかな声で言った。

「武井君……といったかな？　キミの心意気は分かった。申し訳ないという気持ちがあるなら、

これからの活動で挽回してくれればいいよ」

「あ、あ、ありがとうございますッ！」

「頼むから、声のボリュームを下げて頭を上げてくれ」

兵太は立ち上がり、もう一度丁寧に頭を下げた。

夕は一部始終を口をあんぐり開けて見守っていた。

──あんな謝罪、見たことないわ。

兵太は渡辺の前を退いた。肇が耳打ちをする。すると兵太は身体の向きを翻した──夕に向かって。

あれよあれよという間に、兵太と肇は夕の目前に達した。そして先ほどと同じように、二人は土下座した。

「海老原さん、すまなかったッ！」

「夕、こいつを許してやってくれ！」

一気に視線が集まる。夕は照れくさいやら恥ずかしいやら、顔から火が出そうだった。

「分かったから、もう掃除に戻って！」

「許してくれるのか？」

「許す、何度でも許す！」

「ありがとう、でも……」兵太は頭を上げた。「海老原さんに許してもらえても、他のゼミ生たちが何と言うか」

「そこまで知らないわよ！」

「そこを、あんたの口からなんとか」

「自分で言いなさいよ！」

すると兵太は声を一段大きくし、

「ああ、海老原さんッ、すまなかったッ！　すまなかったッ！」

再び通りの全ての視線——野良猫やカラスまで——が、赤面した夕の顔に注がれる。夕はたまらず、

「み、みんなも許してくれるわよ！　私からも言うから！　もう分かったからっ！　もう止めてえ！」

こうして兵太は晴れてゼミの仲間内に復帰した。

彼の特徴的な性格は先に肇が電話で夕に語ったとおりで、こんにちの若者には珍しいくらいの純情さと律義さが、彼の不器用さを生み出していた。

もっとも、このいわゆる「詫び殺し作戦」を考えたのは肇だった。知恵だけでなく仲間と一緒に頭を下げられる度量——もしかするとこの一件で一番男を上げたのは、肇だったかもしれ

ない。

ゼミ生らは自分たちの掲載された新聞を、メインの活動である商店街活性化事業参加のためにフル活用した。

乙成と進藤は、前にレシピのプランを担当した時、インターネットや図書館で大谷野市の農作物について調べていたが、その際、市内の高齢者の農家やジビエの猟師たちのリストを手に入れていた。二人は他のゼミ生を数人ともない、自分たちの掲載されている新聞を片手に、個別の「表敬訪問」を行った。

「ごめんください！」

市境のひなびた田園に、若者たちの声がりりしく響く。

「私たちは雛美大の学生です。大谷野市の募集事業に応募し、商店街でのレストランを計画しています。みなさんの作った作物、猟で獲ったお肉をお届けしたいと思っています。力を貸してください」

好印象の獲得に長けた進藤と、どこか不安げで守ってあげたくなる乙成。二人の初々しい懇願に、お年寄りたちの心は溶けた。

「あんたがた、新聞見たよ。頑張んなさい」

「若いんだから、失敗を恐れないで」

「こりゃあ、来年から生産高を増やさなきゃいかんのぅ」

「ほら、ウチの野菜。よかったら土産に持っていって」

何しろ孫より若い子たちの申し出である（ゼミ生がそういう農家ばかり回ったから当然だが）。ほとんどの農家・猟師が、協力を約束してくれた。公募の時は名前を出してくれてもいいとも言ってくれた。


「……ということで、農家の皆さんの応援をとりつけました」

翌日のゼミは事業計画の進捗の報告会。

進藤は戸別訪問の感触を報告した。

「ありがたいことね」夕は嬉しそうだ。

肇も、

「商店街と仲良くなった、会長とは和解した。農家さん、猟師さんとも絆ができた。お膳立ては全部整った」と、満足げである。

ただ、乙成がやや打ち沈み気味に付け加えた。

「提出資料の準備も済んでいます。あとは……」

ゼミに重苦しい空気が流れた。

問題は明らかである。店舗の場所だ。

公園横の空き家を轡さんに断られて以来、場所の問題は解決していなかった。しかも誰も――この件で一番動いた夕とて――新たに別の物件をあたろうとしていなかった。それをすればきっと肇がへそを曲げるに決まっている。肇がやる気を失ったらゼミ全体の気分が落ち込み、全てが無に帰す。そうなれば今度という今度は夕自身も自分のモチベーションを維持できる自信は無い。

しかし、一体どんな運命の引き合わせか、ちょうどこの打ち合わせの最中に、朗報が届いた。

届け人は香椎准教授である。

「みなさん！」

香椎は教室のドアをガラリと開けるや否や、喜びを爆発させるように言った。

「たった今、轡さんからあの空き家を使ってよいと連絡がありました」

「ええーっ！」

教室はひっくり返った。まさか向こうから申し出があるとは！

「どういうことです？」

夕は顔を香椎の顔にくっつくくらいに詰め寄せた。

「この話には二つのルートがありましてね」

香椎は顔を逸らして答えた。

「まずは商店街の渡辺会長のルートです。轡さんは会長と古くからのお知り合いで、ゼミ生のボランティアの話を会長から聞いて感心していたんだそうです。もう一つのルートは、進藤君と乙成さんが回った猟師さんのルートです。実は轡さんも猟をされる方で、そのつながりでゼミの活動を知り、あとでそれが渡辺会長の話した学生と同じ学生だと知って驚いたそうです。もちろん新聞掲載もご存知で、とにかく、いろいろなところでゼミの話を聞いたとか。もともと轡さんは若者の活動に協力したいと常々考えておられたそうで、それで決めたそうですよ」

「でも」夕はあやしがった。「前は都合が悪くて貸せないって。それが今、どうして……」

「それはですね」香椎はいくらか含むように間を置き、「まあ、いろいろと状況が変わったのでしょう」。

「状況？」

「とにかく、貸してくださるのですから、そのつもりで事業計画書を書き上げてください」

「はい！」

ゼミ生は必要以上に轡さんの変心を追及しなかった。喜びの方が大きかったのだ。

もっとも、これには轡氏と香椎だけが知る裏事情があった。

轡氏は市役所の鎌田課長から「学生に物件を貸すな」と言われた時、一体何のことだか分からなかった。直後に夕から電話で打診を受けてやっと「このことか」と察した。その後、新聞報道やいろいろな方面からの噂で、ゼミ生たちの活動とやる気を知った。轡氏は鎌田との約束を後悔したが、反故にするわけにはいかない。そこには、過去の選挙に関する容易ならざる因縁があるのである。

あの家を貸すことは、きっと「前市長派」奥田陣営に不利なのかもしれない（深い経緯は鎌田からは聞かされていない。何にしても轡氏自身はずっと奥田派なのである）。しかし、轡氏としては、未来を担（にな）う若者に投資する方がずっと市の未来に寄与すると思った。

そこで轡氏は一計を案じた。

「あの家は、ゼミ生に貸すのではなく、あくまで香椎准教授個人にお貸しする――としたら、反故にはならないだろう」

香椎とは過去に選挙活動を通じて面識があった。陣営は違ったが、地域を愛する気持ちは同じで、協力する時は大いに協力しあう関係である。

轡氏はさっそく香椎に連絡を入れ、自分の気持ち――空き家を貸してもよい――を伝えた。彼のゼミ生への期待は月の賃料にあらわれた。

月額一万円。

「私のワンKの部屋の四分の一だわ！」

夕は感激した。肇は唾を飲み込み、

「こりゃますます引けなくなったな」

翌日、ゼミ生らは譽氏の元へお礼に伺い、鍵を預かって空き家に赴いた。四方から写真を撮り、中の写真も撮る。東京のデザイン学校がこしらえたという内装は、シックで落ち着いていて、ますますゼミ生を喜ばせた。

大学に戻ったゼミ生らは、撮った写真と物件の概要を整理し、公募の資料の一ページに組み込んだ。

また、商店街からの提案で、公募事業の申請を商店街と香椎ゼミの共同申請にすることが決まった。共同申請とは、共同で経営することも意味している。商店街は学生と活動することのメリットを感じていたし、ゼミとしては、市役所と真っ向から渡り合うにあたり、こんなに力強い味方はいない。そもそも、事業の対象である商店街が名乗りを上げているのだから、市役所も軽視できないはずである。

この件についても資料にページが加えられた。

パソコンでの資料作りは、乙成の作業である。

「あ！」

キーボードを叩いていた乙成が手を止めた。

「どうしたの？」と夕。

「私たち、大事なことを忘れています」

「大事なこと？」

「はい」乙成は目を点にして言った。「私たち、レストランの名前を決めていません」

「あっ……」

誰一人もそこに気を留めていなかった。夢を先走り、市役所に弾かれて遠回りをする過程で、根本的な部分を見落としていたのだ。

ゼミ生らは頭を寄せて話し合った。名前の良し悪しが公募の条件でないことは誰しも理解していた。しかし、みんなでやる店の名前となると、そういい加減には決められない。みな頭をひねった。自由なアイデアがたくさん出るかと思いきや、全然出てこなかった。明確な理想やコンセプトで固められた事業案だけに、それらをバシッと一口で言い表せる名前はなかなか浮かんでこない。

そんなこんなで三日が過ぎた。

提出期限は近づいている。

「やばいぜ。たかが名前で三日飛んだ」肇はカリカリした。「夕、電話帳持って来いよ。目を閉じて適当に開いたページに出てくる言葉を二つ三つつなげたら、それらしい名前が出来上がらないか」

「そんな決め方しちゃだめよ」夕は口を尖らせた。

「私たちドツボにはまっちゃいましたね」乙成が久しぶりにベソを浮かべた。「難しく考えてややこしい名前にしてもダメですね。分かりやすくて、コンセプトをしっかり押さえている名前――」

「それが難しいっていうんだよ」

「すみません……」

「みんな、もっと簡単に考えろよ」

兵太はいかにも余裕の様子で言った。

「ヘイタ、何か考えがあるのか？」肇は眉をひそめた。

「まあな。ジビエ料理で売るんだろ？」

「うん」

「場所は古民家なんだろ？」

「そうだ」

「じゃあ、ジビエの『ジビ』に、古民家（コミンカ）の『ンカ』を足して『ジビンカ』。これでどうだ？　短くて分かりやすいし、ちゃんと意味も含まれている。途中の『ン』の音がリズムを作っていて、口にしやすい」

「うむ。まあ、そうだけど――」

肇は口籠もった。

そんなに安直でいいのか？

確かに、兵太の言うとおり、一定の条件は満たしているように思える。

「他に何かないか？」

肇は周りを見渡した。

「ぼくはいいと思いますよ」進藤が言った。「こういうのって、はじめからうってつけの名前はないと思います。その名前でやっているうちに、徐々に愛着が湧いていくんじゃないですか？」

「それもそうね」夕はうなずいた。

「反対の人。あるいは他に意見のある人、いる？」

挙手する者はいなかった。が、雰囲気は明らかに大賛成では無い。

「じゃあ、（仮）としましょう」

乙成はそう言ってキーボードを叩いた。

「そうね。名前が無いわけにはいかないし、とりあえずこの名前で公募を突破しましょう」

夕は乙成のプリントアウトした申請書の表紙を手に取った。

【大谷野市「商店街にぎわい創成事業」
ジビエと伝統野菜のレストラン『ジビンカ（仮）』事業計画】

「こうして見ると、悪くない気もするわ」夕は微笑んだ。

「そうですね」と乙成。

「ジビンカ、か。これはやるっきゃないな」肇はすでに乗り気だ。

「だろ」

武井兵太は静かに笑みを浮かべ、ニヒルに視線を外した。

彼は今、とてつもない自己肯定感を覚えていた。ゼミに復帰して間も無いのに、お店の名前を決めるという一大事業に貢献したのだ。彼もまた、肇に負けないくらい、やる気に燃えていたのだった——密かに。

Chapter 7
ヒアリング

　その朝、出庁した鎌田課長はたちまち苦い顔をした。

　デスクに置かれた一通の封書。提出者は【雛美産業大学経済学部香椎ゼミ】と【大谷野市商店街連合会】の連名になっている。

「他に応募者は？」

　周りの職員に尋ねる。みな顔を上げてキョトンとしている。誰もどこからも預かっていないらしい。

　鎌田は封書を未決のケースに放り入れて考えた。

　——市議会の重鎮たちは何と言うだろう。

　安浦議長は運動が足りないと文句を垂れるに決まっている。だいたい市議らも市議らだ。公募に香椎が学生を率いて出てくることは、だいぶ前から噂になっていた。だったら事前に対抗馬を立てればよさそうなものを。

　とはいうものの、鎌田も自分の不手際を否めない。まさか轡森光が空き家を貸してしまうとは思わなかった。あとから人を遣って訊ねたところ、「ゼミ生ではなく、香椎さんに貸したのだ」とのこと。確かに「学生に貸さないで」とは頼んだが……相手が香椎ならなお悪いではないか。しかも轡氏は自分の猟友に声を掛け、学生レストランのジビエ供給に一役買うつもりらしい。

――これは一種の裏切り行為だ。

だいたい轡氏は、事業を引退してから役人を怖れなくなった。

今では鎌田のことなど、何とも思っていないのだろう。

香椎ゼミは申請書提出後、大谷野市の農産物やジビエについて勉強会を開いていた。学生が教壇に立ち自分で調べたことを発表する。事業にあたり必要な情報を共有するのが目的である。香椎も学生に交じって感心したり質問したり。女子らが「先生、まるで学生ですね」と言うと、まんざらでもない様子で微笑み返した。

ある時、久しぶりに香椎が教壇に立った。

「例の公募の件ですが」

「通ったんすか?」兵太が弾むように立ち上がった。

「結論はまだだよ。座って」

ゼミ生全員が兵太を笑った。それはさげすみでは無く親しみのこもった笑みだった。兵太はすでにゼミとのわだかまりを完全に埋め、肇と並ぶムードメーカーになっていた。肇の尽力のたまものだが、兵太にそれだけの何かがあることを全員が認めていた。

「申請内容について市がヒアリングを求めてきています。指定の日に出席しなければなりません」

乙成がしょぼくれた声で尋ねた。

「前にも説明会に行きましたが、また聞かれるんですか？」

「そういうことですね」

「今度もみんなで行こうぜ」肇はみんなに呼びかけた。

「今回は、参加人数は四人までと注意書きがあります」

「マジかよ」

「この間大挙して行ったから、先に人数を絞ってきたのね」

夕は顔をしかめて呟いた。

「きっとこれは市の罠だ！」

急に声を荒げた肇に、全員の視線が集まった。

「市は俺たちが何かしようとするのが気に入らないのさ。ヒアリングとか言って呼びつけ、嫌味をタップリ言ってやる気を削ごうっていうんだよ。そうはさせねえ。今度は先生も行こう！」

「そうだそうだ！」

「先生、行こう！」教室は騒然となった。

ところが香椎は、

「その日はどうしても出なければいけない会議があってね」

「えー。こないだもそうだったぜ」

「きみたちならできると信じてるから」

ゼミに沈痛な空気が漂う。

「とにかく」香椎は淡々と言った。「きみたちの中から四名選んで出席してください」


ヒアリングは七月の某日に予定されていた。ゼミ生は話し合い、乙成・海老原・宝塚・武井の四名を送り出すことに決めた。企画の詳細は申請書に記載済みなので、改めて伝えなければならないことは特にない。ならば若いエモーションを見せつけようと、肇と兵太の二人がメインの説明者を務めることになった。乙成と夕はフォロー役である。

血気盛んな男二人は「俺たちの熱意で市役所の嫌味な根性を焼き尽くしてやる」と息巻いた。

二人はこのヒアリングが雛美大を脱落させるための計画と信じてやまなかった。実際には、ヒアリングは公募や入札の事前手続の一つであり、悪意で設けられたわけではないらしかった。

七月は迫っていた。香椎は肇と兵太にヒアリングのシミュレーションを行うように言った。

二人は「直前にやります」とのんきに構えていた。しかし、ヒアリングの直前は大学の試験期間ともろにかぶっていた。二人はそのことをすっかり忘れていた。一夜漬けの勉強方法しか知らない肇と兵太は、結局シミュレーションどころではなかった。

――こうなりゃぶっつけ本番だ！

ヒアリングは試験最終日の翌日だった。

四人はスーツ姿で市役所の前に集合した。

「あんたたち、シミュレーションはしたのよね？」

夕は額に落ちかかる前髪を耳にはさみながら言った。

「大丈夫だよ。なあ、兵太」

「ああ。正義は勝つよ」

二人の目は明らかに泳いでいる。

「ヒアリングではどっちがしゃべるの？」

「肇だよ」

「俺？」

「そうさ。俺はなにしろ途中参加に等しいからな」

「ちぇっ……。（もうどうにでもなれ）」

「今、何か言った？」

「いや、何にも」

受付の職員に案内されたヒアリング会場は、この間とは別の小さな会議室だった。四人が入室すると、市役所側はすでに準備を整え待ち構えていた。

正面の長机に、五人の人間が並び座っている。男性三人、女性二人。老若入り交じっている。真ん中は、豊かな白髪をオールバックにした六十がらみの男性。机上に「審査委員長」の札が置いてある。気難しげで、眼鏡の奥に疑り深そうな目が光っている。

五人の後ろには若い男性職員が二人いて、一人は手元の資料に目を走らせ、もう一人はノートパソコンのキーを叩いている。書記係・資料係といったところか。

肇は室内を一望した。

――鎌田のオヤジはいないんだ。

このヒアリングは市の予算担当が組んだもので、担当の違う鎌田課長がいないのは当然だった。だが、肇にそのへんの事情が分かるはずもない。

四人は席に着いた。学生側の座席は前後二列で、前列は審査委員に面して肇と兵太。後ろに乙成と夕。

「ただ今より、雛美産業大学経済学部香椎ゼミさんへのヒアリングを行います」

職員の宣言を皮切りに、ヒアリングがはじまった。

五人の審査員はかわるがわる質問をした。内容は基本的なことばかりだった。

しかし肇の回答はまるで答えになっていなかった。

「集客方法は？」

「良い料理を出せば、必ず客は来ます」

「仕入れルートは？」

「何人かの農家や猟師と知り合いになりました」

「衛生面や安全面の対策は？」

「とにかく『きれいに』をモットーに、掃除を頑張ります」

ただでさえ気難しそうな審査委員長の顔が、ますます歪む。

肇は意気揚々と答えているが内心はパニックだった。緊張で頭の中は真っ白になっていた。どの質問も申請書を作る時に話し合ったことばかりだった。けれども緊張と焦りで何一つ思い出せない。少しでもおさらいをしていればマシな答えが言えただろう。

――試験を捨ててでもシミュレーションをしとくべきだった。

後悔しても、もう遅い。

隣の兵太も肇の回答に呆れていたが、自分も何の準備もしていないので、助け舟を出すことができない。

――後ろで女子二人がどんな顔をしていることか……。

背筋に寒気を覚える。こんなヒアリング、早く終わってほしい。でも、あとで後ろの女子と顔を合わせると思うと、永遠に終わってほしくない気もする。

延々と続く肇の間抜けな回答。

堪えきれず、つい本音を口にしたのは、審査委員長だった。

「あのさあ」

彼は眼鏡を置いて目頭を押さえた。

「きみねえ、その回答じゃ応援したくてもしてあげられないよ。それが大学生の答えかね。中学生でもまだマシなことを言うよ。市役所だってヒマじゃないんだ。馬鹿にしてるの？」

声は小さく一音一音丁寧なのだが、底の方にふつふつとした怒りがこもっている。

肇は唇を噛んだ。胃がツーンとした。

――こりゃあ申請却下決定だな。全て俺のせいだ。ゼミのみんなに顔向けできない。ゼミの恥、雛美大の恥。ボウズになったくらいじゃ詫び足りねえな。大学辞めよう。置き手紙して旅に出よう……。

背を伝う汗の冷たさ。耳の端が燃えるように熱い。

知らず知らず頭が下がる。

すると、ふいに後ろから声が上がった。

「先ほどの質問について、私がお答えします」

凛と響いたのは夕の声。審査委員長は何かを言いかけたが、夕はいち早く話しはじめた。

「まず開店時の集客について申し上げます。私たちのゼミでは、本市および赤松市の市民百名にアンケートを実施しました。『大学生が経営するレストランができたら一度は行ってみたいか』。イエスと答えたのは八割超です。この回答から、当座の集客は期待できると思います。オープン景気以降に再来店客（リピーター）・新規客を増やせるかどうかは、努力次第です。私たちの教官である香椎准教授は経済学の専門家ですので、教えをいただきつつ、お店を運営してまいります」

審査委員長は机に置いた眼鏡をかけた。

夕は声を一調子上げて続けた。

「さらに、恒常的・具体的な集客プランですが。私たちは限りある予算を有効に使うため、ばらまきの広告手法にあまり頼るつもりはありません。『価値ある商品』を打ち出して消費者に興味を喚起する方法を考えています。その一つがジビエです」

審査員と職員たちは手元の資料を繰った。

「ジビエは日本ではメジャーではありませんが、フランスをはじめ諸外国では高級食材として受け入れられています。学生起業とジビエ、二つの物珍しさのコラボレーションで人々の関心を集めることが、私たちのスタート地点です。ちなみに、主なジビエ食材として、大谷野市で狩猟されるシカとイノシシを考えています」

「……なるほどね」

審査委員長は顔を上げて尋ねた。「学生起業はともかく、確かにジビエは珍しいけど、シカやイノシシなんて、そんなに美味いものかな。私もシシ鍋くらいなら食べたことがあるけど、味は褒められたものじゃないと思うが」

「それは調理法に問題があるのです」夕は淡々と答えた。「ジビエとは、単に害獣の肉を食することではありません。きちんとした調理の手法があります。シカもイノシシも血抜きをしっかりすれば牛や豚と変わらない味わいになります。おそらく、お召し上がりになったシシ鍋は、その技術が用いられていなかったのだと思います」

「あのう」

端に座った女性委員が、ボールペンを立てて合図し、発言した。

「日常的に、牛・豚・鶏以外を口にしない日本人の食生活にそんな食材を持ち込んで、継続的な利益を見込めるでしょうか」

「そこは努力のしどころです。一度つかんだ関心を手離さないよう、工夫してまいります。それに――私たちはジビエの可能性を信じています。たとえばシカを食する国は世界中にたくさんあります。美味しいから食べられているのです。私たちはジビエの誤解解消と啓蒙も含めて、事業を行っていくつもりです。私からは以上です」

部屋に一瞬の静けさがよぎった。

審査員たちは立て板に水の夕の説明にすっかり黙らされた。

すると、

「もう一点、申し上げます」

細々とした声は、乙成である。

肇と兵太は顔を見合わせた。いつもびくびくしている乙成が自分から発言しようとしている――。自分たちの不甲斐なさがますます浮き彫りになる。

「私からは、レストランで使用する野菜についてご説明します」

声はかすかに震えていたが、芯は通っていた。

「私たちの考えは基本的に地産地消で、大谷野市の野菜を優先的に使っていきたいと思っています。こだわりたい点は『普通の野菜』です。普通の野菜の魅力を再発見することが、高齢者の仕事を守ることにつながると思うからです」

「ちょっと意味が分からないな」右端の男性委員が手を挙げた。「普通の野菜――という言葉の意味も分からないし、それがどう高齢者の仕事を守ることにつながるのか、それも分からない」

「言葉が足らず、失礼しました」

乙成は少し早口になって答えた。

「私たちのいう『普通の野菜』とは、農薬や除草剤を用いる従来の方法で作られた野菜のことです。最近は有機農法や無農薬野菜が脚光を浴び、普通の野菜は悪く言われるようになりました。おびただしい量が売れ残ったり、棄てられたりしています。

普通の野菜を生産しているのは、実は多くが高齢の農家さんです。有機農法や無農薬栽培は肉体的に重労働で、若い農家ならまだしも、高齢者には酷です。今の『反農薬、反除草剤』の状況が続くと、普通の野菜は需要を失い、高齢の農家さんは廃業を余儀なくされるかもしれません」

「つまり――」

男性委員は首を伸ばして尋ねた。

「あなたがたのレストランが『普通の野菜』を仕入れることでそのニーズを支え、同時にそれが高齢の農家の仕事を守ることにつながる、というのだね？」

「そのとおりです」乙成はいくらか弾むように答えた。「それに、農薬野菜だって厳しい検査基準を乗り越えて出荷されています。健康被害を及ぼすほど悪いものではありません。普通の野菜が身体に悪いという考え方自体がそもそも誤解です。

私たちは事業を通じて普通野菜の本当の価値を訴え、消費者に考え直してもらうきっかけになればと思っています」

後半は驚くほど流暢（りゅうちょう）な弁舌だった。内容は全て申請書に記述されていることで、文面を自分で打ち込んだ乙成だからできることだった。

会議室はしばらく時間が止まったように静まり返った。

雛美大側の空気は雨上がりのようにさっぱりとしていた。肇と兵太の顔に血の気が戻っていた。とはいえ彼らはまだ夕と乙成を振り返ることができずにいた。

審査委員長は胸を反らし、腕を組み、腹の底から絞るように「ううむ」と唸り声をあげた。目元は険しいが、顔は明るかった。彼は視線を器用に動かして、書類と学生の顔をかわるがわるに見た。眼鏡の奥に光る黒い目は、事細かに計算するようにまたたいた。

「分かりました」

審査委員長は落ち着いた調子で言った。

「コンセプトや研究内容、個別の目標について、市は何も指摘しません。応募者がそれぞれの価値観や技術で、公募の趣旨である商店街の活性化を実現してくれるなら、それで結構です」

「ありがとうございますッ！」

肇はガバリと立ち上がって一礼した。夕は後ろから肇の上衣の後ろ裾を思いっきり引っ張り、尻餅同然に座らせた。審査委員長は面食らったが、敢えて見なかった体で淡々と次の句を発した。

「まだいくつか確認が取れていない事項があります。繰り返しになりますが、流通経路、安全面、許認可の三つです。どのようにするおつもりですか」

「私からお答えします」夕が応じた。「仕入れは、提携する農家や猟師さんから直接買い入れます。搬送の車輌等も、話がついています。正式な契約は申請通過後です。安全面は、学生全員で防火管理者と食品衛生責任者を取得します。調理は調理師免許を持った外部の方にお願いします。学生は調理補助をします。事業は学生で役割分担し、一般企業同様に組織化します。会計は簿記検定二級の者が担当します。労務・税務は共同経営者である商店街連合会様と話をし、専門家の指導を仰ぎます」

夕の発言が終わると、審査委員長は左右の審査員に何かを囁きかけ、次いで後ろの職員を振り返った。職員は口を動かして審査委員長に何か言った。

しばらくして、審査委員長はゼミ生の方を向いた。

「質問は以上です。今日の内容は内部で検討します。応募の結果は後日お伝えします。それまでの間、準備を進めておくことですね」

「はい！」肇は椅子を蹴って立ち上がった。「帰ったらさっそくレシピを考えますッ！」

審査委員長は口を尖らせ、

「こら、キミはもう少し勉強しなさい。隣のアンタもだ。後ろの女子たちを見習いなさい」

四人は席を離れた。

審査委員長は若者らの背中を見送り、こう思った。

――鎌田さんが言ってたより、随分しっかりした子たちじゃないか。

四人は市役所ロビーの自動ドアをくぐり、表の車寄せに出た。

ヒアリングが終わった頃に香椎がマイカーで市役所の車寄せに迎えに来てくれることになっていた。

四人の顔に、夏の乾いた風が軽く吹き付ける。

緊張感から解き放たれた肇は、つい、こう口走った。

「いやあ、大成功だったな！」

このひと言に、夕の怒りの引き金が引かれた。

「アーンーターー、たちぃ……」

「ひぃッ！」

フロントガラスに映る車寄せの植え込みは、青々としてすっかり夏模様だった。

香椎がマイカーを車寄せに乗り入れると、そこには珍妙な光景が繰り広げられていた。

スーツ姿の夕が、タイトスカートの裾も気にせず、手刀で肇と兵太を滅多打ちにしている。

それを乙成と駐車場の係員が懸命に引き剝がそうとしている。

――おや？　蹴りじゃないところを見ると、うまくいったかな？

香椎は密かに笑みを浮かべ、マイカーを喧騒に横付けした。

Chapter 8

開店準備

「ええっ？　それ、どういうことっすか？」

肇のすっとんきょうな声が教室に響いた。

市役所のヒアリングから一週間ばかり経過したゼミ。

全員目を丸くして教壇の香椎を見ている。

香椎はバツの悪い笑みを浮かべ、

「ええと、つまり……来週から古民家に手を入れてくださいってことです」と言うと、どぎまぎした目を教卓に落とした。

「でも先生」夕は強く言った。「公募の結果はまだ出ていません。古民家をレストランに改修するにあたり、補助金が必要なんですが」

肇も身を乗り出し、

「椅子やテーブル、調理器具、その他にもいろいろお金が掛かるってことくらい、先生にも分かるよな！」

香椎はうなずき、

「もちろん分かっています。でも、商店街の人の期待や、大学内でのムード、それに……」

全員、言われなくても分かっていた。元凶は今朝の新聞である。ゼミのレストラン事業の記事が出ていたのだ。地域面に次のような大見出しが躍っていた。


【雛美大経済統計ゼミが学生飲食店を開業決定】


夕も乙成も肇も、目をひんむいて二度読みした。今日掲載されることについて、誰も何も知らされていない。今津記者が気を利かせたつもりなのだろうが、まだ本決まりでないことを、まさか書いてしまうなんて。

肇は紙面を見てすぐに今津に電話を入れた。

「なんで勝手に書くんすか！」

『でも、学部長はＯＫしたよ』

「香椎先生は？」

『さあ、どうだろ？　学部長が言うならいいんじゃない？』

新聞の影響で大学には朝からひっきりなしに電話が入った。開店時期などの問い合わせや激励が殺到した。香椎ゼミは引くに引けなくなった。

世間に期待されるのは嬉しい。けれど、無い袖は振れない。

香椎は苦笑を浮かべた。

「多少の予算ならゼミから出せます。あと、ほんのわずかだけど、ぼくの研究予算からも……。とにかく、手分けして、自力で改修工事を進めてください。不足分は立て替えて、補助金がおりてから埋め合わせましょう」

「その補助金がおりるかどうか、まだ分からないんですが……」

乙成は呆れて言った。しかし香椎は、

「とにかく、そういうわけですから、古民家に手を入れてください。具体的なことはみんなで話し合って決めてください。あとは頼みます。では、ぼくは学会の準備があるんで――」

「ちょっと先生！」

夕が声を飛ばしたが、香椎は教室を出て行った。

「無責任な先生だなあ」肇は嘆息した。

さあ困った――ゼミ生らは頭を抱えた。

プロに頼むお金も無いし、自分たちで大工をやる技術も無い。無理にやったとしても、うまくいくとは思えない。だが、今採れる方法はそれだけ。ＤＩＹ、ドゥー・イット・ユアセルフ、日曜大工である。

それにしても、どこからどう手を付ければいいのか。雲をつかむような話である。それから数日、夕は乙成や肇、進藤や兵太と打ち合わせたが、ぼんやり顔を見合わせるばかり。途方に暮れていると、古民家のオーナーの轡さんから連絡が入り、助言をくれた。

「あの家を古民家風にした建築デザイン学校のＯＢに会ってみるかい？　何かアドバイスをもらえるかもしれないよ」

ゼミ生らは意見を入れ、後日、古民家前でＯＢと待ち合わせをした。ゼミからは、肇・夕・乙成の三人が出向いた。約束の時間になり、ＯＢは一人でやってきた。意外に若い男性だった。聞けば、大学院を五年前に卒業したばかりで、現在は某市の設計事務所に勤務しているという。古民家を訪れるのは久しぶりらしく、建物を見てしきりに懐かしがっていた。

「この建物こそ、ぼくの原点。大学時代の青春であり、デザインの学び舎だよ！」

――こりゃあ、下手に手を入れられないな。

三人は重たい気持ちになった。

轡さんから借りた鍵で中に入り、ＯＢを先頭に内部を一巡した。ゼミ生らはこれまでに何度も訪れて、中のことはたいがい承知していた。けれども、ＯＢの説明を聞きながら歩くと、また違うものがあった。

「家は生き物だからね」ＯＢは角々に立ち止まっては、うんちくや思いを語った。「木を使う時は、彼らが呼吸しやすい向きに配置する。向きは木目を見れば分かるんだ」

「ここの違い棚には苦労した。次の日には落ちてた」

「この石を運ぶ時に教授がぎっくり腰になってね」

「実はこの戸の裏で、今の嫁さんにプロポーズしたんだ」

――ますます改造しにくい……。

三人は無理に笑顔を浮かべた。するとＯＢは、

「ああ、ごめんごめん。君たちは君たちで、この家に自分たちの青春を刻み込んでほしい。轡さんがダメと言わない範囲でね。レストランが始まったらぜひお伺いするよ」

「あの、質問ですけど」

肇が幾分ホッとした表情で手を挙げた。

「この家をリフォームする時、一番こだわったのは何ですか？」

「いい質問だね」ＯＢは満足げに答えた。「材料にこだわったよ。ここで使われているのは、全て国産材なんだ」

「国産？」夕が声を上げた。「ってことは、高いんでしょう？」

「確かに国産というとそんなイメージがあるけど、ぼくたちはそれよりも国産の木材を使う意義を優先したんだ」

ＯＢは顔を上げ、天井板や梁、鴨居を見つめた。

「木というのは成長するのに年月が掛かる。たとえば、ある人が苗木を植えて、それが木材として使えるようになるまでには、本人はとっくに死んで、三代目、四代目になっている。苗木を植えた人には何の恩恵も無い。つまりその人は最初っから、自分の子どもや孫、さらにその孫——ずっと未来の人のために木を植えたんだよ。

この利他の精神ってのが大事だと思うんだ。今の世の中は殺伐としている。経済学で唱えられているのは、自分の利益・目先の利益ばかり。消費者にも企業にもそういう考え方が増えている。それが時代の流れとはいうものの、ぼくは『これってどうなのかな?』『このままでいいのかな?』と首を傾げるね。

でも、少なくとも、この家に使われている材木の木を植えた人は、現代的な利己主義ではなかったはずだ。全ては後世のためを思って、一本一本を植え育てたんだよ。ぼくらは、そんな先祖に感謝し、利他の思想を受け継ぐ誓いとして、この家に国産材を選んだ。国産材を使うことは、日本の先祖の心を伝承することでもあるんだよ」

「素敵なお話です」夕の目は輝いていた。「古民家デザインって、見た目が古民家というだけでなく、いにしえの考え方も取り込んでいるんですね」

「そのとおり。最近、世間では世界〇〇遺産とかいって観光向けの目立つものばかり登録を目指しているけど、国産材こそ、私たちの先祖が残してくれた真の世界遺産だと思うね」

三人は感激した。肇は勢いよく拳を突き上げ、

「よし、俺たちが日本人の心を、古民家レストランで取り戻す！」

「楽しみにしていますよ」ＯＢは微笑んだ。


自分たちの力で改修に挑戦しよう——肇の熱っぽい意見により、ゼミは再び活気づいた。肇・夕・乙成の三人はＯＢと話をして——事態が進展したわけでは無かったが——、だいぶ前向きになっていた。それがゼミ全体に波及したのである。

ゼミ生のひとりが言った。

「ぼくのおじが市境の山林で製材所をやっていて、こないだゼミの話をしたら『端材でよければいくらでもやるよ、運ぶのにトラックも貸してやる』って言ってたよ。国産材も多いらしいよ」

願ってもない話である。

さっそく次の日曜日、肇・兵太・乙成と、言い出したゼミ生の四人は市境の製材所を訪れた。

ご挨拶方々持ち出してよい木材の数や寸法を記録するためである。

「活躍は甥っ子から聞いているよ」ゼミ生のおじは笑顔で迎えてくれた。「俺も今は仕事を若い衆にまかせてヒマな身体だから、手伝いがあれば引き受けるぞ。切ったり打ったり組んだり、何でも言ってくれ」

「ありがとうございます。ぜひ、お願いします」

材料を確保したゼミは、次にリフォームのデザインに取り掛かった。ゼミ生らはそれぞれ自分が「これがいい」と思うイメージをイラストに描き、互いに見せ合った。ルールは、古民家の間取りにのっとり、何らかのテイストを醸しだすこと。実現可能であること。

まもなくユニークなイラストが出揃った。店内を森に見立ててハンモックをいくつも吊るす「お昼寝レストラン」、土間にへっつい、床に藁を敷く「庵風レストラン」、ローソクを並べて岩肌の壁面に落書きできる「縄文壁画レストラン」等々。

それらには夕の厳しいチェックによって一つ一つ省かれていく。

「ハンモックを吊るす？　耐久性を保証できないわ」

「へっついで料理？　ジビエをオープンキッチンでやるわけ？」

「ローソクは防火的にどうなの？　あっ、来週はみんなで防火管理の資格を取りに行くからね」

そんな中、唯一夕のお眼鏡にかなったのは、乙成のイラストだった。シンプルな板壁、間仕切りに竹の簾、伐り出し丸太をそのままイスとテーブルにする。名付けて「山賊レストラン」。

「山賊とは考えたわね」

夕はイラストにじっと目を向けて言った。乙成は口籠もるように、

「ジビエ肉とか古民家とか、ものにこだわらない感じがワイルドで、まっさきに山賊を思いついたんです」

「素晴らしいわ。木をほとんどそのまま使うからリフォームも楽そうね。それに――詩織に絵心があるなんて思わなかったわ！」

「ありがとうございます」

乙成はペコッと頭を下げた。夕はムスッとし、

「もう。前にも言ったけど、同級生なんだから敬語はやめてよ。まるで私があなたの上司みたいじゃない」

「すみません、つい」

「……やれやれ」

乙成のイラストをゼミで回覧すると、誰もが「これがいい！」「乙成さん、すごい」と絶賛

された。香椎も賛同した。乙成は真っ赤になって黙りこんだが、内心は嬉しくて心臓が爆発しそうだった。

かくしてデザインは決定した。乙成はイラストを現場のサイズに合わせて修正した。それを製材所に進捗状況としてファックスすると、おじは「まかせとけ」とひと言返事をよこし、さっそく部材の加工をはじめた。

「もう作りだしちゃったの?」夕は面食らった。

「おじはせっかちだから、言われたら即行動です」甥っ子が答えた。

「マジかよ。負けちゃいられないな」肇は指を握り合わせてポキポキ鳴らした。「次の土曜日からさっそくリフォームをはじめようぜ」

「ちょっと待って」夕が制した。「設計はまだラフよ。電設や厨房機器、食器や道具、他にも決めないといけないことが——」

「そんなの全部同時進行さ。ボヤボヤしてたら店は開かねえぞ」

「そうだそうだ」兵太が合いの手を入れる。

夕は呆れて乙成を振り返った。乙成は目をワクワクさせ、今すぐにでも現場に入りたそうな顔をしていた。自分のイラストが現実のものとなる瞬間を待ちわびているのだ。

「……じゃ、はじめましょっか」

「おう！」

そして土曜日。

ゼミ生は朝から二班に分かれて行動した。

まずは兵太・進藤ら数名の男子グループが、朝一番の電車で製材所へ向かった。彼らは製材所のトラックに材木を積みこんで古民家へ運んでくる係である。製材所は遠いので、ほぼ半日掛かりの作業になる。

その間、残りのゼミ生は古民家の大掃除に取り掛かる。全体を掃き清め、要らないものは庭の隅に寄せて置いておく。庭も雑草を抜いたり、植木の枝葉をカットしたり。

「この大きなテーブル、どうする？」

「カウンターにすればいいよ。一人客用の」

「裏にたくさんの細板が重ねて置いてあるけど」

「平行に並べて両端をつなぎ合わせ、ブラインドにしちゃえ」

あちこちから上がる声を、肇は瞬時にアイデアにして切り返した。みな舌を巻いた。「やっぱ違うね、肇は」

しかし本当のところ、どのアイデアもその場で思いついたわけではなかった。近頃の肇は寝ても覚めても店のことばかり。ここ数日の間に、何度も訪れて、あれはどうだ、これはああだと、頭をこねくりまわしていた。その時に思いついたことを口にしているだけなのである。

乙成は自分のイラストを片手に、部屋から部屋へ駆けまわり、基調色や必要な部材を決めていった。ゼミ生らはそれに従い作業にかかった。こちらも肇同様、イメージが出来上がっているので何を決めるにもスムーズだった。

夕は一人、この日にアポを取った各業者たちとの折衝を担当した。電気工事、ガス屋、水道局の他、厨房機器や什器関係の営業が入れ代わるようにやってくる。夕は内部を案内し、イラストを見せ、必要に応じて企画まで説明した。

「学生なのにスゴイなあ」

「頑張ってください」

「食べに来ますよ！」

どこの業者も好意的だった。夕は初々しい笑顔を浮かべ、見送る際には「お見積もり、お手柔らかに！」と頭を下げた。

肇は、驚嘆の眼差しで、

「すげえな、お前、ああいうあざとい笑顔をつくれるのか」

「私だって嫌よ。でも、学生だからって舐められたらまずいでしょ」

夕は腕組みして顎をツンと反らした。

午後三時ごろ、製材所からのトラックが到着した。全員で木材をおろす。木材は吊り棚だの収納だの、設計どおりに切り出されていて、あとは組み立てるだけである。ゼミ生らはおじに従い、組み立てに入った。

空が薄暗くなると、製材所から持ち込まれた工事用のライトが灯された。

「こんばんはー」

予約していたお弁当が届く。新しい木の香りと、温かい食事のにおい。工事用の弾けるように眩しいライトの明かりで、一人ひとりの笑顔がくっきりと浮かび上がった。

そんな楽しい時間は、この晩だけでなく、翌日、翌々日と続いた。

そうして四日後の午後、古民家の改修は完了した。

乙成のイメージどおりの山賊テイストが、店舗全体に活きている。無造作にはめられた焼き入りの切出板、荒縄でぐるぐる巻きの太梁、丸太のテーブルに椅子、木枝そのままの格子窓に、皮付きの化粧柱。にくいのは照明だ。板壁に映し出された影はギザギザに映し出され、まるで月明かりに照らされた夜の森である。本当に山賊のアジトに迷い込んだような気分になる。

「まあ、こんなもんだろ」

肇は一望し満足げだった。客席は二十席とれた——彼としてはもうひとテーブル欲しいところだった。そのことで夕や乙成と意見が食い違い、一時は面倒になりかけた。しかし、ちょうどそのタイミングでやってきた消防署の監督指導で、二十席に落ち着いた。

「保健所が許してくれれば、晴れた日なら庭に二テーブル増やせるわ」

夕はそう言って、ブツブツ文句を言っている肇をなだめた。

ゼミ生らは改装作業のさなかに必要な資格を取得した。食品衛生責任者と防火管理者である。その他、市が無料で行っている経営講座や経理講座を手分けして受講した。また、商店街連合会へ古民家内覧会の案内を出した際、いろいろなものを寄贈してもらった。調理用具や食器、インテリア、帳票等文具類等々である。みな快く供出してくれた。多くの人々に支えられた開店準備であった。

内覧会の開催は、面倒を避けるため、今津記者には知らせないことにした。商店街の人々だけを対象に、ごく内輪の茶話会。市の公募に通過したあかつきにはもっと大々的にやる予定である。その席で、ゼミ生らは商店街の店主らを前に、開業の意気込みを発表することになった。内覧会の数日前、香椎は研究室に夕と乙成を呼び、次のゼミで発表内容を決めておくように伝えた。

「先生、またゼミをサボるんですか？」

「人聞きが悪いね、海老原君。重要な会議があるんです」

「意気込みって、具体的に何を言えばいいんでしょう」と乙成。

「ただ『頑張ります』ってのも芸が無いからね。内覧会はお披露目だから、君たちの顔をしっかり見せるべきだよ。例えば、料理をするのは誰、フロアを見るのは誰、事務は誰、というふうに」

「そういえば、私たちの店って役職を何も決めていないわね」

「それはいけない。じゃあ、次の時間は役職決めもお願いしますよ」

そして次のゼミの時間。

乙成が香椎の言付けを全員に伝えると、教室はざわめいた。

「役職ですか」進藤翔が口火を切った。「まずは、どんな種類の役職があるのか決めないといけませんね」

すると、教室の真ん中あたりに座っていた男子が、つと立ち上がって発言した。

「会社みたいに、専務とか部長とか、課長とか平社員とかでいいんじゃないの？」

全員「なるほど」と納得した。

彼は勝田誠といい、ゼミで最近にわかに存在感を高めていた人物だった。背が高く短髪で顔立ちはすっきりとしており、日焼けして精悍である。やや早口で、目付きがやぶ睨みな点が、人を不安にさせるが、頭の回転が速く動作が機敏で何かと頼もしい。彼は建築現場でアルバイトをしていたことがあり、古民家の改装で力を発揮した。それで存在感があらわれてきたのである。

その勝田を向こうに、肇が言った。

「俺、会社に勤めたことないから よく分かんないけどさ。部長とか平とか、なんか上下関係っぽくってヤだな。なにかこう、俺の主義じゃねえ」

「主義じゃねえ……って」

勝田は苦い顔を浮かべた。

彼は常々肇とそりが合わないと思っていた。それどころか、妙にゼミで目立っている肇をひがんで、敵視するところがあった。

一方、肇はそんなつもりで勝田に接していなかったし、そりが合わないと思ったことも無かった。むしろ存在自体にあまり気を留めていなかった。そのことはうすうす勝田も察しており、ますます勝田を苛立たせていた。

「じゃあ宝塚はどんな役職があると思うんだよ」勝田は尋ねた。

「学級委員みたいに、仕事内容で分ければいいんじゃないか？ 料理委員、掃除委員、仕入れ委員、みたいに」

「けっ、まるで小学校だな。そんなんじゃ」

「私はいいと思うわ」夕は勝田の言葉をさえぎった。「実は、私と詩織で役割の種類を考えてみたの。必要な部門は経理・食材管理・営業広報・料理、この四つ。それ以外の役割も思いつくけど、スタートはこの四つに絞って、必要に応じて増やしたらいいと思うの」

夕は資料を用意していた。配られたプリントにはこのようなことが書かれていた。

◆経理部門：人員五名
お店のお金を管理し、収支が適正かを確認する。各部門の予算を管理し、出納の記録を付ける。税理士の指示に従い確定申告を行う。市の公募申請に通過した場合、補助金の管理をする。

◆食材管理部門：人員七名
食材の在庫や使用期限を点検する。保健所の指導を受け衛生管理に携わる。食中毒の徹底回避に努める。人数を七名にしたのは、各人が週に一日、責任を持って務めるため。

◆営業広報部門：人員五名
宣伝、および、食材を少しでも安く仕入れることを目的に活動する。生産者と直接コネクションをつくり、少しでも安く食材を手に入れられないか、交渉・工夫する。ＷＥＢサイトを中心に広告展開してレストランの宣伝をする。

◆料理部門：人員五名
料理人の補佐。料理人は外部から調理師免許の保有者を招へいする。料理人には毎営業日少なくとも一名以上の補佐をつける。一人あたり週二回以上はレストランで料理人の補佐にあたり、当人たちも料理技術の習得に努める。


「営業時のフロア業務は、料理部門以外でシフトを組んで回せばいいと思うわ」

ゼミ生らはプリントに目を遣りつつ、夕の説明に耳を傾けた。

「この部門分けにそって人員を割り振り、各部門の中で部門長を決める。最初は興味とか適性でいいと思うの。誰に何が向いてるかなんて、やってみないと分からないし。あとでトレードしたり改選したりするのもアリね。

だけど、私と詩織の中で、一人だけ決まっている部門長がいます。この仕事はこの人しかできない、というオンリーワンなポジションよ。谷川さん、あなたです」

「へっ？」

勝田の隣に座っていた女子が、調子の外れた声を上げて立ち上がった。

彼女がその谷川しずくである。

髪を気持ちブラウンに染めて、赤の細縁眼鏡をかけている。明るく今風で、おしゃべり好きな女子大生。こう見えて中学高校をバスケでならし、チームプレイが大の得意。活発で誰からも好かれる朗らかな女子だった。

その彼女が、突然の指名に目を白黒させた。両手を自分に向けてぱたぱたさせ、

「何？　え？　何ですか？」ビクビクして周りを見渡した。

「谷川さん、簿記二級を持ってたよね」夕は確認した。

「ええ、まあ」

「私この間、市のヒアリングで『お店の経理は、ゼミに簿記二級の者がおりますので、彼女が管理します』って言っちゃったの」

「そんなあ。簿記二級、確かに持ってるけど……他にも持っている人、いるよね？　ね？」

谷川は周りを見渡した。みな目を逸らした。

「ごめんね」夕は手を合わせてウインクした。「そういうわけだから、経理部門の部門長、引

き受けて」

「マジで？　私ぶっちゃけ向かないよ！」谷川は首と手首を横にブンブン振った。「資格持ってるのと実践は違うよ。それにほら、私、こういう性格じゃん。みんなでワイワイやって、喜びを分かち合うのが好きなの。机に座って簿記なんてガラじゃないでしょ？」

「だったら何で資格持ってんのさ」と兵太。

「うっさいわね。あとほら、レストランっていったら、やっぱり花形はウエイトレスでしょう？　私、実はこっちの大学にきたのって、勉強も大事だけど……コスプレやりたくってさ。メイドとかゴスロリとかさぁ」

谷川はクリアファイルを手にして周りに見せつけた。アニメキャラクターがびっしりと描かれたそれは、谷川が命の次に大事にしているものだった。

「お前、オタクだったのかよ」肇が言った。

「しかも全然隠さねえのな！」兵太が笑う。

「好きなものを好きって言って何が悪いのよ！」谷川は二人を睨みつけた。

「まあまあ」夕はなだめた。「経理は別にアニメ好きやメイド服でもできるわ。それに、経理もシフトでフロア業務につくんだから。とにかく、経理は他にやれる人はいない。資格と実践は違うって言うけど、こればっかりは資格が無いと始まらないんだから。頼むわね」

「えぇー」谷川は頬を膨らませ口を尖らせた。

すると、傍らから、

「しずくさん」

進藤翔だった。今までおとなしくしていた彼は、今が出番と動き出した。谷川に優しく微笑みかけると、いくらか挑発的な調子で、

「あなたしかできないことをあなたがやる――一体何を躊躇するんです？　それってしずくさんが一番輝くチャンスじゃないですか？　臆することはありません。さあ、輝くために、引き受けて」

「コイツ、何をキザなことを言ってんだ？」

肇は呆れて進藤から谷川に目を逸らした。

次の瞬間、肇は目を疑った。谷川は目をぎらぎらさせ、鼻息を荒くしている。そして、たどたどしくひと言、

「私、やるわ」

にわかに教室の後ろで、谷川といつもつるんでいる女子数名が、きゃあきゃあはやし立てた。

どうやら谷川は、かねてより進藤に気があったらしい。

夕は進藤にウインクし、

「しずく、ありがとう。じゃ、他の部門を決めるわよ」

部門の割り振りは夕の仕切りでどんどん決まっていった。決定事項を乙成がホワイトボードにまとめていく。ちょうど半分くらいの人間が何らかの役割に当てはまった頃、誰かが言った。

「あのさあ、まず最初に店長っていうか、代表を決めるべきじゃない？」

一同ポカンとした。

全くそのとおりだ。誰もがその重要なポジションを失念していた。

「え？　決まってんじゃねえの？　肇か夕だろ？」

兵太がそう言った。ゼミをいままで切り盛りし、精神的にも具体的にも導いているのはこの二人だ。だったらこの二人がそのまま代表・副代表に落ち着くのが当然だ――と兵太は言いたげだった。確かに、その思いはほとんどのゼミ生が抱いていた。だから今の今まで誰一人として代表・副代表のことを問題にしなかったのである。

ところが、

「代表はゼミ長である乙成さんがするべきでしょ」

勝田誠はいかにも当然の体で言った。

「乙成さんは事業の企画書をまとめたり、山賊のデザインを考えたり、中心的なはたらきをしてくれてる。すでに代表であるといっても言い過ぎじゃない」

これもまた確かである。今までの活動を振り返ると、夕や肇が目立った活躍をするといっても、所詮は決定事項の遂行で、ゼミが今後どっちに向かって進んでいくのかを決める時、おおよそは香椎の裁量の範疇ながら、ポイントを押さえているのはいつも乙成だった。それに、彼女は真面目でゼミを休まないし、最近ではいくらか声が大きくなり自信もうかがえるようになってきた。

乙成こそふさわしい。そんなムードが教室内に広がった。

「今まで地味だったけど、実は大活躍してたんだね」

「私も乙成さんがいいと思います」

「ぼくも！」

「詩織ちゃんなら信頼できる！」

とどめに、とある女子が核心をついた。

「こういう企画は、女子が切り回した方がうまくいくものよ。代表を乙成さん、副代表を海老原さんがやったらいいと思う。ふたりは結構一緒にいるからチームワークもバッチリでしょ？」

進藤が立ち上がり、

「ぼくも異論はありません」そう言って拍手をした。

谷川と勝田もそれにならった。勝田はひそかにほくそ笑んだ。実は彼は、肇が代表なり副代表なりに就任するのが嫌でたまらなかったのだ。

――あいつは偉そうにするから。下で働くのはまっぴらごめんだ！

勝田の「乙成推し」は、夕はともかく肇をひきずりおろすための計略だったのである。

乙成はホワイトボードの前に真っ赤になって突っ立ち「みんなが、そんなふうに言ってくれるなら――」と、全身を小さく震わせていた。

と、その時、

「俺は反対だね。乙成は代表に向いていないと思う」

教室に声が響いた。肇である。

全員の視線が肇に集中した。夕は憎悪に満ちた目で肇を見据え、

「どういうことよ」厳しく尋ねた。

肇はごく冷静に答えた。

「確かに乙成は、真面目だし頭もいいし、誰からも嫌われていない。でも、代表ってのはそんな役割じゃないと思う。全ての責任を負うんだ。泥もかぶれば、人に恨まれ、みんなが嫌がることも率先してやんなきゃならない。乙成にそれができるかといったら、そうは思わない。

やっぱり乙成は、人を気にするし、引っ込み思案だし、押しが弱い」

乙成は真っ青になって聞いていた。勝田は言った。

「宝塚、そこまで言うことねえだろ！　乙成には実績がある。企画もデザインも通してる。押しが弱いのはみんなで支えればいい」

谷川も続く。

「そうよ。現にゼミ長として、みんなのリーダーをやっているわ」

肇は首を横に振り、

「良いアイデアを思いつくなら、代表より営業広報をやればいい。真面目なら経理や食材管理がうってつけだし、デザインが上手なら料理で盛り付けに入ればいい」

「じゃあ肇は」夕は肇に人差し指を突き付けた。「どんな人が代表に向いてるっていうの？」

「そんなのは知れたこと。いざとなったら腹を切る覚悟のある奴だよ」

「詩織にはその覚悟が無いっていうわけ？」

「俺にはピンとこないな」

教室は静まり返った。

「肇さん……あんまりじゃないですか」

乙成の、細く震えた声が聞こえた。その震えは誰の耳にも、怯えではなく怒りであることが知れた。彼女は怒りで歪んだ目にいっぱいの涙を浮かべ、問うた。

「私に腹を切る覚悟が無いっていうんですか？　私に責任感が無いってことですか？　ゼミ長ならやれるけどレストランの代表はやれないって、どういう意味ですか？」

「詩織」夕は乙成のそばに寄った。

これまで誰も乙成のそんな表情を見たことが無かった。ゼミで傍観者を決め込んでいつも薄笑みを浮かべている兵太も息を呑んだ。

勝田は肇を睨みつけて言った。

「宝塚、お前は単に自分が代表になりたいだけだろ」

誰かが呼応した。

「そうだそうだ。目立ちたがり屋だからな」

「宝塚君は、最初は反対ばかりで活動していなかったわ」

「お前に反対する権利なんかないっつーの！」

全員が肇を批難し始め、教室は騒然となった。肇は苦い顔をしてじっと耐えていた。兵太は誰にも悟られぬように、そっと教室の後ろの扉から出ていった。乙成はホワイトボードの前に立ったまま涙を流し、それを拭いもせず、まっすぐ肇を見据えていた。夕は肇に歩み寄り、厳しく、だが小さい声で言った。

「あんた、なんでそんなことを言うの？」

「思ったことを言っただけだ」

「詩織を泣かせたかったわけ？」

「んなわけねえだろ。俺は俺の思ったことを言っただけだ。何か悪いのかよ」

「悪いわよ」夕は感情を抑えて言い切った。「あんたには、人の気持ちが分からないの？」

「人の気持ちだけでレストランの代表が務まるかよ」

肇の脳裏に父の顔が浮かんだ。父は情にほだされて自分の店をなくした。俺は親父の二の舞いにはならない——そんな気持ちが意識の底にあった。

「馬鹿」夕の目に涙が浮かんだ。「やっとここまで漕ぎつけたのに」

ゼミ生は肇への反発を強めていった。それは反作用となって、乙成への期待を盛り上がらせた。

「肇はあり得ない。乙成こそリーダーだ」

「そうだそうだ！」

ざわめきは大きくなった。外の廊下に、他の授業の教員がやってきて、窓からギロッと睨みを利かせた。オホンと一つ咳払いをした。

教室はひとまず静かになった。

「とにかく、リーダーは乙成で決まりだ」

勝田はまるで自分が権力者であるかのように言った。

「そして宝塚、お前はみんなの輪を乱すような発言を、今後二度としないように。そういうのを繰り返すようだと、除名だぞ」

ゼミ生は押し黙り、追及するような眼差しを肇に向けていた。

肇は立ち上がった。

「みんなだって最初のうちはグズグズ言って、何をするにも他人目線だったじゃないか。調子がよくなると元気になりやがって」

その言葉は、誰かに聞かせようとしているのか、独り言なのか、判然としなかった。

「もう勝手にしろ」

肇はそう言って、後ろの扉から出ていった。

バタン、と戸が大きな音を立てた。教室は海の底のように静まり返った。何か取り返しのつかない事態が起きた——そんな空気が教室を覆い尽くした。

重々しい空気の中、会議は再開された。

意見を取り交わすうちに、ゼミは少しずつ明るさを取り戻していったが、最初ほどの明るさに戻ることはなかった。

　夕は落ち着かなかった。肇も兵太も、いつまで経っても戻ってこない。心のどこかで後ろの扉がガラリと開かれるのを待ったが、肇が飛び出して二十分経っても、その気配は無かった。

　代表には全員賛成で乙成詩織がついた。勝田は自薦して副代表になった。副には夕を推す声が強かったが、夕が頑なに拒んだため、勝田を推薦する意見が通った。乙成は寂しそうな目で夕を見つめた。夕は微笑み、

「私、代表とかって苦手なの。縁の下っていうか、黒子っていうか、動きやすい立場にいたいのよ。だから営業広報部門を希望するよ。でも詩織のことはこれまでどおりサポートするから、安心して」

「お願いですよ」

　乙成の目は、涙こそ消えていたが、まだ赤くしていた。

　この時、乙成は内心、夕の言葉が理解できずにいた。「代表が苦手」だなんて――。乙成は心ひそかにリーダー役に憧れていたので、その役を副とはいえ、みすみす手放す意味が分からなかった。

　乙成はこれまでずっと地味で目立たない子として生きてきた。ところが昨今、ゼミに参加してからスポットライトを浴びる喜びを知るようになり、抑え込んでいた承認欲求がにわかに盛

り上がってきた。とはいえ、彼女はリーダーに憧れつつも、リーダーというものが何であるか、あまりよく理解していなかった。

かたや夕は、高校時代のボランティアからこのかた、リーダー役ばかり務めてきた。このポジションの動きにくさ、孤独さを身を持って知っている。自由にのびのび活動したいという思いから副代表を辞退した。けれども夕が乙成に「これまでどおりサポートする」と言ったのは嘘では無い。実をいうと、夕も肇同様、乙成がリーダーに向いていないと思っていた。かといって、本人の目の前で、しかもゼミ生が大勢いる中でそれを言ってしまうのは彼女が可哀想だ。それに自分がサポートすれば大丈夫——と思って推したのである。

夕は希望どおり、営業広報部門に所属した。部門内で部門長に推され、それを潔く引き受けた。

ちなみに、『部門』と呼んでいたセクションの名称は、勝田の「会社っぽく『部』とか『課』とかにしようぜ」という意見から『課』となった。勝田は会議の当初に肇に「主義じゃやねえ」と否定されたのを根に持っていたので、まずはこの恨みをはらした。これが彼の副代表としての最初の仕事である。

決まった役割分担は次のようになった（次ページ『ジビンカ組織図』を参照）。

ジビンカ・レストラン

● 顧問　香稚 禅太郎

代表　乙成 詩織

副代表　勝田 誠

● 経理課

谷川 しずく（簿記二級保持者）　他４名

● 食材管理課

武井 兵太　進藤 翔　他５名

● 営業広報課

海老原 夕　他４名

● 料理課

外部調理人・宝塚 肇　他４名

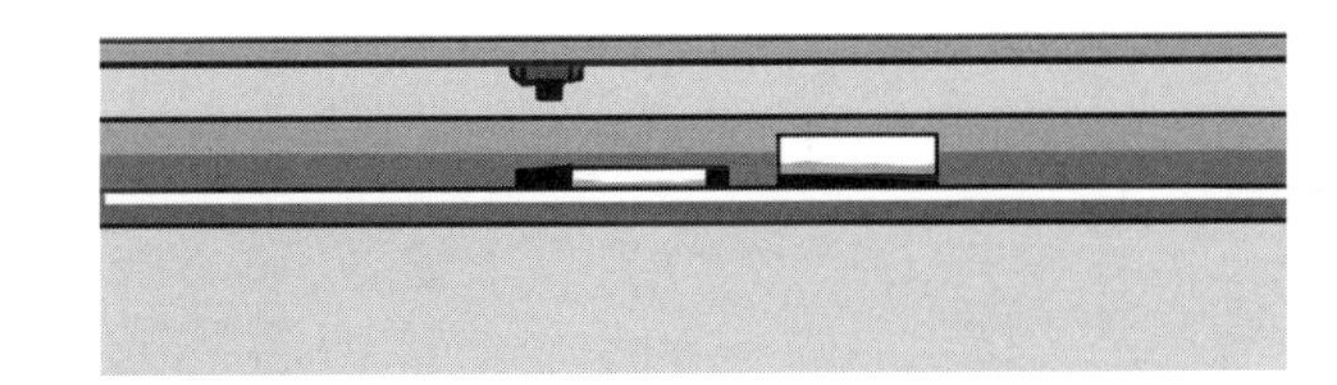

その場にいない人間の役割も勝手に決められた。兵太は食材管理課、肇は料理課である。兵太は飲食店でバイトをしているとの情報から「じゃあ食材とか詳しいんじゃない？」という理由であてはめられた。肇は「将来レストランをやりたいって言ってたよ」「改装でも調理場のことで必死だったぜ」という意見から配置された。

料理課に関しては、調理人に誰を招へいするか決まっていなかった。誰が来るにしろ知らない人と仕事をするのは誰しも苦手——肇を置くことで防波堤を据えたような節もある。

「アイツなら誰とでも仲良くできるんじゃないか？」

勝田はそう言って笑った。あまりにしらじらしく、さすがにみんな二の句が継げなかった。といって反論も無い。「じゃあ、きみがやる？」と言われても困るからである。

この会議でレストランの呼称から（仮）が外された。正式に「ジビンカ・レストラン」でいくことに決定した。

「みんなで乙成代表を盛り立てていこうぜ！」

「おーっ！」

勝田の音頭で全員が気合いを入れたが、夕はあの二人のいないことが気になって仕方なかった。

Chapter 9

罠

翌朝、香椎の研究室に夕と乙成が訪れた。

「先生、役職と役割決め、できましたよ」

夕はどことなく憮然とした様子で、香椎の机にクリアファイルを置いた。

「ご苦労様」香椎はニッコリして二人にコーヒーを勧めた。

二人は首を横に振った。

「まったく」夕は口を尖らせた。「昨日、先生が来ないから大変だったんですよ」

「大変なこと？」

「そうです」乙成まで頬を膨らませている。「先生がいたら、あんなことにはならなかったかもしれません」こちらは夕と比べて若干かわいいくらいだった。

二人は憤懣（ふんまん）やるかたないといった様子だった。香椎は話を聞こうと、ソファの上に散らかった書類をどけて、二人分の空きを作ろうとした。と、その時、

「先生、郵便です」

声とともに研究室の扉が五センチほど開いて、中年女性が顔を覗かせた。彼女は一通の封筒を室内に放り入れると、扉をパシャンと閉めた。

夕は目を丸くした。

「先生、あの人に何かしたんですか？」

「日頃迷惑をかけてるからね」香椎は床の封筒を手に取った。「ゼミで提言会やったり、新聞に載ったり、いろいろしてるでしょう？　ああいう事柄へのクレームは、全部事務方に寄せられるんです。それでなくても、ぼくが個人的にあっちこっち顔を出すから、仕事が増えて、それで不愉快なんでしょう。彼らは仕事が増えるのを嫌うからね……おや？　これ、市役所からだ。宛先は『香椎ゼミ御中、代表乙成詩織様』となっている」

「私ですか？」乙成の背筋がピンと伸びた。

「もしかして、公募の結果？」と夕。

「そうかもしれません。開けてもいいですか？」

「もちろんです」

香椎はペーパーナイフで封を切り、中から一枚の紙を取り出した。紙面には小さな文字が数行書かれていて、その下に、ひときわ大きく黒のゴム判が押されていた。

【不採用】

三人の顔が青ざめた。

「せ、せせ、せんせい」乙成の声が震えている。「どうしましょう。もうずいぶんお金を使っています。みんなあとから補助金で埋め合わせればいいやと、かなりの額を立て替えているんですが――」

「こんなの、おかしいわ！」夕は涙声だった。「市の人たち、ヒアリングが終わった時、準備を進めてくださいって。それって普通に考えたら、内定じゃないですか。他に応募している人はいないんだし、何より当の商店街がついているんですよ。私、こんなの、信じられません！」

香椎は何も答えず、眉をひそめて文面を何度も読み直した。

夕と乙成は香椎の横顔をじっと見つめた。香椎はしばらく考えていたが、やがて、

「二人とも、この件、ちょっと私に預からせてください」

「えっ？」

ちょうどその時、始業チャイムが鳴った。

「さあ、一限目がはじまります。きみたちは授業があるんでしょう？　行った行った。来週の

ゼミで会いましょう」

二人は涙を拭き拭き研究室を出ていった。

香椎はソファに掛け、携帯電話を取り出した。電話帳からとある番号を選び出し、通知ボタンを押した。


市役所の棟内に、十三時を知らせるチャイムが鳴った。

鎌田課長は地下の職員食堂から自課に戻ってきたところである。彼は晴れ晴れとした顔で自分のデスクにおさまった。

――チカラがあるというのは我ながら頼もしいことだ。

先週、予算担当から香椎ゼミの申請に対するヒアリングの検討結果が上がってきた。結論は「可」。だが鎌田は却下した。独断である。どんな形であれ香椎禅太郎が市政に絡んでくるのは阻止したい。それは自分の出世に関わることだし、市議会の先生方もそれをお望みである。鎌田は自ら不採用通知をしたためゼミ宛に送付した。

これにて香椎封じは完了である。

とはいえ、商店街復興事業計画は進行しなくてはならない。新しい企画を自分で立てる必要がある。むろん、香椎が入り込んでこない形で。

——バス会社に新路線をつくらせるかな……。

最近知り合ったバス会社の常務、これと確かなパイプを作っておけば、のちのち自分に有利に働くかもしれない。

そんなことを考えていると、

「課長、お電話です」すぐ目の前の席の女性職員が告げた。

鎌田は露骨に嫌な顔をした。

「どうせクレームだろう。俺に通すな。市政のクレームをいちいち課長につながれていたら、こっちの身が持たん。そっちで解決しろ」

「課長を名指しなのです」

「俺の名前を知ってる奴？」鎌田は目を細めた。「一体誰だ？」

「雛美産業大学の香椎准教授です」

鎌田はハッとした。が、顔には出さず、

「用件は何だ」

「商店街の公募の件だそうです」

「やっぱりクレームじゃないか。結果は覆らんと突っ張り通せ」

鎌田はこのひと言で、香椎を知らないふりをしたのが嘘であると白状したも同然だったが、そのことに自分で気付きもしなかった。もっとも、女性職員も何の反応も示さなかった。

「市が決定を撤回することはまず無い、万が一覆したとしても、何年も掛かる——そう言って諦めさせるんだ」

女性職員は受話器を取って話し始めた。しばらくやりとりをしていたが、再び保留ボタンを押し、鎌田に目を向け、

「いま、ご指示のとおり申し上げたんですが、先方は『そういう話じゃない、課長じゃないと話にならない』の一点張りです」

「不在だと言え」

女性はやや棘のある口調で、

「これが一般の方なら私も課長には通しません。けれども、香椎さんといえば、市内でも知名度があり、新聞等でも取り上げられる人物です。おかしな断り方をすると、それはそれで」

「ああ、分かったよ」

鎌田は受話器を取り、ランプのともった内線ボタンを押した。

「替わりました。課長の鎌田です」

『ああ、どうも、私、雛美産業大学の香椎と申します』

お互い全く知らない間柄では無い——が、いつでも初対面のようによそよそしくするのがお

決まりだった。

「ご高名はかねがね伺っております。ご用向きをどうぞ」

鎌田は苛立ちを噛み殺し、淡々と言った。市政に奉じて三十有余年。クレーム、悶着、小言、叱責、いかなる修羅場もくぐってきた。面の皮が厚くなり、急場でも平気の平左を演じられる。

『さっきの方にも申し上げたんですが』香椎は香椎で彼特有のゆったりしたリズムで話した。『私のゼミが商店街補助事業の募集に応募しておりまして、今日、その結果をいただきました』

「ああ、その件でしたら」鎌田は相手の言葉の続きも聞かず、平然と言った。「今回は誠に残念でした。いろいろご意見やご要望もございましょうが、市としては一度決定したことは厳然たる決定事項として処理しますので――」

先方の要求を仕組みのせいにしてバッサリ断ち切る。

ところが、

『いや、結果の件じゃないんです。いただいた通知に、不採用の理由が明記されていないのです。これは書類の不備ではないでしょうか？』

「書類、ですか？」鎌田の頭の中に大きな空白が投げ込まれた。

『はい。同封されていないんですよ』

「理由の文書はですね、ええと……」

――不採用通知の理由だと？　書類の不備だと？　そんなものは――。

不備も何も、そんな書類は用意していない。

彼はこれまで、市民から寄せられるありとあらゆる苦情を、高圧的に「お上の判断」として封殺してきた。もっとも、それができたのは、苦情の内容がストレートだったからだ。香椎のように、まるで外堀を埋めるように書類の不備を訴えてくる者は、未だかつていなかった。

『あの、鎌田さん？』

「はい」耳の裏に汗が滲む。

『黙っておられても分かりません』

「いや、えっと」

『まさか理由の文書がないってことはないですよね』

「ちょっと確認をします。しばらくお待ちを」

鎌田はそう言って手元の書類をペラペラめくった。時間稼ぎである。デスクの向こうで女性職員が訝しげに見ている。

――きっと香椎は、何もかも分かっている……。

鎌田は観念し、

「ただいま確認しました。確かにこちらの不備です」

『あー、そうですか。よかった』香椎は急に口調を緩めて言った。『学生たちが通知を見て、そりゃもう大変な落胆でしてね。理由を教えてくれないと役所を焼き討ちにする——なんて。ははは、悪い冗談ですよ』

「申し訳ありません」

『ところで——今回の不備は、行政手続法に違反していますよね』

鎌田の顔が青ざめた。

『直ちに不備を修正し、再度、通知をいただけませんか？　ちなみに、再通知の内容によっては行政不服審査法における審査請求も検討します。確か、この事業は、県の委託予算も含まれていましたよね？』

「ええと……」

鎌田はすっかりうろたえた。

行政手続法とは、行政が恣意的な判断をして国民を困らせないよう、行政運営の透明化のために作られた法律である。不採用など国民に不利益を与える通知をする場合には明確に理由を付記しなければならない。今回、鎌田は不採用を独断で下し、本通知のみ送り付けた。まさか学生どもが行政手続法を知りはしまいと踏んだのだ——つまり不備は故意である。香椎が抗議してくるとは思いもよらなかった。

もうひとつ、行政不服審査法とは、行政の許認可に不服があった場合の対応について規定した法律である。その中の「審査請求」とは、不服の対象である行政機関の上級機関（市でいえば県）に、その判断が正しいかどうか審査するように求める権利である。この法律は性質上、役所の許可を要せずに行使できる。当然市長にも話が届く。鎌田が独断で不採用を出したことが発覚すれば、まず間違いなく出世の道は断たれ、市議らに目を背けられ、積み上げてきたもの全てが瓦解する。

鎌田の頭は一連の予想を一瞬で弾き出した。

――香椎が騒げば、あの今津とかいう新聞記者が書くに違いない。

この顚末がメディアに載れば、市政は信頼を失墜し、混乱に陥る。

鎌田は生唾を飲み込んだ。

『まあ、審査云々は、先の話として置いといて』香椎はかすかな余裕を滲ませて言った。『とにかく早々に理由を送っていただきたいのです』

「失礼しました。取り計らいます」

『あの、お手数ですが、このまま市長におつなぎいただけませんか？』

「かしこまりました」

市民が課長に電話を取り次がせるなど通常ならありえないが、鎌田は狼狽のあまりすんなりとつないだ。受話器を置いて、ふつふつと怒りが込み上げた。

——香椎の奴、単なる若手経済学者だと思っていたら、まさか法律にも通じていたとは。相手を甘く見ていた。


市役所から届けられた不採用の通知は、乙成と夕によってゼミに伝えられていた。

「今までの努力は何だったんだ？」

「せっかくリフォームも終わったのに」

「ヒアリングで宝塚と武井がしくじったからだよ」

みなすっかり意気消沈していた。

それから三日後、研究室に再通知が届いた。

今度はゼミ宛ではなく香椎宛になっていた。香椎は一人で開封した。

——おや？

香椎は笑みを浮かべた。

文書には【補欠採用】の文字が印字されていた。

同封の書面によると〈あれから状況が変わった〉〈企画に不備はなかったが、不備を予想される点があったので補欠とする〉云々。正規採用でない具体的な理由として、安全面の配慮・

事業の情報公開・市補助終了後も同事業を継続するか否か——この三点がヒアリングで明らかにされていなかったことが挙げられていた。

公募には香椎ゼミしか出ていない以上、補欠は採用同然である。香椎は翌週のゼミで、補欠採用になったことを全員に伝えた。ゼミ生の顔に明るさが戻ってきた。

「やったぁ。努力は実るのね」

「みんなで官庁お墨付きの学生起業家になれるんだ」

「俺、この大学も補欠合格だった。瀬戸際には強いんだよ」

香椎は教壇で手を打って、ざわつくゼミ生らに呼びかけた。

「みなさん、聞いてください。補欠ということは、ちょっとは疑われているってことです。補助金は税金です。使い道が不適切だったり、役に立たないことに使われていると思われたら、役所が黙っていても、納税者が黙っていません。みなさんの店がいい加減な営業をしていると、市にクレームが行って、全部オジャンなんてことも考えられるのです」

教室は神妙な空気になった。

「そういうことですので、気を引き締めてください。まずは、ええと——そういえば、今週末は商店街向けの内覧会の予定でしたよね。あれはどうなりました？」

乙成が顔を上げ、

「土曜日に古民家に集まり、商店街のみなさんの前でゼミの役割分担を発表することになっています」

「役割分担？」香椎は首を傾げた。

「先週、ちょうど不採用の通知が来た時、先生に役割分担のリストをお渡ししましたが……」

香椎はハッとした。不採用の件で確認するのを忘れていた。

「気を引き締めないといけないのは先生ね」

夕は口を尖らせて自分の役割分担表を香椎に見せた。

香椎は面目なさそうに受け取り、紙面を見た。

「おや？」

香椎は夕に顔を近づけ小声で尋ねた。

「ぼくはてっきり海老原さんと宝塚君がリーダーか副リーダーになるものかと思っていたら、乙成さんと勝田君になっていますね。そういえば、今日は宝塚君の姿が見えないが──」

「だから『先週いろいろあった』って言ったじゃないですか」夕は顔をしかめた。「私は自分から遊軍を希望したんです。肇はいつもの癖が出て、へそを曲げちゃったんですよ。肇は一度こうなると、てこでも動きませんから。内覧会は時間が無いので、これで行くしかありません。肇を料理課にしているのは、彼が将来調理師になりたいと言っていたので、勝手にあてはめたんです」

「彼がいなくて、みんなのモチベーションは大丈夫ですか？」

「今度は肇の口が災いしましたから、みんなせいせいしているくらいです。どのくらいもつか分かりませんけど」

「そうですか」香椎は少し考え「宝塚君のフォローは、海老原さんにお願いしますね」。

「なんで私が」夕は苦い顔をした。

「だって、一番分かり合っていると思うから」

夕は香椎の目を見据え、フンと息をついた。


土曜日。

夕は帰宅して一段落すると、パソコンの前に座った。画面を見たまま携帯電話を取り出し肇に電話を入れる。すぐにつながった。

『なんだよ』肇は拗ねたような声を出した。

「今日の昼、内覧会があったわ」

『そう言えば今日だったな』

「あんた、先週はゼミに一度も来なかったわね。役職決めの時に飛び出したきり音信不通だし。

ちっとも大人げない」

『ガキで悪かったな』

「市の補助金の件、不採用の通知が来たわよ」

『――マジかよ』声のトーンが一気に落ちた。

「でもおととい補欠採用に切り替わったわ」

『それなら先にそう言えよ。驚くじゃないか』

「私は時系列どおりにものを言っているだけよ。あなたがゼミに来てたら驚く必要なんかない」

夕はそう言いつつ、肇の心が離れていないことを確信した。

「今からあんたのパソコンのメールにファイルを送るわ」

左手で電話を持ち、右手でマウスを操作する。ファイルを添付して件名も本文も空欄のまま――送信をクリック。

『おお、届いたぞ』肇もPCのそばに居たようだ。

「ジビンカの役職表よ」

『今、開けた。うーん、なるほどなあ』

夕は電話口で様子を窺っていた。コロコロとマウスホイールを繰る音がする。

『うん、全部見た。いいんじゃねえか？』肇はまるで自分が決裁者であるかのように高みの口調で言った。

「あんたそれ本心？」

『強いて言えば、一点だけおかしいと思うことがある』

「なに？」

『何で夕が代表か副代表じゃないんだ？　昔からリーダー役が多いのに』

「確かに推してくれる声はあったわ。でも自分から下りたの。その方が動きやすいじゃん。……って、私が言いたいのはそこじゃないの」

『乙成のことか？　みんなで決めたんならそれでいいんじゃないか？　俺はどうかと思うけど』

「実を言うと、私も同感なのよ」夕は調子を落として言った。「でも、詩織って最近すごく頑張ってるじゃない。だから私、無下に言えなくって」

『今さら言うなよ。みんなして俺を責めといて』

「ああ、もう！」夕は憤慨した。そして吐き出すように「私が言いたいのはそのことでもない。勝田君のことよ！」。

『ああ、勝田誠か』肇は淡々と言った。『あいつは議論もうまいし、判断も早いし、リーダーにうってつけだと思うぞ』

「え？」予想外の反応に夕は拍子抜けした。

『チームプレイも得意らしいぜ。古民家の内装の時は司令塔みたいに活躍してた。見た目もすっきりしてて、人あたりが良さそうだから営業なんかにも向いてるんじゃないか？』

「――あんたがそう言うんなら、いいわ」

そもそも夕は、役割決めの時の勝田の態度が気に入らなかった。高圧的、独善的、我田引水――思い出しただけでムカムカする。むしろ肇が副代表になって勝田が飛び出してしまえば良かったのにと思うくらいである。

きっと肇も勝田を忌み嫌っているはず――そう思っていたのが真逆で、夕は自分だけイライラしていたのが馬鹿馬鹿しくなった。なんだか肇の真っ直ぐさに当てられたような気がし、自己嫌悪も覚えた。

『用はそんだけか？』

「明日の昼過ぎにゼミの集まりがあるんだけど」

『明日？　日曜日だぜ？』

「各課で集まってそれぞれ話し合いをするの」

『俺、明日用事があるんだ』肇の声には、どことなくはぐらかすようなところがあった。『それに、料理課で集まっても、肝心の料理人が決まっていないんだから、意味ないだろ』

「料理人が来る前にいろいろ考えることがあるでしょう？　調理場の動線とか配置だとか」

『そういうのはメインシェフがいて、その人がやりやすいように組み立てていくべきだ。俺は親父を見ているから、そういうのよく分かるんだよ』

「でも、開店まであんまり時間が無いわ。先に決めておくべきよ。違っていたら後からなおせばいい」

『どっちにしろ、明日は俺はいけない』

「そう」

夕は電話でよかったと思った。

目にうっすらと涙が浮かび、噛んだ唇が微かに震えた。

『まずは料理人だ』肇はポツリと言った。『俺、知り合いをあたってみるよ』

夕は黙っていた。

『だから、明日のことはそれで埋め合わせにしてくれ』

「私にＯＫを出す権利はないわ」

『じゃあな』

電話は切れた。

夕はスマホを傍らのベッドに放った。

――ほんッと、馬鹿なんだから。

ゼミがようやくまとまったと思ったら、肝心な時にへそを曲げて、そのくせ人の心は見抜いていて、ちょっとでも優しくあろうとする。そんな肇に夕はいつもうんざりさせられる。夕も強情だから譲ったり折れたりはできない。むしろいくらか突っ張ってしまう。

二人の関係は高校時代からずっとそんなだった。

――変な料理人を連れてきたら承知しないんだから！


翌日、日曜日。

ゼミ生らはキャンパス内の学生会館に集まっていた。

緊急分課会の開催である。

学生会館は文化系のサークルが部室を連ねる三階建ての古い建物で、二階にちょっとした共有スペースがある。普通の教室程度の広さで、長机とパイプ椅子が並び置かれている。ゼミ生らはそこに集合していた。今日はこのためにわざわざ事務方に出勤してもらい、開けてもらった――香椎はまたもや事務方に恨まれることだろう。ちなみにこの日も香椎はいなかった。

ゼミ生らは真剣だった。実は、前日の内覧会で、商店街から手痛い洗礼を――強い発破をかけられた。役割分担が発表され一課ずつ面通しをした際、参加者の商店主たちから厳しい声が飛んだ。

「各課の目標は？」

「具体的には何をするの？」

「何から力を入れていくの？」

「ええと……」司会を務めた勝田はしどろもどろになった。仕事の大枠と役割が決まっているだけで、課内の細部までは未検討だ。

「あんたらが思ってるほど商売は甘くないよ」

「机上の空論じゃだめだよ」

「勉強ばっかりできてもしょうがねえぞ」

商店主たちは学生らを容赦なく圧した。もっとも、それが薄情な野次ではなく、激励であることはひしひしと伝わってきた。

「近日中に細部を決めて報告します」

夕が前に出て訴えその場は収まったが、ゼミ生らは自分たちの行き届かなさに恥ずかしさを覚えた。早々に細部を決めよう——これが今日の集合の理由である。

分課会の前に、乙成が言った。

「コンセプトをおさらいしておきます。公募で立てた事業のコンセプトは『商店街の活性化・消費者と生産者の距離を近づける』です。これを下敷きにしたレストランのコンセプトは、『高齢者のため、地域のため、地元産業を支援するためのレストラン』です。各課ともこの二つを軸に計画を話し合ってください。私と勝田君で各課を回りますから、質問や一緒に考えたいことがあったら、言ってください」

ゼミ生らは共有スペース内をぞろぞろ移動し、まもなく四つのコロニーが出来上がった。

乙成が最初に回ったのは経理課である。

ここは女子の人数が多く、代表を務める簿記資格保有者の谷川しずくの性格もあって、和気あいあいとしていた。

「乙成さん」誰かが言った。「ウチら経理課は、簿記の資格を持ってるしずくあっての経理課だよね」

「ええと……、確かに、そういう部分も、あるかもですね」乙成はたどたどしく答えた。

「ってことは、私たち、しずくの指示で動くしかないよね。しずく、私たちに何でも言いつけてね。言ってくれたら働くからさ」

「もー、そんなこと言って、私に全部責任押し付けるんだから」谷川は頬を膨らませたが、まんざらでもない様子である。「じゃあ、みんなに仕事をふるから、ゼッタイに従ってよね」

「りょうかーい！」

キラキラした声が響いた。乙成は課の空気に自然と笑顔になった。

——ここは谷川さんがいるから安心ね。


次に食材管理課に回った。ここは男ばかりで妙に緊張感があった。彼らはラウンジの隅の方に固まっていた。ちょうど勝田も回ってきていて、乙成は黙ってそばの椅子に腰かけた。

「食材管理とは何か！」

課長を務める武井兵太は、凄みを利かせた声で問いかけた。彼は目を細めたり広げたりして課員を一望すると、テーブルの天板をバンと叩き、

「それは、食材を管理する課だ！」

「ぷッ。まんまじゃん」

勝田が吹き出した。乙成も口に手をやる。

「こら、そこの二人、食管を舐めるなよ」

兵太は二人を睨んだ。もう「食管」なんて略語ができている。乙成は小さく頭を下げた。

兵太は鼻息を荒くして続けた。

「俺がバイトで飲食やってんのはみんな知ってるだろ？　食材管理ってのはメッチャ大事なことだ。たぶん店で一番大事だぜ。なぜって、どんなにいい料理人がいたって、メシの材料がなければ、何もできないじゃないか」

乙成は面食らった。兵太という人はきっと最初の最初から説明しないと、自分自身が全体を把握できないのだ。彼が肇と仲がいいのは、こういう点で似通っているからかもしれない。

そんな兵太の真面目さと課員の素直さにより、食管の話し合いは滞りなく運んだ（ほとんど兵太の独断であったが）。決定した標語は「徹底清潔・徹底在庫・徹底利益」。とにかく徹底である。とくに衛生については、兵太がバイトでの経験を活かし、食器洗浄やシンク掃除、グリーストラップ清掃について、膨大緻密なチェックリストを用意していた。それぞれ課員に担当を振り分け、万全の態勢を整えた。

──武井君が経験者でよかった。

乙成は感心して席を離れた。

次に営業広報課に回った。経理課同様女子が多く、陽気なムードである。ここは夕がいるから安心できる。乙成は少し離れた席に腰を下ろした。ムードメーカー兼リーダーの夕は、てきぱきと采配をふるう。

「あなたのサークル、デザイン同好会でしょ？　ポスターは任せるわ」

「ＨＴＭＬが打てる？　じゃあホームページをお願いね」

「男子は来週農家さん巡りよ。スケジュール立てて。私も行くから」

営業広報課は扱う領域が広く、専門性を要求される。夕は見事に適材適所に割り振っていく。

乙成は尊敬のまなざしで見つめていた。

「ちょっと詩織」

「はいっ！」

突然名指しされた乙成は、立ち上がって直立不動になった。

「チラシにイラスト載せるから描いてよ」

「私がイラスト？」

「内装の時、山賊のデザインを描いたじゃない。火曜日までにちょうだい。水曜日に印刷屋さんが来るから。あ、ちょっと、勝田君」

ちょうどそばを通った勝田は逃げようとするそぶりを見せたが、たちまち襟首を掴まれ、

「逃げようったってそうはいかないわ。来週の農家さん巡り、勝田君にもウチの連中と行ってほしいんだけど」

「う、ウチの連中？」

「その件で名刺作るから、予算回して」

「予算は経理課の谷川さんに」

「じゃあ、しずくのところに行って工面してきて。ほら、早く！　五人、各百枚！」

「はいっ」勝田はぴゅーっと駆けていった。

――頼もしいなあ、海老原さん……。

「詩織、Ａ４サイズよ」

「え？」

「ぼやぼやしない！　イラストのことよ！　頼んだからね！」

「はい！」


乙成が最後に回ったのは料理課である。夕も一緒にやってきた。

料理課は、おそらくリーダーにしなくては収まりがつかないであろう肇が不在のために、何も決めようがなかった。とりあえず決められること――自分たちのシフト、調理具のリストアップ、エプロン等調理服の発注先――等々を話し合っていた。

「昨日、肇と電話したら、料理人を探しておくって言ってたわ」

夕の言葉に課の面々は眉を八の字にした。

とある一人が言った。

「あんなワガママな人に誘われてハイハイついてくる料理人なんかいるのかなあ」

面々はため息交じりにうなずいた。乙成も夕も同感である。が、夕は彼らを見据え、

「だったらあなたたちも自分で料理人を探すくらいのこと、すればいいじゃない」

彼女はぷりぷりして営業広報課の集まりに戻っていった。

乙成は不安を覚えた。

他の課がどれだけ頑張っても、料理人がいなければ店は前に進めない。自分には料理人の知り合いなんていないし、たぶんゼミのみんなも同じだろう。それに、肇が一緒にやっていく料理人は、肇が自分で見つけた方がいいだろう。そうでなければ、肇のことだから料理人と揉めたりして、あとあとの人間関係に傷がつくに決まっている。肇が「俺が連れてきたからには」と責任を感じる相手でなければ、長く勤めてもらえないと思うのだ。

――お願いだから、誰かいい人を見つけてきて……。

乙成は肇に対し祈るような心持ちであった。ついこの間、みんなの前で「代表に向かない」と直言された恥と悔しさは、いまやほとんど掻き消えていた。代表となり大きな責任を背負ってみると、ちょっとしたプライドなどどうでもいいように感じられた。

Chapter 10
謎の料理人

同じ日の午後十時過ぎ、肇は駅裏のショットバー「アイスター」にいた。

席はカウンターのみ。十人も入れば満席の極狭バー。内装は木目を基調に温かく、明かりは申し分のないあんばいで、雰囲気は良い。

客は肇一人。一番端に掛けている。

「何にすんの？」

顎先に少し髭を蓄えた金髪ベリーショートのバーテンが尋ねた。

「いつものを、ダブルで」

肇はそう告げると、うつむいてコースターの端をなぞった。

バーテンはため息をつき、

「ウーロン茶にダブルも何もないだろ」

「啓(けい)ちゃん」肇は情けない声を上げた。「俺がせっかくムードに浸ろうとしているのに、なんでブチ壊すんだよ」

「同じセリフを他の客がいる時に言ってみろよ」

「俺が来た時にいた試しがない」

「お前が日曜の夜にしかこないからだ」

啓はウーロン茶のグラスを肇のコースターにのせた。

「あれ、ストローは？」

「チャージと相殺だ」

「商売っ気の無い奴だ」

「貧乏人からは金が取れないだろ」

武藤啓は肇の中学時代からの悪友である。

二人とも親が飲食店経営で、家に帰ると手伝わされるからと、しばしば隣町まで遊びに行き、夜遅くに帰宅。翌朝、教室で互いの頭にタンコブを拝むという、そんな仲だった。

ところが高校二年の時、啓は転校してしまう。父親が事業を縮小し、三店舗展開していた居酒屋をショットバー「アイスター」一軒に絞った。場所は雛美大最寄り駅裏で、啓はその近くの高校に編入することになった。肇は去りゆく親友を寂しい気持ちで見送った。武藤家の引っ越しの背後には、離婚や借金などの事情があったようだが、肇には詳しく分からない。

その後、肇は二浪して雛美大に通うことになった。

「確か、雛美大のそばの駅裏とか言ってたな――」

　肇は記憶を頼りに、武藤家のショットバーを訪れた。すると驚いたことに、啓が一人で店に立っているではないか。父親が身体を壊し、店を倅に託したという。

「ハタチで店長かよ！　すげえな」

「別にやりたくてやってんじゃねえ」

　以来、肇はしばしばアイスターを訪れる。慢性的な金欠で、酒にさほど執着の無い肇は、来るたびにウーロン茶で過ごした。彼が日曜の夜ばかり集中して来店するのは、他の客にそれを見られたくなかったがためである。


「最近、そっちはどうだ」

　啓はタンブラーにビールを注いで自分で飲んだ。

「例の学生レストランの件で揉めちゃってさ」肇はコップの氷に指をつけ、くるくると回した。

「ちょっと本音を言ったら、夕の奴がわあわあ言ってさ」

「お前が揉めるのも海老原が文句を言うのもいつものことだ。お前らいい加減付き合っちゃえよ？」

「冗談は止せ」肇はウーロン茶を一気にあおり、氷を口に含んでバリバリと噛み砕いた。啓は

それをしげしげと眺め、

「俺とお前はよく似ているから、あんまりいろいろ言いたくないけれど、揉めるのは大概にしろよ。俺は大学に行きたかった。でも家の事情で行けなかった。お前には俺の分まで大学生をやってほしい。少なくとも卒業はしてくれ」

「お前に言われなくたって卒業するよ」肇はグラスを置いた。「でも、揉めたせいでゼミに戻りにくくてな。レストランの代表決めで女子を一人泣かしちゃって。乙成っていう、とてもいい奴なんだけど、俺に言わせればどう見ても店長向きじゃない。それを正直に言ったら泣いちゃって。夕をはじめ、みんな俺に非難轟々。俺、教室を飛び出しちゃった」

「飛び出すって、ガキかよ」

「俺もそう思うよ。とにかく、そんなこんなでごちゃごちゃしちゃって。ゼミに戻りたいことは戻りたいんだが、きっかけがない」

「相変わらず自尊心が強いな」

「ゼミの側にも、受け入れるきっかけが要ると思うんだ。今ちょうど、うってつけの課題があるんだけど……残念なことに、今の俺にはそれを解決する方法が見当たらない」

「うってつけの課題？」

肇は一つうなずき、

「そのレストランは、まだメインの料理人が決まっていないんだ。これぱっかりは学生じゃだめで、調理師免許を持っている人でなきゃならない。そういう人を探してきたら、お手柄ってことで、ゼミに戻るきっかけになるかもしれない」

「料理人か――」

啓はしばらく考えていたが、ふと何かを思いついたようで、

「俺に思い当たる節がある」

「簡単じゃないぞ」肇は目を細めた。「なにしろ学生企画の店だからな。ちゃんと給料が払えるかどうか。奉仕活動になっちゃうかもしれない」

「大丈夫、問題ない……と思う」

「世の中にそんな人間がいるのか？」

「ああ。しかも腕っこきだぜ。俺はあんなにうまい料理、後にも先にも食ったことが無い」

「啓ちゃんが言うなら間違いないだろうな。――でも、やっぱりおかしい」

「何が」

「腕が良いのに給料が安くて、学生相手でうってつけ。どう考えたってうまい話すぎる」

「さすがにそう思うか」

「その人、ワケありなんだろ」

「ばれたか」啓は顔を崩した。「俺がその人を知った時のことを話そう。それで考えてみてくれ」

その人に初めて会ったのは一昨年のことだ——啓は話し始めた。

親父が居酒屋を手放す直前で、お袋は離婚していたが専務として店に残っていた。ある時、料理人の面接をお袋が対応した。誰かの紹介だったのか、自分で売り込みにきたのか、それは分からん。俺はその時、裏の事務室で仕事の手伝いをやっていた。そうしていると、お袋がやってきて「食べてみな」と小皿を捧げ持ってきた。鶏をトマトソースで焼いた何かだった。香ばしい焼きトマトの香りがしていたけれど、店の裏なんて食い物の匂いでいっぱいだから、特に気にしていなかったんだ。「なんだこれしきのもん」と思って口に入れたら——目が飛び出たね。めちゃめちゃ美味かった。脳がしびれたよ、オーバーじゃなく。

おふくろもこう言った。

「お前の父ちゃんは、人間は最悪だけど料理はすごい。けど、この料理は父ちゃんのよりずっとすごい」

面接が終わり、お袋が戻ってきた。雇うのかと尋ねると、首を横に振った。

「なんでだよ。あんなに料理がうまいのに」

「ちょっと気になることがあってね」

その料理人、調理師免許の有資格者で料理は確かにうまいんだけど、他のことはどうも怪しい。怪しいというのは、無能というのではないのだが……。例えば、面接でのやりとりで「調理法や食材にはこだわりがありますか」と聞くと「別に」と一言。

「今までどんな料理店に勤めてきましたか」

「履歴書どおり、です」

「日本食の経験は」

「はい、まあ」

「お若いようですが、酒肴なんかは」

「ふつうにできます」

何を訊ねても覇気がない。お袋は最後にこう尋ねた。

「あなたはウチの店で働きたいんですよね。熱意はありますか」

「はい」

面接全体を通して前向きな答えはこの一言のみ。その一言だって、声に力が無かったという。

そんなふうだが帰る時はしっかり頭を下げ「よろしくお願いします」と言ったというから、礼儀は出来ているらしい。

「まだ二十三なのに、どことなく陰があってねえ」

お袋は残念そうに言った。俺はお袋に「そんな人もいるんじゃないの」と、そこを見るより料理を見るべきだと言った。俺の偏見かもしれないけど、職人ってのは几帳面・生真面目・偏屈等々、クセのあるものだ。

ところがお袋は「そのうまさが気になる」と言う。

「あれだけの腕がありながら、どこに勤めるでもなくウチのような低賃金の求人に名乗りを上げるなんて、きっと理由があるに違いない」

俺とお袋は履歴書の情報を元に、あっちこっちに連絡を入れて、その人の経歴をあたってみた。そしたら——ビンゴだったんだよ。

「何がビンゴなんだ？」肇は尋ねた。

「その人、前科者だったのさ」

「前科者！」肇は呆れた。「つまりお前は、俺たちに犯罪者を紹介する気か」

「何、たいした前科じゃない」啓は微笑を浮かべた。「殺人や放火じゃないよ。せいぜい町で喧嘩して通報されたってところだよ」

しかし肇は首を横に振り、

「ウチのゼミは弱っちいのばっかりだから、抵抗があるだろうな」

「お前がいれば大丈夫だろ。警察のお世話になっていないだけで、喧嘩は全然してこなかったわけじゃないし。それに、そういう訳ありの人でもない限り、給料の怪しい学生レストランなんて、誰が手を貸すもんか」

「そう言われるとつらい」

「俺も、あれだけ腕のある人が社会に埋もれてしまうのはどうかと思って、メアドだけは今でもしっかり持っているんだ」

肇は少し考え、

「じゃあ、会うだけ会ってみるかな」

「さすが肇。これで一人の料理人が救われる」啓は頬をゆるめた。「正直、俺も久しぶりに連絡をとってみたかったんだ」

「じゃあ、今度の月曜日の正午に、レストランの隣の公園で待ち合わせってことで」

「レストランってのは、あそこだったな——うん。伝えとく」

肇が月曜の正午を指定したのには理由があった。月曜の午前中は週に一度のプロゼミの日で、この日は全員が出席するし、香椎もしっかり講義をする——すなわち、肇も顔を出しやすい（放課後の集まりだと、どうしても気が進まなかった）。その場で「これから料理人と会う」と切り出せば、香椎もゼミの連中も、無下にはできないだろう。何せ料理人は絶対必要なのだから。

迎えた月曜日、肇はチャイムと同時に後ろの扉から教室に入り、こっそり最後列の席に着いた。香椎は少し遅れてやってきて、すぐに講義を始めた。

「みなさんがこないだレストランの役割分担でつくったツリー図は、実に良く出来ていると思いました」

香椎は手にしたA4用紙をひらひらやった。

「この組織形態は実際の企業なんかでもよく見られます。ただ、これだと縦割りの弊害を生みやすいかもしれませんし、各人の役割が固定されてしまう怖れもあります。例えば——」

香椎は首を回して学生の顔をざっと見た。

「あそこに座っている宝塚君で例を出しましょう」

教室内の視線が忙しく動いた。肇の背中に汗が浮かんだ。

——せっかくコッソリ出てきてんのに、先生め……。

「彼がレストランの集客について素晴らしい広告案を思いついたとします。でも彼は料理担当であって営業広報ではありません。然るべき立場にありませんから、その案は表に出ないわけです」

教室のあちこちでヒソヒソ声がした。ひそかな視線が肇に向けられる。窓際にいた兵太なぞは、ニヤニヤしてもろに肇を見ている。

肇は心中、香椎を恨めしく思った。

だが、おかげで腹をくくれた。

講義が終わり、ゼミ生らが教室を去りかけた時、肇は立ち上がって言った。

「みんな、聞いてくれ！」

教室にいた全員が振り返った。みんな香椎の例示で肇がいたことは知っていた。が、気まずさと不可解さで、黙って帰ろうとしていた。

肇は続けた。

「実はこれから、料理人の候補と顔合わせをすることになっている。待ち合わせ場所はレストランの横の公園だ。みんな一緒に来てほしい。いきなりですまない。今日しか都合がつかなかったんだ」

「ちょっと、それ、どういうこと？」

夕が肇のそばにやってきた。

乙成は少し離れたところでじっと見ている。

勝田誠は肇に迫って傲然と言った。

「お前、あんまり話が急すぎるぞ」

「すまん。決まったのが一昨日なんだ。知り合いの紹介で、めちゃくちゃ腕の良い料理人らしい。よそに取られないうちにツバを付けたいと思ったら、今日の昼になった」

「そういう話は前もって代表か副代表に回してもらいたい」

「料理人が見つかったたって本当か？」兵太が尋ねた。

肇はうなずき、「もう時間が無い。行かなくちゃ」。

「待て待て待て！」勝田がさえぎった。「お前、考えてもみろ。これだけのゼミの人数、いきなり言われて全員行けると思ってるのか」

「それは……」肇は眉をひそめた。

すると、

「みんなが行かなくてもいいと思います」

全員振り返った。乙成の声だった。彼女はか細い声を絞り出し、

「私が、行きますから――」

乙成の声は不安で揺れていた。彼女はレストランの代表として、未だ和解のできていない肇とともに、未知の料理人に会う決意をしたのだった。

「詩織、私も一緒に行くわ」夕は乙成に駆け寄った。兵太と進藤も応じた。

ところが他のゼミ生らは、

「わりい、俺今からバイトなんだ」

「午後一の宿題が済んでなくって」

「そういうわけだから、勝田さん、行っといてください」

めいめい勝田に都合を伝えると、教室を出ていった。

「マジかよ、みんな！」

勝田は去る者をいまいましげに見送った。

「しょうがない。じゃあ……俺も行くよ」

「ありがとう。誠」

「ま、誠？」

勝田はフランクに伸びてきた肇の握手を反射的に掴んでしまった。


「その人って、どういう人なの？」

公園への道すがら、夕は尋ねた。

歩いているのは肇に兵太、夕、勝田、乙成、進藤の六人。

肇は歩きながら答えた。

「知り合いによると、ちょっとクセがあるってことだった」

「どんなクセなの？」

「それはまあ、その……」

「ちゃんと言ってよ！」

「俺もよく分からないんだよ！」

夕はしつこく尋ねた。肇は無理やり誤魔化した。まさか前科者とは言いにくい。

「料理の腕がいいってのは、どのくらい良いんだ？」

今度は勝田が尋ねた。

「それを確かめるために、待ち合わせ場所をレストラン隣の公園にしたんだ。話をしてみていい人だったら、商店街で食材を買ってあの家で料理してもらおうと思って」

「俺、レストランの鍵持ってないぞ」

「えっ？」肇は口をへの字にした。

「だから前もって言えと」勝田は顔をしかめた。

すると後ろで、

「私、持ってます」

乙成がキーホルダーに取り付けたジビンカの鍵をぶら下げて見せた。

「さすが代表」進藤は微笑んだ。

「良かったぁ」夕は胸を撫で下ろした。

肇は呟くように、

「ありがとな」

六人を包む空気が一気に張り詰めた。

しばらく奇妙な沈黙が続いた。五秒、十秒、十五秒……。

乙成は口を真一文字に結んでいたが、やがてぎこちなくうなずいた。

肇はそれを見届け、

「――こないだは、変なこと言って悪かったな」

そう呟くと、振り向きもせずぐんぐん前へ歩いた。

「全くです」乙成は追いすがって肇の横についた。「宝塚さんは、ほんとに悪い人です」

「だから、ごめんって」

「『ごめん』は今初めて聞きました」

「お前、なかなか強情だな」

「そうじゃないと代表は務まりませんから」

肇は足を止めた。乙成も止めた。二人は真っ直ぐに向かい合った。二人の様子を、後ろから夕が、進藤が、瞬きもせず見つめている。

やがて、

——プッ。

肇の口先から鋭く息が漏れた。

「ちょっと、笑わないでくださいよ」乙成は訴えた。

「や、マジごめん」肇は頭を振った。「お前のヘンな強がり方が、なんかおかしくって——プ
プッ！」

「もう、また笑った」

「その顔——プッ」

「人の顔をそんなふうに言って、許しませんからね、——フフッ」

「お前だって笑ってるじゃないか」

「宝塚さんが笑うからつられて可笑しいんです」

夕と進藤は、安堵のあまり、肩のこわばりがとろけるような思いがした。なんだかよく分か
らないけれど二人は和解できたようだ。

ただ勝田は、

——つまらん。

尊大に手足を動かし、ぐんぐん先に進んだ。

公園入り口脇のポール時計は正午を五分過ぎていた。六人は肇を先頭に公園敷地内に駆け込んだ。まさか社会人相手に初対面から遅刻するわけにはいかない。

だが公園には人の姿は無かった。

「いないぞ」勝田は恨めしげな目を肇に向けた。「ホントにこの場所なのか」

「間違いないよ」

全員足を止めて肩で息をする。

そのまま二分経ち、三分経った。

——すっぽかされたか。

肇は下唇を噛んだ。前科者でクセがある奴なら、約束くらい平気で破るかもしれない。偏った想像だが、走った直後で脳に酸素がおぼつかない肇の頭はそう決めつけた。

「電話してみたら」夕が言った。

「番号、知らないんだ」

「呆れた。普通こういう時って聞いとくものでしょ」

実際、啓に話を付けた時、聞こうと思った。だが、そんな危ない人間に電話を掛けるのも、こちらの番号を知られるのも嫌だった。

「いまさらそんなこと言ってもしかたがないだろ」肇は吐き捨てるように言った。「もう少し待ってみようぜ」

と、その時。

「なんだてめえは！」

ひときわ甲高い——しかしドスの利いた声が、公園の奥から聞こえてきた。

「ガタガタ抜かすと、あとで吠え面かくぞ！」

「何？　いまの声」夕は総毛だって乙成の手を掴んだ。

「け、け、喧嘩ですか？」乙成は真っ青になって震えている。

「どう考えても、そうだよな」

勝田と進藤は青い顔をして唾を飲んだ。

兵太は足音を殺して砂地を進み、声のしたあたり（茂みの向こうにベンチがあった）の様子を、首を伸ばして観察しはじめた。

しばらくして馳せ戻り、

「男が二人、女に絡んでいる。タチの悪いナンパだろう」

「昼間から何て奴らだ」肇は眉をひそめた。

「女の尻を追っかける奴に昼も夜も無いぜ」

「助けるか？」肇は兵太の目を見た。

「そらそうだろ」と兵太。

「待て」勝田が割り込んだ。「君子危うきに近寄らず、だ。関わらない方がいい」

「ここで待ち合わせをしているんだぞ。去ってどうする」肇は反論した。「それに、絡まれている女を見捨てて逃げるなんて、俺は主義じゃない」

勝田は口を噤んだ。逃げたくて仕方がなかったが、女子の手前、言えずにいた。

「なあに、大した奴らじゃないさ」兵太が言った。「刺青のせいで見た目はだいぶあぶないけど」

「刺青？」勝田は目を白黒させた。「そんな奴が、大した奴じゃないわけないだろ」

肇はピンときた。きっとそいつらのどちらかが料理人なのだ。

前科者でクセがあるなら、刺青くらいおかしくないし、待ち合わせ場所でたまたま見つけた女に声を掛けないとも限らない。これもまた勝手な想像だったが、肇はたちまち断定した。

「そんな奴、うちのレストランには要らねえ！」

「うちのレストラン？」五人が声を揃えた。

肇はみんなを振り返り、

「その料理人、ちょっとクセがあるっていっただろ。つまりそういうことなんだ」

「クセにもほどがある！」勝田は声を殺して言った。

「とにかく、断ってくる。ついでに、悪さをしているなら思い知らせてやる。兵太、行こう」

「おう」兵太はむしろ面白がっている様子だった。

「やめとけっ！」

勝田は声をかすらせて訴えた。だが歩きはじめた二人の耳にはもう届かなかった。しかもその後を、進藤と夕（彼女は乙成の手を引いていた）が、少し離れてついていった。

「おいっ、みんな何を考えてるんだ」勝田は制した。

「だって、放っておけないでしょ」

「わ、私、だ、代表ですし！」

「まさか副代表、メンバーを見捨てやしませんよね」

進藤が皮肉っぽく言った。そういう彼も顔中がひくついている。

「分かったよ、もう！」

肇と兵太は茂みの奥へと歩いていった。四人は手前の木立に身を潜めた。さすがに乗り込む勇気は無い。が、何かあったら大声を出したり助けを求めに走ったりする心積もりでいた。

肇と兵太は木立を過ぎて真っ直ぐ進んだ。

ベンチには大柄な男が二人、背中をこちらに向けて立っている。二人ともタンクトップで大きな肩を露わにしている。両肩には黒一色で蝶や剣、英書体のタトゥーが見える。二人はベンチに座る女の前に立ちはだかっていた。女は終始うつむいている。長い黒髪が前に垂れ、表情は分からない。膝の上に固く握った白い拳が小刻みに震えている。

「おいっ！」

肇は声を上げた。両膝が小刻みに揺れている。相手は大男、怖くないわけがない。だが、後には引けないし、悪い奴は許せない。

男二人が振り返った。肩のタトゥーは鎖骨のあたりまで覆っていた。人相は――想像どおり、頬骨が鬼のように隆起し脂ぎっている。凶悪な目で肇を見据える。

「なんだ？　お前は」一人の男が何の感情もなく尋ねた。

肇は勇気を振り絞り、

「お前みたいなやつは、お前みたいなやつは――」

顔が紅潮していく。男たちは怪訝な目を向けている。

ベンチの女がちょうど顔を上げようとしたその時、

「お前みたいなやつは、うちのレストランには要らない！」

肇は公園中に響く声で叫んだ。

男二人は顔を見合わせた。一人がもう一人に目で合図した。肇の背後の木立に、数人が息を殺しているのに気付いたらしい。二人は忌々しげに肇を睨みつけると、公園の裏へと去った。

肇は全身の力が抜けるのを感じた。背中は汗びっしょり。腿に力を入れ、かろうじて立っている。

「肇！」

メンバーらがわらわらと飛び出してきた。進藤、勝田は青ざめたまま、乙成は涙を浮かべている。夕は心配そうに肇を見つめていた。

肇は女に近づき、

「大丈夫ですか？」

そっぽを向いていた女が顔を上げた。

肇は息を呑んだ。

透き通る白肌、鼻筋の整った面立ち。少々剣のある、しかし光の強い眼。引き締まった口元に、よく熟れた果実のような唇。

――めっちゃ美人……。

女はおずおずと立ち上がった。意外に背が高い。スレンダーなボディラインが、肇の目を釘付けにする。

「すみませんでした」

女の声は意外なほどハスキーだった。おまけにいかにも面倒で言い捨てるような調子。今の今まで男に迫られていたとは思えないほど平然としている上に、不機嫌そうである。

肇はややためらいつつ、

「いや、謝ることはありません。だって、あなたは――」

すると、

「大丈夫ですか、お姉さん」

急に進藤が割り込んできた。肇は進藤の目を見た――あの目だ。女の尻を追いかける時の、緩み切っていてどこか小狡い進藤独特の目。ヘラヘラと微笑を浮かべて女に近づく。

進藤は本能のおもむくままに口説き始めた。

「昼日中とはいえ、公園を一人で歩くのは危険です。なぜって、お姉さんはキレイすぎる。それじゃあ男に声を掛けるなというのが酷です」

進藤は自分の顔を女に突き出した。女は顔を背けた。肇は見逃さなかった。一瞬、女の目に殺気が走ったことを。

「お姉さん、友達になりましょう。何かあったら俺をすぐに呼んでください。何せぼくは近くの大学生ですからね。授業中だろうが試験中だろうが、構うもんですか」

「おい、翔、止せ」肇は肩に触れようとした。

「ちょ、肇さん、邪魔しないで。――これが俺の携帯電話の番号です。お姉さんの番号を知りたいな。操作が分からなければ、俺がやりますから」

進藤がそう言って手を差し伸ばし、女に触れようとした。


パチン！


乾いた音が公園内に響いた。

夕は目を疑った。

彼女の目の前で、女の手が風を切り進藤の腕を弾き飛ばした。進藤はキョトンとしていた。

女は振り抜いた手を下方に払い、鬼の形相で進藤を見据え、

「てめえ、気安く触んな」

街路の木立から鳥が飛び出した。

女の甲高い声には聞き覚えがあった。最初に聞いたドスの利いた啖呵は、この人の声だったらしい。

「いや、その」

進藤はしどろもどろになり、一歩また一歩と退いていく。

「――ったく。野郎ってのはどいつもこいつも」

女は長い髪を手先で掻き分け、呆気にとられるゼミ生らを後目に、その場を立ち去った。


その晩。

今夜もアイスターの客は肇だけだった。

「詳しいことは分からないけど――」啓は肇の前にウーロン茶を置いた。「ゼミに戻れたんなら良かったじゃないか」

「まあな」

肇は今日の出来事を報告に来ていた。

「なあ啓、紹介してもらっておいて、こういう言い方もなんだが、いくらなんでも刺青があったら大学関連は無理だぜ」

肇はたしなめるように啓を見た。

「刺青？」啓は首を傾げた。

「タトゥーって言うのか？　鎖骨の辺りまで広がってた」

「マジかよ」啓は手の平で額をパチンと叩いた。「お前、昔からヤンチャな奴だとは思っていたが、そこまで手が早いとは」

「手が早い？　違う違う。険悪な雰囲気にはなったけど、喧嘩にはならなかった。マジでやりあってたら、俺無事じゃなかったかもな」

「は？　手が早いって、そういう意味じゃねえよ」

「え？」

「お前、連絡先交換したか？」

「だから、それどころじゃなかったって」

「タトゥーを見るまでの仲になっといて、それはないだろ」

「は？」

二人は顔を見合わせた。話がかみあっていない。

啓は肇の目を見た。そして両手をカウンターにつけ「俺が紹介した料理人の名前は――」

肇は音を立てて唾を飲んだ。

「――結城薫子さん、だ」

「カオルコ？」肇は目を丸くした。「それってもしかして女か？」

「その名前は女だろ」

「最近はいろんなライフスタイルが」

「これは普通に考えていい」

「そいつは思いもよらなかった！」肇は呆気にとられた。「俺はてっきり、前科者だというかあの男どもかと。そういやあの女、言葉遣いが荒かったな」

「なるほど――俺にも見えてきた」啓は面白そうにうなずいた。

「実はゼミの軽い男がちょっと誘うような言い草をしたんだ。そしたらえらい剣幕で凄まれて、みんなビビっちゃった」

「だろうな」啓はようやく納得がいったようだった。「言ってなかった俺も悪いけど、とにかく料理人はその女だ」

「悪いことをした。ウチのレストランには要らないって言ったのを、自分のことだと思ったかもしれない」

「もう一度、機会をつくるか？」

「あんなことがあったら、もう話はできないだろう」

「勘違いは勘違いだ。正直に言えば分かってくれると思う」

「じゃあ、もう一度頼むよ」

「まかせとけ」

啓はうなずいた。そして自分のタンブラーにビールを注ぎ、一口飲んだ。

「ところで、薫子さんメチャ美人だったろ」

「うん。ハンパないね」肇は目を輝かせて答えた。

「ゼミの男が怒鳴られたって？」

「くだらない野郎でね。でも、声を掛けるのも分かる気がする」

「ほう」啓はニヤリとし「じゃ、次会った時、口説いてみたら？」。

「そうはいかねえよ。ゼミの料理人候補だし」

「好いと思ったら真っ直ぐぶち当たるお前が、らしくも無いな。もしかして、誰かに気兼ねしてるのか？」

「誰だよ。お前にか？」

「違う。俺が言ってるのは、薫子さんの相手じゃなくて」

「ハッキリ言え」

「ずばり言おう」啓は肇を真っ直ぐに見た。「さっさと海老原と付き合っちゃえよ」

「お前、それが言いたかっただけだろ！」

肇は声を荒げた。ウーロン茶をあおりながら、耳の端まで熱くなっているのが自分で分かった。

数日後、肇は再びアイスターにいた。啓から連絡が来たのである。

『薫子さんからメールで、まずは一対一で会おうって』

肇は緊張した。何も知らないであの美貌の女性から招かれたら幸せに思うかもしれないが、事実を知った今は、果たし合いに呼ばれたような心持ちがした。肇は持っている服でなるべくしっかりした格好をし、カウンターに臨んだ。客は肇一人だった。約束の時間が近づいてくる。罵声を浴びせられるか、表に連れ出されるか。戦々恐々としていたが、取り持ちをした啓が平然としているところを見ると、修羅場は無さそうだと思った。

約束の時間を五分くらい過ぎた頃、ドアが開いた。あらわれたのは――三十くらいの男性だった。小ざっぱりした格好で、顔つきがよく整っている。啓が黙って席を示すと、男は「宝塚肇さんですか？」と言って肇の方を向いた。

「はい」緊張気味に答える。初めて見る顔だ。

「私、結城薫子の兄です」男は申し訳なさそうな顔をした。「妹が今日どうしても伺えなくなり、私が代理でやってきました」

「そうでしたか」

肇は残念半分、ホッとした気持ち半分で男を隣に迎えた。男はウーロン茶を頼んだ。

「話は全部聞いています。妹に素晴らしい話が来て、私も家族も喜んでいます」男は微笑んだ。「けれども、やはり学生さん方には、妹のことをよく知っていただいた上で、と思いまして。それで私が出てきた次第です」

男は真面目で控えめで、とても兄妹とは思えないほど優しかった。肇は先日の公園での一部始終を話した。詫びるように目を曇らせた。

「自分で言うのもなんですが。私たち兄妹はなかなかの資産家の家に生まれ、何不自由なく育ってきました」

男はそう前置きし、妹の生い立ちを語り始めた。

結城薫子は、中学くらいまではごく普通の、どちらかというと大人しいくらいの女の子だった。しかし高校入学を境に非行に走りだした。非行はエスカレートし、二年になると家でも学校でも手に負えず、警察の厄介になったり、鑑別所や少年院に入っていたこともあった。

父は料理研究家として業界に名を知られた存在だった。父は娘の行く末を案じ、コネを使って海外の全寮制の名門料理学校に通わせることにした。薫子は反抗するかと思いきや、意外に素直に旅立った。その後、父の血筋が色濃く出たのか、薫子の料理の腕はめきめき上がった。入学から一年半も経つと、海外の料理コンクールにいくつも入選し、フランスの二つ星レストランからラブコールを受けたり。卒業するころには誰もが認める一流の腕になっていた。

父は薫子にそのまま海外で料理人をするように勧めた。しかし本人は日本に戻りたかったようで、何の迷いもなく帰国した。空港に迎えに行った兄の印象では、妹は目を見張るほど美しくなっていた。乱暴だった性格は大分落ち着いていたが、鋭い目つきと無愛想さは磨きがかかっていた。

実家に戻った薫子はホテルなど料理の就職先を探した。しかし近所には悪名が残っており、書類選考の段階で落とされる。そこで一人も知り合いのいない土地に引っ越してイチから心機一転を図ったが、前科の履歴が消えることはなく、調べ上げられて不採用。再び実家に戻った薫子は引きこもり同様になった。そうしてくすぶっている時に、ジビンカの話が来た。

「実は、我が家でも妹の扱いに困っていたんです」男の目に力は無かった。「薫子はこれまで家族や世間にことごとく反発して生きてきました。彼女が何を考えているのか、何をしたいのか、何が不満なのか、父も母も私も、さっぱり分かりません。きっと何か理由があるのでしょうけれど……。

その薫子が、今回学生さんの話をもらった時に、少しだけ素直さを見せたんです。かつて父が海外に出した時と同じ反応でした。

宝塚さん、お願いです。ぜひ妹を使ってください。あなたがたとの交流を通じて、彼女の心が少しでも解きほぐされるのなら、私たち家族は非常にありがたいのです」

「はぁ」

肇は曖昧に答えた。他人の家族のことはよく分からないし、首をつっこむのも憚られる。

「俺としては、この間のこともあるのでお詫びをして、もしよければ、ぜひ協力してほしいと、今でも思っています」

「そうですか」男は微笑んだ。

「もっとも、最初の段階で武藤啓が料理人を女性だと教えてくれてれば、話はすんなり進んだんでしょうけれど」

肇はカウンターの奥にいる啓に視線を向けた。啓は苦々しく、

「お前、最初に女だって言ったら、絶対鼻の下を伸ばすだろ?」

「うるせえ」

男はニンマリとし、「あの乱暴な妹に手綱をつけられるなら、いっそいろいろ面倒を見ていただいてもいいんですが」。

——なんて無責任な物言いをする兄だ。家族もみんなこんなだったら、娘がグレるのも分かる。

肇はやや憤ったが、それはひた隠しにし、次の月曜日にこの間と同じ公園で薫子に会えないか尋ねた。

「そのように取り計らいます」男は承知した。約束を交わすと、自分のウーロン茶の代金を払

い、店を出ていった。

「あっさりした人だな」啓はグラスを下げた。

「とりあえずまた会ってみるよ」肇は疲れたように目頭を指で押さえた。「でもなあ、いろいろ聞くと、ホントに大丈夫かなあ」

「お前が雇ってやらなきゃ、どこで彼女は料理の腕を活かすんだよ」

肇は薫子の顔を思い浮かべた。啓は空いたグラスを下げ、

「店がオープンしたら遊びに行くよ。楽しみだな、薫子さんに久しぶりに会うのが」


一週間後。

「なんでお前がいるんだよ」

肇は啓の金髪ベリーショートを鷲掴みにした。

「啓くん、久しぶり」

「海老原、久しぶり！　肇、いい加減手を離せ」

待ち合わせの公園にやってきたゼミ生四人――肇・乙成・夕・勝田は、公園で啓に出くわした。

肇はみなに武藤啓を紹介した。

「こいつは俺の昔からの友達で、高校もおんなじ。今度の料理人を紹介してくれた武藤啓だ」

「どうも」啓が頭を下げると、勝田と乙成も同じようにした。金髪で顎に髭を生やした啓の姿に、二人は気おくれ気味だった。

「や、来たぞ！」啓が手を振った。「薫子さん、こっちこっち！」

あらわれた結城薫子は、白いワンピースに紺と茶のスカーフを巻き、ひと昔前のヨーロッパ映画のヒロインのようないでたちだった。髪をアップにし、スッキリとした輪郭が露わになっている。肌が日の光を浴びて白々と輝いていた。

「この間はすみませんでした」

肇は相手の美しさにどぎまぎしながら頭を下げた。

「別に」薫子は掠れ声で答えた。視線をゼミ生全員に移し、「あんたらみんな大学生？」。

「俺は違います」啓が明るく言った。「俺は武藤啓です」

「メールくれたバーテンはあんたか」薫子はちょいと目を遣った。「あんたどうしてあたしのメアドを知ってんの？」

「覚えてますか？　昔、『ビストロムトー』の」

「あ。落としやがった店か」

薫子の目が険しくなった。啓の顔に落胆の色が広がった。薫子は再びゼミ生らに目を向け、

「あんたら、あたしみたいな年上でいいわけ？　あと言っとくけど、あたし、何事にも大らかだけど、料理にはうるさいよ」

「お、お」乙成が一歩前に出た。見るからに怯えている。「お願いします」

「あんたは何？」薫子は視線を下げた。

「私は学生レストランの代表で、乙成と言います」

「えっ？　あんた大学生なの？」

「はい」

「うっそ、中学生かと思った。かわいい」

そう言って人差し指を乙成の顎の下につけた。童顔の乙成はしばしば中高生と間違われ、そのたびに頬を膨らませて怒ったものだ。しかしこの時ばかりは薫子の威圧感に固まってしまった。

「じゃ、立ち話もなんなんで」勝田が声を発した。

「何か作らせるってんだろ？」薫子は乙成に指をつけたまま言った。「兄貴から聞いてるよ。さっさと厨房に案内しな」

「ハッ、こちらです」

委縮した勝田はまるで、たいこもちのように先を歩きはじめた。

十五分後、ジビンカで調理が始まった。

材料は鶏肉や野菜、調味料など。勝田が商店街で買い揃えておいた。ゼミ生らはキッチンで手早く動く薫子をまじまじと見ていた。プロの動きは見ていて速いという感じでは無かった。むしろ自分たちも同じようにできそうに見える。しかし、動きに無駄が無いからゆっくりに見えるだけで、到底真似できるものでは無かった。肇は呆然と見ていた。

——すげえ。啓も見たら目を回しただろうな。

啓は「店の仕込みがある」と帰っていった。肇は分かっていた。本当はジビンカでのやりとりを通じて薫子さんとのつながりを作り、ジビンカが駄目だったら自分のバーに誘って——と企んでいたに違いない。肇は嘲笑った。『ビストロムトー』の話なんか出すから嫌なムードになったのだ。

「できたよ」

薫子はフライパンの焼きたてをそのままほうり出すように皿に盛った。ぞんざいに見えてその盛り付けは美しく、いかにも食欲をそそる形と彩りであった。

「すっごい、美味しそう」

夕はスマホを取り出し、カメラで写真を撮った。

「ま、食ってみなって」薫子が初めて笑顔を見せた。

フロアの客席に着いた。テーブルは、まるで本当に営業しているお店のように、きれいに整えてみた。調味料に紙ナプキン、レモン水におしぼり。竹を編みこんだ一人用クロスの上に、薫子の調理が載った。

「いただきます」

ゼミ生らはフォークとナイフを使って、ひと口目を口に運んだ。

「！」

「！」

「！」

「！」

四人は声にならない衝撃を満面に浮かべた。頰が上がり、目元がぱっちりする。美味しい物を口に入れた時の幸福が、顔から光となってほとばしる。肇が尋ねた。

「今日は何か持ち込んだんですか？　調味料とか」

「いや。なんにも」薫子は首を横に振った。

「このお肉、誠が買ってきたんだよな」

「うん」勝田は二口三口と頰張り「商店街の昼のセールで。特に上等じゃないぞ」

「うそ、信じられない」夕は肉をまじまじと見つめ「どうしてこんなに柔らかいの？」そう言って乙成を振り返る。

乙成はうっすら涙を浮かべていた。

「詩織、どうしたの？」

「私、自分たちのお店でこんなに美味しい物が出せるかと思ったら、幸せで……結城さん、とっても美味しいです」

「満足か？」薫子は訊いた。

「もちろんです」乙成はニッコリした。「ジビンカのこと、どうぞよろしくお願いします」

薫子はややためらい、「お、おお、うん」と答えた。嬉しさと照れが入り雑じり、白い肌が赤くなった。

薫子には何もかも新鮮だった。今までだって料理はさんざん褒められてきた。けれども料理と関係がないところで人とぶつかったり、つまずいたりして、台無しにしてきた。

今日は、学生たちと接し、料理ではないところで、何だか好い胸騒ぎを覚えている。

――あたし、こんなふうに仲間とわいわいやるのに憧れてたのかな？

だが彼女には確信が無かった。相手はまだ子どもじゃないか。あたしは二十五で、年はそんなに違わないとはいえ、学生とは同じじゃない。同じであっちゃならない――。

戸惑う時、彼女はいつも寡黙になる。だが今日は違った。皆が食べる間、薫子はいつになく饒舌になった。

「あたしにしてみれば、良い食材じゃなきゃ良い料理が作れないなんて二流。あたしはどんな食材でも美味しい料理を作る自信があるよ。あんたたちのやろうとしてるジビエ肉であっても問題ない」

自信家のような口ぶりだが、薫子としては、精一杯のプレゼンテーションだった。

ゼミ生四人は確信した。

――この人しかいない！

今日来ていないメンバーにも自信を持って推薦できる。

「さっそくメニュー開発から参加してください」乙成が言った。

「厨房で揃えたいものがあったら言ってくださいね」と夕。

「よーし、俺も料理を覚えるぞ」肇は顔をキラキラさせている。

「その前に言っとくけど、あたしさ――」薫子は神妙な面持ちで言った。「学校で料理を学んだのはいいけれど、そのあと現場に出たのって、ホテルの調理場に一週間、割烹に三日、仕出し弁当に半日ってところで、正直お店の運営とかは詳しくないんだ。だから、そっち方面はあんまり手伝えないけど、構わないか？」

四人は納得した。その性格できっと上長と揉めたりしたのだろう。「大丈夫、俺たちも詳しくないから！」

　肇はフォローのつもりでそう言った。

「薫子さんには、お客様の口に入るものについて、完璧にやってくださったら、あとは私たちで頑張りますから」と夕。

「そうか？　悪いな。じゃあ……」

　薫子は立ち、四人の前に進み出て、気を付けの姿勢をとり、

「よろしくお願いします」真っ直ぐにお辞儀をした。

　四人も立ち上がり、

「こちらこそお願いします！」

　フロアの空気が引き締まる。

　こうしてジビンカに頼もしい調理人が加わったのだった。

Chapter 11

ジビンカ・オープン

十月、ゼミ生らはジビンカ・オープンのラストスパートに入った。

オープンは二〇〇八年十一月三日・文化の日で、残り約一カ月。その日はちょうど雛美大の大学祭の最終日でもある。香椎ゼミはジビンカに集中するため、毎年恒例の大学祭出店を控えた。一年前、カレーおむすびを販売したのは、はるか遠い出来事のようである。

香椎は基本的にジビンカを学生に任せっきりにした。関わりたくても多忙で身動きが取れなかった。秋は学外行事への出席が多く、ほとんど大学にさえいなかったのである。もっとも、彼はゼミ生を信頼していた。ゆえに関わりは最小限に抑えた。その方がゼミ生らも動きやすいだろうと思った。

むろん、要所要所ではしっかり責務を果たした。お金が絡む時、名義が要る時は、吟味して判を押した。消防署・保健所の立ち入り検査も立ち合った。学生から質問があればアドバイスもした。料理人が決まった時も、研究室で面会した。結城薫子の美しさと若さ、経歴と腕前にびっくりしたものである。

オープン間近となり、夕率いる営業広報課は広告展開を推し進めた。一人でも多くのお客さんに来店してもらうためには、より多くの人に、ジビンカの存在とオープンを知らせなければならない。

「広告でもっとも返り率が高いのはＤＭ（ダイレクトメール）で、それでも3％あればいいと言われているわ」

夕は課のメンバーを前に、図書館で借りたコピーライティングの本を手に説明した。

「広告の手法は無数にあるけど、私が目を付けたのは、手配りチラシ、ポスティング。あと、ホームページね」

「テレビコマーシャルはやらないの？」誰かが尋ねた。

「そんなお金、あるわけないでしょ」夕はバッサリと切り捨てた。「仮に流せたとしても、制作費と放送料が高くて、月に五千人近く来店してもらわなきゃペイしないわ。そんなに来てもらっても困るでしょ。それじゃなくてもジビエは確保が大変なんだから」夕もどうやら計算だけはしてみたらしい。「予算的に可能なのはチラシとポスティングよ。返り率を考えたら一万枚くらい刷って配らなきゃ。ホームページはあるにこしたことはないわ。誰かホームページ作れる人、いる？」

「ぼくできるよ」一人の男子が手を挙げた。

「じゃ、お願い。最初にページの構成を考えてね――。あと、チラシのデザインもあるんだけど。誰か？」

とある女子が言った。「お店のイメージ図の時みたいに、また乙成さんにお願いしたらどうかしら？」

「それいいねえ」誰かがウキウキした様子で答えた。

だが夕は、

「今度はイラストじゃないから勝手が違うわ。最終的に印刷所にまわせるコンピュータのデータを作れる人がいいんだけど」

するとある女子、

「私、最近ダブルスクールでデザイン専門学校に通っているんだけど、データづくりならできるよ」

「じゃ、あなたに決定！」

「でも、レイアウトや文章はあんまり得意じゃなくて」

「それはみんなで考えればいいわ。さっそく今から宣伝会議よ！」

「え？　これってまだ会議じゃなかったの？」

メンバーは慌ただしく話し合いを続けた。といっても完全に夕主導である。

食材管理課は武井兵太と進藤翔を中心に着々と準備を進めていた。兵太はバイト先のノウハウをどんどん持ち込み、衛生を追求した。

「とにかく保健所対策、次に税務署だ」

あまりの徹底ぶりに、副代表の勝田が「ＩＳＯでも取る気かよ」とぼやいたくらいである。

一方、進藤はオープン前のドタバタに流されず、冷静に状況を整理した。この男、そばにきれいな女性がいなければ、いたって優秀な男だった——その彼が、この後に及んで誰も気付かなかったとんでもない事実に気付いた。彼は食材管理課のミーティングでそのことを言及した。この会議にはたまたま代表乙成・副代表勝田も顔を揃えていた。

「ちょっと気になったんですが——」

進藤は確かめるように言った。

「ジビエって、その日に何がどれだけ獲れるか分からないんですよね」

「そうです」乙成が答えた。

「ってことは、ジビンカは決まったメニューを出せないってことですよね」

「あっ——」

みな呆気にとられた。大問題である。

どうして今まで、誰もこの事実に気が付かなかったのだろう！

メニューの無い店ってあるんだろうか。

メニューどころか、レシピも作れない。

「驚くことはないさ」兵太はそっけなく言った。「お店によってはメニューの無いところもある。小規模のことが多いけどな」

「そういう店って、何か特別な売りがあるんでしょう？」と進藤。

「もちろんだ。俺の知っている店では、その日に取れた旬野菜を前面に打ち出していた。だからジビンカも、ジビエが保証できないなら、野菜にこだわりまくった店にすればいい。どうだい？」

兵太は乙成を振り返った。乙成はしばらく思案し、

「それはちょっと違うかもしれません」

みんなポカンとした。代表になった乙成は、このところ自分の意見をしっかり言うようになった。以前の泣き虫ではない。

「違うって、何がだ？」兵太は訊いた。

「みなさん、コンセプトを思い出してください」乙成は課のメンバーを一望した。「この事業のコンセプトは、商店街の活性化、消費者と生産者の距離を近づけること——です。これを実現する約束で、私たちは市の補助金を得ることができました。そのくくりの中で、私たちのレ

ストランは、高齢者の仕事を維持するというコンセプトを立てました」

「そうだったね」進藤はうなずいた。「従来どおり農薬野菜を取り入れるというのも、高齢者の農業を守るためという考えから生まれたものだった」

「そう。だから、高齢者に『いい野菜を作れ』と強要することはできないんです。ましてや野菜の種類や量なんて――」

「じゃあ、どうすればいいんだ」兵太は首を傾げた。

「うーん」

みなそれぞれ、思案顔をした。

「いっそ野菜も、ジビエと同じ考えでいいんじゃないでしょうか」進藤が口を開いた。「規格にあわずに売り出せない物や、値段の付けようのないキズ物を仕入れて、それを使うんです。できればきれいで旬のものが好ましいけど、決してそれを強要するわけではない。引き取り手の無い野菜を使うことで、生産者も助かるし、ぼくらも安価で仕入れることができてありがたい」

「それはいい考えです」乙成は笑顔で賛意を示した。

「俺も賛成だ」兵太はそう言ったが、顔をしかめ「でも料理課の負担が半端無いぞ」。

「そうですね」進藤は苦い顔をした。「でも、薫子さんの腕なら何とかなるんじゃないですか」

「そのへんは分からんが――毎日届く食材を見て、それからレシピを組むとなると、しかもジビエだけじゃなく野菜も……毎日ゼロから考えるようなもんだ。生半可なことじゃない」

「この場に料理課の人がいないのに、そんな大事なことを決めちゃって大丈夫でしょうか」

乙成がか細い声で言った。兵太は口をへの字にし、

「まったくだ。肇の奴、今日の会議に呼んだのに返事もこねえ。そういえば料理課の奴ら、毎日ジビンカの厨房に入って結城さんから料理の特訓を受けてるらしいな――」


兵太の言うとおり、料理課は毎日放課後から夜遅くまで、古民家の厨房に詰め、結城薫子から料理の手ほどきを受けていた。手ほどきといっても、街のカルチャースクールのような「楽しいクッキング」のノリでは無い。スパルタである。古民家からは夜な夜な薫子の罵声とゼミ生の悲鳴、物が飛び壊れる音、ドタドタと板場を走り回る音が聞こえた。

「あと一カ月しかねえんだぞ」

食材管理課が会議を催したその晩、古民家では薫子がフロアの床に伸びている肇ら五人の料理課を見下ろし、声を荒げた。

「てめえらの作る物なんざ、犬も食わねえ、蝿もたからねえ、ちっとは真面目に作れ！」

ゼミ生らは弾けるように起立し、「気を付け」で整列した。

厨房は荒れ放題である。調理台、シンクの中、床の上、いたるところに薫子が投げ捨てた料理と、割れた皿が落ちている。放られた料理は、全てゼミ生が作り、薫子が口も付けずに投げ捨てた残骸だ。

「見ないでも分からあ、こんなへたくそ料理！」

ゼミ生らが飛び散った料理に惜しい目を向けると、

「てめえらがヘンなもん作るからこんなことになるんだ。もったいないと思うなら、まともなものを作ってみろ！」

薫子には、食べ物を粗末にするな、世界には飢えている人がいる、といった思慮は皆無だった。なぜなら彼女にとって料理とは、ひたすら技術であり、道であり、仕事なのである。

彼女の食材・調味料の分量や煮炊きの時間管理は、全てコンマ一桁の単位だった。脳内には無限のレシピ、調理ノウハウがインプットされている。けれども、正直に言って、教えるのは上手ではなかった。手際のまずい料理を見ていると、我慢できなくなり、腹が立って口が出る、手が出る、足が出る。

薫子には一家言があった。

「工程のまずい料理は味もまずい」

いくらなんでもオーバーだ――料理課はみなそう思った。しかし薫子の剣幕に反論することなどできない。

　嵐のような特訓の中、肇はらしくもなく謙虚であった。自分の考えを一旦捨て、薫子の弟子になったつもりで食らいついてみようと心に決めていた。彼には魂胆があった。将来料理人を志す上で、いつかは料理学校に通わねばならない。しかし、今ここで薫子に学んでおけば、タダで勉強できる。これをラッキーと言わず、何がラッキーだろう？　しかも薫子は世界が惚れ込んだ料理人なのだ。

「肇、てめえが一番へたくそだ！」

　そんな邪念が料理に出るのか、薫子の怒号は肇に集中した。だが彼は、料理を投げつけられようが、チョップで首筋を叩かれようが、師匠薫子に必死にしがみついた。

　二週間が経過した頃、薫子はようやくゼミ生らの料理に口を付けるようになった。

「うん……」薫子は口をモグモグさせて難しい顔をした。「まあ、食えなくはないな」

「ありがとうございます！」ゼミ生らは歓喜に悶えた。

「でも、点数を付けたら十点くらいのもんだ。人には出せるが金は取れん。今日初めてスタート地点に立ったと思え」

「はいっ」

　肇の料理の腕は、ゼミ生の中で頭一つ抜けていた。最初は他のメンバーよりも評価が低く、あしざまに言われていたが、やはり志が高いと成長は早い。

肇自身も、自分の成長を自覚していた。

薫子は特訓を通してメンバーの技術力・体力のほか、性格まで把握していた。肇が少しでも慢心したそぶりを見せると、容赦なく鼻を折る。何も言わずに料理を捨てる。最初のうち、肇は何がいけないのか、どこをしくじったのか、全く分からずにいた。しかし今ではピンとくる。彼もまた、薫子の性格を掴んでいたのだ。

「私も人のこと言えないけどさ」

ある時、薫子は肇をひとしきり怒鳴り付けた後、諭すように言った。

「若いうちの料理は、感情が味に出る。肇、私はお前の性格、よく分かるよ。だから難しいことだとは思うが、注意しな。毎日心を整えて厨房に立つんだ」

「はい」

「正直、お前には期待してんだから」

肇は初めて褒め言葉らしい言葉をもらった。ひとりでに目頭が熱くなった。

オープンまで二週間を切った土曜日。快晴。

料理課以外のセクション――代表・副代表および営業広報・食材管理の両課の主要メンバー

らは、早朝の電車に乗って市境の農村を訪れた。ジビエ猟師と野菜の生産者のもとへ、オープン直前の挨拶と、業務に関する最終確認のためである。香椎は都合で来られなかったが、乙成が手紙を預かっていた。内容は「私を含め若造ばかりですがよろしくお願いします」と、その程度である。しかし香椎は新聞等で知名度があるので効果絶大である。

「いやあ、空気がきれいだ」

駅舎を出た兵太は、額に手をかざして太陽の光をさえぎり、胸いっぱいに息を吸った。駅前は道のそばから田畑が広がり、遠くの山並みまで田園が広がっている。他のゼミ生らも深呼吸して澄んだ空気を味わった。

今日訪問することになっているジビエ・野菜の生産者は、みなジビンカの初期企画段階でお会いしたことがある方々ばかり。初対面では無い。そういうこともあり、ゼミ生らに緊張の色は無かった。

ただし、伝えなければならないことはある。

それが不躾(ぶしつけ)に聞こえなければいいが――。

乙成と勝田の不安はその点に尽きた。

もう一つ気掛かりな点といえば、今回も料理課が不在である。この日も古民家でスパルタ特訓が行われているとのことだった。

「せめて肇には来てもらいたかったわ」夕はこぼした。

「そうですね」乙成は不安そうな顔をした。「今日の挨拶回りに同行していただいて、私たちのお店がメニューを置けない、レシピを固定できないってことを理解してもらいたかったんですけど」

そのことは、いまだに料理課に伝えられていなかった。ハードな特訓に分け入ってそれを説明するのは何だか怖いような気がする。

「奴らが来ないのがいけないのさ」兵太が言った。「なあに、店が開けば四の五の言ってられないよ」

飲食のバイト経験豊富な兵太は強気だった。だが他の者はそうはいかない。不安を先送りにしたまま、この日を迎えていた。

最初に訪れたのは、とある猟師さん――地元猟友会の会長のお宅だった。ながらく農業を正業とし、今は畑を息子夫婦に譲ったが、自分は時折趣味と奉仕を兼ねて、害獣を撃っているという人物である。

この人をゼミ生に紹介してくれたのは、古民家のオーナー轡さんだった。二人は昔ながらの猟友である。轡さんは昨日のうちにここを訪れ、日中は猟をし、夜は会長宅に泊まっていた。

もちろん、ゼミ生らが挨拶にやってくることを知っての上である。

今朝は早いうちから近所の猟友を招きよせ、ゼミ生らの訪問を待っていた。

乙成らが会長のお宅の敷地に伺った時、午前十時を回っていた。石門を抜けると、広い庭に鶏が放し飼いにされている。家は典型的な日本家屋で、平屋で廂（ひさし）が広い。縁側の障子が全て開け放たれ、覗き見える畳の間はいかにも涼しげだった。その一隅で、猟師たちは円を描いて談笑していた。

「おお、待っとった、こっちに入りなさい」轡さんがゼミ生らに気付いた。

乙成らはそのまま靴を脱いで座敷に上がった。

ゼミ生は五人、猟師も五人。十人で車座になり、挨拶を交わす。

しばらく世間話をした後、勝田が本題に入った。

「私たちのレストランも、オープンまで二週間を切りました。実は今日は、まだ決まっていない件について、しっかり話し合っておこうと思ってやってきたんです」

「決まっていないこと？」猟友会の会長は首を傾げた。「そんなものがあったかね？　大概のことは決定済みじゃろ」

「ジビエ肉の価格のことです」

「ああ、それか」会長は笑った。「前にも言ったとおり、私らの猟は害獣駆除で、自分たちの田畑を守るためにやっているだけのこと。肉を引き取ってくれるだけでもありがたいのに、お金をいただこうなんて思っとらんよ」

他の猟師たちも「そうそう」と涼しい顔でうなずき、

「わしら年金暮らしでヒマでな。お金は二の次だ」

「なんならレストランの手伝いをしてもいいぞ」

「現役の頃無茶ばかりしとったから、今度は世間様にご恩返しがしたくて」

みな目が澄んでいる。心からそう思っているようだ。

「しかし、タダというのは――」勝田は苦しげに言った。「それに、もう一つお願いしたいことがありまして」

「なんだね？」

「実はジビエ肉の精肉について、困っているんです」

精肉にはいろいろな許可がいる。ゼミでは調理師同様、精肉の有資格者を探していたが、資格者のほとんどは食品会社の正社員で、学生に協力できるフリーは見当たらなかった。薫子は「ある程度切り出してあれば、あとは私がやれるよ」と言ってくれたが、それでは彼女の負担が大きすぎるし、肝心の許可についてカバーできていない。

「調理については、ノウハウのある料理人がいるんですが、さすがに精肉となると――」

「ああ、それなら」会長は車座の一人に目を向けた。「こちらにいる岸谷さんは元肉屋で、撃った動物をいつも解体してくれる。お前さん、若者に協力してやってはくれないか」

岸谷さんは赤ら顔をほころばせて、

「もちろん。薄切りだろうが飾り切りだろうが、任せておくれ」

「で、そのお代は」勝田は訊いた。

「だから要らんって。あと、余計なことかもしれんが、地域に伝わる伝統の牡丹鍋・紅葉鍋の調理法も教えてあげよう」

「それはいいことだ」会長はうなずいた。「これまでほとんど捨てとった肉が役に立つ上、伝統料理が後世に残る。すばらしい」

「んだ、金なんか取れねえよ」

誰かが言うと、猟師たちはみな、うんうんとうなずいた。

「調理法まで教えていただけるなんて感激です」夕が感謝を述べた。「ぜひ一度レストランにお越しいただいて、教えてください。ですが、やはりどうしてもタダは——。狩猟・精肉の上、この間のお話では搬送までしていただけるということで、申し訳なさすぎて」

「お若い方たち」会長は答えた。「私らがいいと言っとるんだから、甘えていいんだよ。私らは好きでやるのだから」

「しかしそれでは――」夕が引けずにいると、

「みなさん、私の話を聞いてくれたまえ」

割って入ったのは轡さんだった。彼は仲間を見て話しはじめた。

「仮に、自分たちが志を高くして何かを行おうとして、協力者に『タダで手伝う』と言われたら、ちょっと気が引けるでしょう。タダは確かにありがたいけど、受け取る側は心苦しいもんです。

それに、学生さん方のレストラン事業は、市の補助事業の遂行が目的とはいえ、学生の本分に照らし合わせると、社会勉強の意味合いもあるわけです。彼らはレストランを通じて商売を学ぶ。だったら多少はお金が動いた方が、本当の学びに近づくでしょう。ここは普通に金銭のやりとりをしてあげた方が、彼らの勉強になると思いますが、いかがでしょうか？」

さすがに轡さんは、これまでにも学生に学びの場を提供してきただけのことはある。猟友会の人々は真面目な顔をしてうなずいた。ゼミ生らも轡さんの心配りに感謝した。

「それじゃあ」会長が口を開いた。「搬送に使う軽トラのガソリン代と、鉄砲の弾代だけもらおうか」

「お肉代として取っていただきたいんです」夕は真剣に言った。「私たちのレストランはジビエを前面に出して営業します。ジビエはいわばお店の顔です。その看板商品の素材の仕入れがタダとなると——これでは私たち自身が自分の商品に自信を持てません。いい物をそれなりの値段で仕入れるからこそ、キチンと使いたい、美味しく提供したいと思えるんです」

猟友会は口をぽっかり開けて夕を見つめた。

「少ないかもしれませんが、お肉代として、毎月売上の一割を受け取っていただけませんか」

「そんなに！」

「本当はキロいくらと決めた方がいいのかもしれません」夕は申し訳なさそうに言った。「しかし、今のところ実際に月にいくらくらい売り上げるのか分からないので、最初のうちはパーセントでお願いしたいと思います」

「私らの方も、毎月いい肉が獲れると保証できんからな」会長は仲間を振り返った。「学生さんらがこんなふうに言ってくださっとるけど、みんなどうかね？」

「そこまで言われるのなら」

「わしらもお金をいただくからには無責任な仕事はできんから、気が引き締まる」

「いやはや、今日は学生さん方に教わったわい」

猟師たちは感心して夕を見つめた。

その後ゼミ生らは、近隣の野菜農家を数軒回った。今度は進藤が前面に出て、価格や品種についてお願いをした。伝えたのは、前に食材管理課の会議で打ち合わせたとおり、値段の付かない野菜を安価で買わせていただくという内容である。農家の方々はみな「そりゃ助かる」と納得してくださった。

「でも、いいのかい？」とある農家さんは想定どおりの質問をした。「お前さん方はレストランをやるんだろう？　食材を指定しないで、メニューを決められるのかね？」

「大丈夫です」進藤は嬉々として言った。「私たちのレストランは、そのメニューが無いんです」

「へっ？　それは面白い」農家さんは目をキラキラさせた。「はじめて話を聞いた時から、お前さん方のレストランは面白いと思っておったよ。なにしろ『農薬ＯＫ』——最近の流行と真逆だもんな。おまけにメニューが無いなんて、型破りだ。そんな店、聞いたことが無い。オープンしたらぜひ伺うよ」

「お待ちしています」

ゼミ生らはその後、どこに行っても「ユニークだ」「面白い」と褒められた。その都度彼らは気を良くし、頑張ろうと思った。

しかし、戻って料理課に伝えることを考えると、胃が痛むのだった。

ゼミ生らは午後四時過ぎの電車で大学最寄り駅に到着した。その足で古民家を訪れた。彼らは料理課の特訓が続いているのを窓越しに知った。最近ではもう薫子の怒号が外に聞こえることはない。薫子が怒らなくなった――それだけ肇らの腕がまともになってきたということだ。

彼らはぞろぞろと店内に入っていった。そして、フロアの客席に、料理課と向かい合わせに座った。乙成が今日の成果を伝えた。料理課は、はじめのうちはおとなしく聞いていたが、メニューの件を聞き及んで不満を爆発させた。

「ありえねえよ！」肇は叫んだ。「メニューが無いなんて！　レシピが無いなんて！　どうやって営業するんだよ」

兵太は落ち着き払い、

「そういう店もたまにあるじゃねえか。ここはそんなに席数は無い。対応は可能だろ」

「馬鹿！　その前に腕だ！　薫子さん以外は俺を含めてデクの棒だ。今はまだ言われたことができるかできないか、その程度だ」

「もう決まったことだ」

「そんな大事な話を料理課抜きで決めるなよ」

「俺はお前を誘ったぞ。でも来なかったじゃないか。いくら特訓が大事でも、オープンまで二週間を切っているんだ。優先順位的に考えたら、お前は来るべきだった」

「ここで喧嘩をしないでください」

乙成が割って入った。

「宝塚さんが同行しても、そうじゃなくても、私たちのお店はこうなる運命だったんです。仕入れを固定できないことは、はじめから明らかだったんです。それに気付くのが遅かったんです」

乙成は視線を落とした。並べた言葉の最後の方は、涙声で掠れていた。彼女は責任の一端が代表である自分にあると感じていた。

夕は薫子の方を向き、

「無理を承知でお願いします——何とかなりませんか？」

薫子はさっきから押し黙っていたが、憮然とした表情は明らかに不満な様子だった。彼女はゼミ生らの顔を一つずつ確かめるように見つめ、重々しく目を閉じた。

「お前ら、雑すぎるぞ」

薫子はボソッと言った。小声だがドスの利いた声だった。ゼミ生らは戦慄した。彼女は乙成や兵太を見据えると、

「プロの料理人の価値は、料理の技術や知識じゃない。お客を満足させることだ。料理人がいて料理があるんじゃねえ。お客がいて料理人がいるんだ。そこを間違うな。メニューやレシピ

が無いレストランを悪いとは言わねえが、自分たちの力量でそれを賄えるかどうか考えてから決めろ。あと、私を頼り切るのも大概にしろ」

そして料理課の面々に目を向け、

「おい、てめえら、これから遊ぶ時間はねえぞ。店が開くまでは、大学が終わったら毎日走って店に来な。明日から練習方法を変える。あと、店がオープンしたら毎回細かくレシピに記録すること。私の料理は速いから、一つも見落とすなよ」

「はい」

「代表・副代表に言っておく。次にこんなことになったら、私は出ていくからな。本来なら給料を倍よこせと言いたいところだが、今回は勘弁してやる」

ピリピリしたやりとりの中に、薫子が覚悟を決めたのが分かった。

薫子さんならやってくれる――乙成と夕は、そう信じていた。他に頼れる人はいない。そのことは薫子さんも分かっているはず。

こうして料理課は――というより薫子は――不承不承ノーメニュー・ノーレシピを受け容れた。絶対可能という確証は薫子も断言しなかった。だが料理課以外の面々は、薫子が受諾したことにひとまずホッとした。

そしてこのことが、料理課とそれ以外の部門との間に溝をつくってしまったのは事実である。

香椎ゼミはそんなアンバランスを抱えたまま、ジビンカ・レストランのオープンを迎えることになった。

§

十一月三日文化の日、ジビンカは予定どおり開店した。開店前、市主催のオープニングセレモニーが行われた。一般市民の他、大学祭の余勢をかって多くの雛美大生が見物に訪れた。ローカルTV局は全局カメラを並べたし、新聞社も大手・ミニコミから地域の業界紙までやってきた。

地方紙の今津豊は、朝早くから現場に入り、事情通として他のマスコミに情報を提供するなど、さながら身内のように動いた。むろん彼の真意には、香椎とつながっていたいという思惑がある。香椎といれば何かが起こる。仲良くしておけば、香椎はあけっぴろげな性格なので、事前にいくらでも情報をくれる。今津にとって香椎はニュース製造機なのである。一方の香椎も、今津の拡散力を知っているので、こういう男を身近な友達に一人は持っていたいと思っている。お互いに持ちつ持たれつなのである。

それにしてもジビンカのオープンは、同規模の飲食店の開店祝いに比べると破格のスケールであった。

開店前、商店街からジビンカまでの道は歩行者専用となり、地元幼稚園のブラスバンド行進、敬老会の踊り連が練り歩いた。ジビンカの入り口は色とりどりの風船で飾り立てられた。風船ゲートの下にレッドカーペットが敷かれ、立てられた二本のバーが、紅白のリボンで結ばれている。テープカットが行われるのである。

セレモニーのはじまりには、トランペットのファンファーレが鳴り響いた。

テープカットの前に市長・教育長から挨拶があった。その後、副代表の勝田からジビンカのコンセプトの概略が伝えられた。記者たちはメモをとった。一部の若い人たちが真剣に耳を傾けている。どうやら雛美大以外の学生もいるらしい。

テープカットでは大谷野市市長・友田和人が中央に位置を取った。その他、雛美産業大学学長、商店街渡辺会長、大谷野市猟友会会長……と、地域の名士が並ぶ。一番端に乙成詩織が、レストラン店長兼香椎ゼミ代表としておさまった。

正午の鐘を合図に、テープは切られた。ファンファーレが高鳴り、人々が店舗に流れ込んだ。この日は混雑が予想されたので、四十五分入替の予約制をとっていた。全席抽選である。落選・無予約の人々は店内を一巡し、庭に出て無料のドリンクサービスを受けた。ある人は後日の予約をし、ある人はショップカードを求め、笑顔で去っていった。

いよいよ営業開始である。

フロアスタッフ（食材管理課・営業広報課・経理課）は、お客様を席にご案内し、お冷やを出して飲み物の注文をとると、あとは料理課が仕上げるのを待つ。メニューが無いことはフロア業務をかなり楽にさせた。だが、中には「どんなメニューがあるのかしら？」と訊かれて戸惑うスタッフもいた。彼らは事前にそれを頭に入れていたが、いざお客様に尋ねられると、緊張で頭が真っ白になってしまったのだ。

お客様の来席が告げられると、厨房は、まだ何もはじまっていないのに、焦りと緊張で慌ただしくなった。この日、肇ら料理課は、早朝から開店ぎりぎりまでずっと準備を続け、その流れのまま本番を迎えた。一応準備は整っている。前菜はプレートに盛り付け、重ねて冷蔵庫にスタンバイしてある。あとは二種類のドレッシングを振るだけ。シカ肉は一昨日から煮込んでいる。キジは燻製スライスを濃く味付けて、南蛮漬けと共に出す。

「お前ら、ちゃっちゃと出せよ」薫子はデザートの果実を切りながら料理課に指示を飛ばした。料理課は準備したものを出すだけなのに、憐れなくらいてんてこ舞いになった。

「落ち着け」薫子は言った。「今日は仕込めたから楽だけど、明日からはそうはいかねえぞ。このくらいで泡食ってんじゃねえ」

「はい」肇らは返事をするだけで精一杯だった。

前菜の配膳が終わると、今度はフロアが崩れた。

お客様に「この食材は何？」と訊かれて窮したり、アレルギーの件で質問を受けて困ったり。素人ウエイター・ウエイトレスは惨憺（さんたん）たる状況に陥った。もっとも、どの客も「学生だから」「オープンだから」と、かなり温かい目で見てくれたので、大きなクレームにはならなかった。奥の方に市長と香椎の席があった。二人はゼミ生を見て苦笑していたが、それが余計にゼミ生を狼狽させた。

夕はこの状況をディッシュアップから眺めていた。

「マニュアルも大事だけど、それ以前に、お客さんとコミュニケーションをとる時の焦りを取り除く必要があるわ」

すると、脇で兵太が、

「そりゃ場数を踏むしかない。まあ、変に慣れるとそれはそれでまずくなるが」

「じゃあどうすればいいの？」

「今日は今日を乗り切ろう。後のことはまた後だ。――おい、ほら、見ろ。厨房で肇がソースをひっくりかえしたぞ。いまに薫子さんの雷が落ちる」

厨房は、まるで見えない敵と戦うように、料理課同士でぶつかったり、皿が足りずに洗い出したり――洗い始めたら料理課全員が洗い場に詰めてキッチン不在になったり――、見事な混乱ぶりだった。ところが薫子はゼミ生の粗相に声を荒げることは無かった。お客の手前を気にし、混乱を余計に深めないためである。

「肇は皿をじゃんじゃん洗え」薫子は一つところに立ち、矢継ぎ早に指示を出した。「お前とお前はスープにかかれ。お前はドレッシングを作り足せ。おい、兵太。突っ立ってんなら、スーパーで水菜を買ってこい。あるったけだ」

「俺、料理課じゃないよ！」兵太は目をしばたかせた。

「水菜が足りないのは食材管理課の責任だろ。無ければホウレンソウか小松菜でいい、さっさと行ってこい！」

兵太はピューッと駆け出していった。

「つたく」薫子は料理課を振り返ってぼやいた。

「料理の特訓の前に、優先順位別の動線を決めておくべきだった。まさかこんなに捌(さば)けない連中だったとは。頭の悪い奴ばっかだ。大学で何を勉強してるんだ？」

　初日は午後三時でクローズだった。時間いっぱいまで満席で、キッチンもフロアも混迷の限りを尽くした。最後の客が帰った時、厨房は床も壁も食材やソースで汚れ、フロアには呆然としたスタッフが立ち尽くしていた。全員虚脱している。店舗の清掃と明日の準備を終え、レジのクローズが終わったのは午後七時過ぎで、全員が客席に着いて初の「ふりかえり」を行う頃には、みなくたびれていた。特に料理課は、頬杖をつかないと頭をまっすぐにしていられないほどぐったりしていた。

この日、ジビンカはお客様アンケートをとっていた。回収は百パーセントで、全客が回答してくれた。乙成は結果を集計し、「ふりかえり」で結果を発表した。

「皆さんお疲れさまでした」乙成の声にも疲労が色濃かった。「アンケートの結果ですが……喜んでください。五段階評価の平均は四・八で、『もう一度来たい』は百パーセントです」

ゼミ生らは「おおお」とどよめき、パラパラと拍手をした。

ところが、

「そんなのご祝儀に決まってるだろ！」

薫子が声を上げた。

これまで彼女がゼミ生の集まりで発言したことは、乞われない限り一度もなかった。彼女は学生では無いので自分で線を引いていたのである。その彼女が口を開くとは余程のこと――ゼミ生らは彼女が何を言うか、息を呑んだ。

「今夜はもうひと仕事するぞ」薫子は張り詰めた沈黙を破り、苦々しい目を料理課に向けた。「これから調理動線の再チェックをする。細かい担当割りも決める。あと、食材管理課――おい兵太、食材が明日の分まで食い込んだろ？」

兵太はうなずいた。「どうしてだろう、今日は予約だけだったから、狂うはずはないのに」

「ポーションが崩れたんだよ。一人当たりの分量が提供ごとにだんだん多くなってた。レシピがねえからこういうことになるんだ」

「……すみません」

乙成が消え入りそうな声で詫びた。薫子は彼女に目を向け、

「もう済んだこった。今日一日グズグズだったけど、客にはバレてない。また明日から頑張ればいい。なあ、肇」

薫子は隣の肇の背中をバンと叩いた。

「はいっ」肇は咳き込んで返事した。


このようにジビンカは、内に様々な課題を抱えながら、それを表に知られることなく、すこぶる華々しい船出を成功させた。テレビも新聞も派手に書きたてた。お陰で翌日もその翌日も、行列・満員・延長となった。

ゼミ生らは毎日忙殺された。何だかんだいって授業は現場だ――ゼミ生らは痛感した。今まで頭の中でこねくり回していたコンセプトなるものが、いかに意味上のものに過ぎない

か――身体の疲れと気疲れのために――、彼らの意思は安易な方向に傾きかけた。しかし、ここで乙成と夕は見事にタガを締めた。彼女らは店舗営業の朝礼終礼、ゼミの集まりで、口を酸っぱくしてコンセプトを繰り返し、唱和すら求めた。こうしてジビンカは、コンセプトにぶれを生じさせることなく、理想の方向へと導かれていった。

ジビンカのオープン景気は、マスコミの力もあって、力強く長々と続いた。店休の月・金曜以外、店を開ければ連日満席である。当初は課ごとのシフト制を採用していたが、忙しさのあまり、しばらくは全員フル出勤となった。

とにかく客が多く、食材はみるみる減った。猟友会も野菜農家も、毎日のように何かしら運んできた。それでも不足すると、野菜は商店街で買い足した。ジビエ肉は簡単には補充できないし、まさか一般に売られている牛豚鶏を使うわけにもいかない。しかしそこは薫子、料理の知恵者である。オープン半月で半ば看板メニュー化した「煮込みジビエシチュー」は、ジビエが野菜と一緒にどろどろに溶けるまで煮込まれていたので、一皿当たりの肉量はかなり少ないにしても、名目上ジビエ料理が完全に品切れになることは無かった。

そうして迎えた初の月末。ジビンカは想定していた三倍以上の売上を計上した。経理の谷川は何度も電卓を弾いて確かめ算をした。会計士は帳簿を見て驚嘆した。

「普通の飲食店のオープンと何も変わらない！　席数割りするとむしろ大成功の部類だよ！」

初月の売上でゼミ生の立て替え金ならびに報酬が支払われた。この事業は大学生が独自運営する雇用関係の無い「有償ボランティア」で、報酬といってもスズメの涙ほどだった。それでもゼミ生の中の何人かにとっては、生まれて初めて得た「働いてもらったお金」で、その感激たるやひとしおであった。

薫子には給与のほか、大入りが払われた。

「いいのか、こんなにもらって」

彼女は申し訳なさそうに受け取った（給与は手渡しだ）。

「いいも何も、薫子さんあってのジビンカですから」乙成は笑顔で言った。「支給額は、香椎先生や会計士、商店街、あらゆる関係者が決めました。みなさん感謝されていましたよ」

「しかし、初任給にしても馬鹿に高い気がする」

「今のうちに、これから先の迷惑料をお支払いしておくってことで、お納めください」

薫子は顔をほころばせると、

「ありがとう。これからも頑張るよ。厳しいことも言うかもしれないけど、よろしくな」

そう言って、下げた頭を長々と上げなかった。

この時彼女は涙を浮かべていた。これまでどこにも拾われなかった彼女は、ようやく自分の居場所を見つけたような気がした。嬉しさがこみ上げる。だが、この涙を他人に見せてはいけない――戦いは始まったばかり、情は禁物――。
　彼女は下唇をキュッと噛んだ。

「さすがにこんなに受け取れんよ！」

　初月の報酬額を知った猟友会会長は目を丸くした。

　会長の自宅へ支払いに伺ったのは乙成と勝田と夕。約束の売上一割は、三十万円近くにのぼった。

「お願いです、受け取ってください」乙成は頭を下げた。

「しかし私らは――」

「お約束ですし、もうこんなにお渡しできることも無いかもしれませんから」

　会長は轡さんの言葉を思い出し、

「じゃあ、ありがたく頂戴するよ」

　差し出された封筒を両手で受け取った。そして、この金はメンバーでキチンと分配することを約束した。

　ゼミ生らは会長にオープン時の慌てふためいた様子を話した。会長はまるで自分の店の話を聞くように大喜びし、

「そうかそうか、大変だったな。私らも、肉以外にも何かと協力するから、遠慮なく言っておくれ」

身体を揺すって笑った。

Chapter 12

次の一手は……

十二月になり、ジビンカは相変わらず押し寄せるような繁盛を続けていたが、ゼミ生らは仕事にも忙しさにも慣れ、フロアには笑顔が、厨房には冷静さが見られるようになっていた。

オープンウィークは十二時から十五時までのランチ限定営業だった。それ以降は当初の計画どおり月金定休（ゼミのため）、十一時半から十五時のランチ営業、十八時から二十一時のディナー営業の昼夜制をとった。この方がシフトを組みやすいし、朝の仕込み作業が軽くなる。ゼミ生らは、ランチシフトの場合、一限目が終了して落ち着いた十一時頃に業務に就き、ディナーシフトの場合、十七時に入りラストの片付けまで行う。遅くとも二十二時には全てが終了する。終電の関係で先抜けする者は、終礼にあたる「ふりかえり」に参加できないが、それぞれ日報をつけるので、全ての情報は共有された。

唯一社会人でフル勤務の薫子は、十時前に厨房に入り、休憩を挟んでラストまで働く。彼女の仕事量は膨大である。何しろ彼女がいなければ店を開けることができない。ゼミは薫子に「早急に料理人をもう一人探す」と伝えた。薫子は承諾したが、どこか淡々としていた。彼女はすでに、ジビンカの厨房が自分の居場所であるという意識を強く持っており、途中から見ず知らずの料理人が入ってくるのが不快だった。しかし、労働時間や報酬などの制度面、慶弔・病欠などを考えると、もう一人必要なのは明らかで、薫子もゼミの意向に従わないわけにはいかなかった。


年の瀬も押し迫った十二月二十四日。

その日、ジビンカの門は閉ざされ、一枚の紙が掲示されていた。

【本日休業】

近隣の人々はこの貼り紙を見て微笑んだ。

「クリスマスだもんねえ」

「学生さんは青春を謳歌する時だよ」

昼下がりに前を通った口の悪い男子学生らは、

「そらそうよ。一体どこの誰が、イブに働きたいもんか」

「まったくだ」あははと笑い声。

だが、

「おい。店の中から物音が聞こえないか?」

耳を澄ます――確かに音がする。

「クリスマスは平等じゃないからな」誰かが呟いた。「独り身の淋しい奴は、今日も出勤して、客の無い店で営業する夢を見ているんだよ」

「まるで社畜だな」

ドッと笑い声。

「うるせえ、畜生」

ジビンカの厨房で表の声を聞いていた肇は舌打ちした。濡れたおしぼりをのせた小さなフライパンを五徳の上に置き、壁時計を見上げる。午後一時を回ったところだ。

――ったく、みんな舐めてやがる。

肇は、つい二週間ほど前――ジビンカのクリスマス休業が決まった日のことを思い出した。

その晩、営業終わりの「ふりかえり」で、誰かが「クリスマス休業」を唱えた。すると勝田と進藤が賛成した。肇ら料理課は血の気が引いた。そんな軟弱なことを言っていたら、薫子が黙っちゃいないだろう。

しかし、

「そいつはいい」薫子は笑みを浮かべた。「私も長々カレシに会ってないからさ」

料理課は驚いた。予想外の答えと、気性の激しい薫子とまともに付き合える男がいることに！

「じゃあ決定！」

勝田の声に拍手が起きた。

そんな中、肇だけブスッとして拍手をしなかった。

──俺らはまだヒヨッコだぞ？　休んでいられる身分か？

肇はみなの浮っついた態度に反感を覚えた。店は確かに繁盛している、でもまだオープンしたばかり。できていないこともたくさんある。みんなこれで満足しているのか？　もっと良くなろうとは思わないのか？　それに俺は料理の技術を上達させたい。いつか自分の店を持つために──。

「休むのはどうかと思うぜ」肇はフロア中に響く声で言った。「それに、休業は自由じゃないだろ。この店は市の補助金でやってるんだ。そう簡単に休めるもんか」

「確かにそうだな」勝田が言った。「明日確認してみるよ」

「ダメに決まってら」

翌朝、勝田から全員に一斉メールが届いた。

【各方面の許可が出て、クリスマス休業が決定しました】

その日、肇が苦い顔をしてゼミに出ると、みなうきうきして予定を述べあっていた。

「クリスマスライブに行くの」

「俺、カノジョと旅行に」

「サークルの合宿でさあ」

肇はスーッと息を吸いこみ、

「みんな、俺はクリスマス、朝から店で料理の練習をするけど、来たい奴は来いよな！」

そして当日。

ジビンカに来たのは肇一人だけだった。

昼を過ぎても誰も来ない。腹が減ったが、誰か来たらいけないので、外出できない。空腹が胃の底に沁みて、苛立ちはますます募る。

それに、店に食材が無いので練習のしようがない。さっきから何度、濡れおしぼりでオムレツをつくったことか。

時計の長針が二時を指そうとしていた。

「あーあ、帰るかな」肇は長々と伸びて欠伸をした。

南向きの店内は陽射しを受けて暖かく、眠気を誘う。

ふいにカウンターに置いていた携帯電話が音を立てた。ディスプレイを見る。勝田である。

「なんの用だ」肇は電話に出るなりぶっきらぼうに言った。

「そう邪険にするなよ」勝田は面食らったようだ。「実は相談があって。電話もなんだから、今から会えないかな」

「お前、もしかしてクリスマスぼっちか」肇は冷ややかに言った。「まあ、わざわざ連絡してくるなんて珍しいから、忙しいけど聞いてやらんでもない」

「偉ぶってやがら」勝田は少し笑った。「俺、いま大学の側なんだ。そっちは？」

「ジビンカにいる」

「おお、料理特訓か。熱心だな。他にも誰か来てるのか？」

「誰も」

「お前だって独りぼっちじゃないか」

「うるせえ。用があるならさっさと来い」

肇は電話を切った。強がりながら顔が少しほころんだ。人から相談を受ける——それだけで彼の自意識は心地よく撫でられた感じがするのだった。

それにしても、何の相談だろう？

学業か、恋愛か。

正直なところ、肇と勝田は仲が良いわけでは無い。勝田と料理課との間では冷戦状態が続いていた。ジビンカにメニューもレシピも無いことが決まって以来、ずっとギクシャクしたままである。しかし、肇の見る限り、勝田は勝田なりに一生懸命で、しかも彼の行動力や判断力はなかなかのものに思われた。

その優秀な勝田が、俺に相談とは——。

肇の好奇心と自意識が高まらないわけが無い。

十五分ほど経過した。

戸口で音がして、肇は勝田がやってきたことを知った。廊下を踏みしめる足音が聞こえてくる。複数人の音である。

——一人じゃないのか？

「いよお、シェフ、お疲れ」

勝田が皮肉な笑みをたたえてフロアに入ってきた。彼の後ろから入ってきたのは海老原夕だった。

「表、鍵かけときなさいよ」

「わりぃ」肇は頭を掻いた。

——なにこれ？　この二人、何で一緒？

肇は平静を装いつつ、内心では軽く衝撃を受けた。

勝田と夕はカウンターに程近いテーブル席に並んで掛けた。その様子はいかにも自然で、どちらが勧めるともなく、左右すら元々決まっているかのようにスムーズだった。

この「お揃い感」はなんなのか。

——察しろよ、俺！　今日はクリスマスじゃないか！

肇は唾を飲んだ。同時に彼の脳は一瞬にして二人のオリジナル「なれそめ」ストーリーを練り上げた。勝田と夕は、ジビンカの実務の中心的存在で、いつも一緒にいることが多い。その結果、お互いをよく知るようになり、次第に相手のことが気になるようになったのではないか。そしてクリスマスのこの日、どちらかがどちらかに、ある種の萌えるような決意を述べ……。

——もしや、相談って。

肇は頭を振った。

——別にいいではないか、二人の恋愛相談でも！　俺には関係ないし、せいぜい祝福してやればいいじゃないか！

「突っ立ってないで、さっさと座りなさいよ」

夕は肇に言った。肇は言われるままに夕の対面の椅子を引き、思い直して勝田の前の椅子に移り、腰を下ろした。そうして正面の男に尋ねた。

「相談ってなんだ？」

「ああ、うん」勝田は夕を見た。夕は厳しい表情でうなずくと、伏し目がちになり、何かを言いかけて口を噤んだ。肇は重たい唾を飲んで言葉を待った。しばらくして、

「実は、ジビンカの件でお願いがあるの」

「へ？」肇は目をキョトンとさせた。「ジビンカ？」

「役職のことよ」

「肇、副代表をやってくれないか？」勝田が言った。

「はぁ？」

夕は自身の胸の内を話しはじめた。

「肇も分かっているでしょう？　オープン前から料理課と代表・副代表・他課の関係がうまくいっていないって。今はまだ黙っていてもお客様が来てくれるからいいけど、これから先を考えたら、やっぱり私たちは一丸となっている必要があると思うの」

「料理課の肇が中心メンバーに入ってくれれば、この問題は解決すると思う。頼むよ」勝田は手を合わせて肇を拝んだ。

「ううむ」肇はゆっくりと腕組みした。

彼は一見真剣に考えているように見えて、実は全くの「ふり」だった。頭の中では二人への憶測が嵐のように吹き荒れ、思考はままならず、急に浮上した副代表の話も、いまいち頭に

入ってこなかった。

　それでも肇は、何とか言葉を返した。

「副代表は、お前という存在が、すでにいるじゃないか。わずか数カ月で代わるのか？」

「これから先を考えたら、早めに代えた方がいいと思う」

「勝田、お前はどうするんだ」

「俺は一番人手が必要な部署に移るよ」

「それは駄目よ」夕が口を挟んだ。「さっき言ったでしょう？　勝田君は副代表としてすでに仕入先や商店街と絡みがある。それに、副代表は別に二人いてもいいじゃない」

「けど、それじゃ肇は」勝田は肇に目を遣った。

　肇はしばらく考え、

「その話、断るよ」

「待って」夕は何かを言いかけた。

　だが、

「俺にも言わせてくれ」肇は押しのけた。「代表に乙成を選ぶ時、みんなして俺のことをどう扱った？　忘れたとは言わせないぞ。それに、俺が副代表になったら乙成がどう思うか。俺は和解したつもりでいるけど、あいつはどう思っているか分からない。他にも、俺のことを快く思っていない奴はいるだろう。そんな状態で俺は立てないよ」

　勝田と夕はしばらく黙っていたが、

「いちいちもっともだ」勝田が口を開いた。「代表選びの時は、正直悪かった。あの時は、どうかしてたんだ。でも、今の問題を解決するには、お前が料理課所属で中心メンバーに入って、料理課と全体の絆になるしかない」

「入ってくれれば、詩織やその他の人が何と言おうと、私たちが守るわ」夕はハッキリとそう言った。

　──「私たち」だと……？

　肇の心はまたしても本題と別のことにかすめ取られた。

　──この二人はカップルにとって大事なクリスマスを犠牲にしてまで、副代表に俺を加えようと、頭を下げに来たのだ。確かに、俺としても、料理課の問題は気になっていたし、経営に意見したいと思うこともある。悪い話ではない。そんなことより、この二人の志の高さ──俺がクリスマスに独りで料理の練習をしてたのと同じくらい、こいつらもジビンカに一生懸命なんだ──。

「ま、ほかならぬキミたちの願いだ」

　肇は硬化した態度を一変させた。

「以前のことを水に流して、考えてみないでもない」

「ほんとう？」

「やってくれるか？」

「もっとも、俺は料理課だ」肇は厳かに言った。「一応薫子さんからは『ゼミ生筆頭』と呼ばれている。俺に課せられた厨房業務は重い。副代表として動きまくれるかと言われたら、保証はできない」

「構わない」勝田は早口で答えた。「お前が名を連ねてくれたらそれでいい。お前は『ミスター・ジビンカ』なんだから」

「担ぐようなことを言うのはよせ。とにかく、形だけ、名前だけってなら、副代表に名を連ねてもいいぞ。キミたち二人の顔を立ててな――二人の！」

「ありがとう！」

夕は胸の前で指を組み合わせ、祈るように肇を見た。

肇は彼女から目を逸らし、勝田に目を向けた。勝田の嬉しそうな表情はしゃくだったが、忌々しさを唾に変え、ゴックリと飲み干した。

翌日、月曜日のゼミで、肇の副代表就任が提案され、全員一致で可決した。ゼミ生らはパラパラと拍手した。肇は表面上笑顔で応えたが、忌々しく思った。

——どうせみんな、あらかじめ吹き込まれていたんだろ。

正面に勝田と夕が並んで座っている。二人とも満面の笑みだ。その隣に乙成がいるが、彼女もまた満足そうである。

ジビンカの年内の営業は十二月二十八日までだった。クリスマスから三日間、肇はミスを連発し、薫子に叱られっぱなしだった。

「なんだてめえ、やる気があんのか」

「すみません」肇は何度も頭を下げた。「何しろ最近『副代表』にさせられてしまって」

「それで忙しくってミスが増えたってのか」薫子は口角を歪めた。「嘘をつけ。勝田に聞いたら、お前の副代表は名前だけで、特別な仕事なんて何もねえって言ってたぞ」

「くそッ、あいつ」

「今なんつった」薫子は肇にグッと顔を近寄せた。薫子の首筋に見たことの無いネックレスが光った。

「なんでも……ありません」

「どうせ女のことでも考えてたんだろ？　仕事もちゃんとできねえ奴に、女がよりつくもんか」

肇は言葉に詰まった。薫子はそれを見るなり、

「なんだ？　図星か？　さしずめ海老原あたりに気があるんだろ？」

「とんでもない！」

肇は大袈裟に手を振って否定した。が、言いあてられると弱い性格が裏目に出て、耳の端まで真っ赤になった。

「分かりやすく照れてんじゃねえよ。ガキめ」薫子は肇の背中を思いっきり平手で叩いた。

「もうミスするんじゃねえぞ。次やったら、いまの真っ赤になったこと、みんなに言いふらすぞ」

§

年が明けてもジビンカの客入りに変化は無かった。オープン景気はすでに収束していたが、ジビンカと商店街がしっかり手を組み、有効な集客施策を打っていたので、周辺地域の盛り上がりは維持されていた。共催で年末大抽選会、公園フリーマーケットなど、地域貢献と販促を兼ねたイベントが、少なくとも月に一、二回は行われていた。

ジビンカの盛り上がりは商店街の周辺にまで波及した。ジビンカを目的に来た人々は、つい

でに商店街で買い物をした。取材に来たマスコミはジビンカの情報と併せて商店街や周辺店舗を好意的に紹介した。それを見た店舗は我先にと鎧戸を開き、レストラン開店前には閉じていた全ての近隣店舗が再開した。シャッター店舗が開いたことで、商店街は集客力をさらに高め、より活況を呈した。まさに【ジビンカ効果】である。

多くの市民がテレビ・新聞等でこの状況を知り、こう確信した。

「ジビンカは大成功だ」

「商店街は復活した」

しかし、当の商店街の店主らや近隣住民は、違う視点を持っていた。

「まあ、このへんがピークでしょう」

「イベントもマンネリ化してきたし」

「学生さんたちはよく頑張ってくれた。いい夢を見せてもらった」

地元記者の今津豊も、長らくこの地域を観察してきた一人である。彼はマスコミの身で堂々と「ジビンカびいき」を公言していたが、現実的な見解を述べるとすれば、非情な経験則を持ち出さざるを得なかった。

「あの商店街、新しい店ができるといつも少しだけ客足が増えるんです。けれども、とあるタイミングを境に、ぐーっと落ち込むんですよ。確かに、今回のは今までに例のない規模でした。

でも、この商店街はいつだってそうなんです」

今津は、市役所で行われた市長定例記者会見の際、控室に居合わせた香椎にそう言った。

「まもなくそのタイミングが訪れようとしています。先生、ジビンカが本物かどうか、真価を問われる時ですよ」

「全くもって、仰るとおりです」

香椎は今津の忠告を受け入れ、ゼミ生らに「来たるタイミング」への対策を練るように指示した。

ゼミ生らはいろいろなアイデアを出し合った。季節メニューを開発する、店内デザインを変える、カップルシートを設ける、和服デー（和服の来店で割引やサービス）を制定する——。

しかしこれらは、予算が掛かり過ぎたり、定着に時間が掛かりそうだったりで、全て没になった。ゼミ生らは実地の企画運営にすっかり慣れっこになっていて、成果がすぐに出ない長期的な企画より、即効性のある企画を求めるようになっていた。

「やっぱイベント開催が一番だ。打上花火には人が集まるよ」

肇の言葉にみな同感だった。突発イベントは効果が見えやすいし、商店街とコラボすれば負担軽減できる。共催すれば市やマスコミは好意的に扱ってくれる。

ゼミ生らは新しいイベントのプランを考え始めた。夕の口から目新しいアイデアが発せられた。

「ジビエ解体ショーってどうかしら？」彼女は嬉々として言った。「マグロの解体ショーってあるでしょ？　それと同じようにジビエの解体をするの。場所はここか、商店街の広場。猟友会のみなさんを招いて実演してもらうの。その他、お世話になってる猟師さんを紹介したり、ジビエについて啓蒙したり。これ、どうかしら？」

他に目立った意見も無かったので、みな賛成した。

夕は乙成とともに一綴りの企画書を仕上げ、ゼミ生全員と香椎に回覧した。その後、市役所と商店街に届けた。商店街は事前にアドバイスをもらっていたので問題はなさそうだったが、市役所は保健所等々の手続きがあり不安があった。

だが、送付の翌日には「採択」の知らせが届いた。

「大成功だ！」勝田は夕をねぎらった。「じゃあいつものとおり、マスコミ向けのニュースリリースもお願いするよ」

ニュースリリースの作成は営業広報の業務で、これもまた夕の管轄である。

「もちろん、まかせて」ご機嫌な夕はウインクで応えた。

――ちっ。仲良くやってやがる。

肇のひがみをよそに、夕はあっという間に資料を整え、県と市の記者クラブに送り届けた。

「きっとたくさん問い合わせがあるわよ」夕には自信がみなぎっていた。「詩織はジビンカのメールをチェックしてね。勝田君は電話対応よ」

しかし、ニュースリリースを発信して二日が経ち、三日が経ち、五日経ったが、どこからも何の反応も無かった。

ついこの間まで、ジビンカがひとたび情報を流すと、報道機関は一斉に連絡をしてきた。地元の新聞社などはアポなしで店舗にやってきたものだ。それが手の平を返したように静まり返っている。

「私、連絡先を間違えたかしら」

夕はマスコミ数社に直接電話連絡を入れてみた。最初に掛けた地元ケーブルテレビは、「イベントの件なら、承知しています」と、リリースが届いていることは認めた。だが、関心の薄い様子で「予定日にクルーが空いていたら伺いますんで」と、適当にはぐらかされた。

その他数社に連絡しても、どこも頼りない感触。はっきりと取材を申し出てきたところはゼロだった。

「一体みんなどうしたのかしら？」

夕は悩んだ挙げ句、今津豊に電話してみた。

彼なら、マスコミの心変わりの原因を教えてくれるかもしれない。

「そのニュースリリースなら、ぼくも読んだよ」

今津は淡々と言った。夕は各社の反応の薄さを伝え、どうしてこうなのかと尋ねた。今津はフランクに答えた。

「マスコミ側としたら、鮮度が落ちてきたと思ってるかな。つまり、今までは新規開店だとか、学生主体だとか、ニュース性があった。他社が報じるのに自分たちが報じないわけにいかないから、横一列で押し寄せた。でも、ブームが終わって情報ニーズがなくなると、他社がいかないならウチもいかない、ってことになる」

「つまり私たちは、飽きられた、と」

「そうは言いたくないけどさ」今津は笑った。「どんなことでも時間が経って話題性が無くなるのは避けられないよ。あと、一般の目から見たジビンカの売りは『学生さんが頑張ってる』ってことであって、珍奇なイベントとか、ジビエの美味しいお店だとか、山賊風デザインとか、そういうことじゃない。イベントを乱発しても、関心にフィットしなければ盛り上がらないよ」

夕は痛いところを突かれた気がした。

「キミたちはもっとマスコミが取材したくなるようなニュースリリースを作るべきだ。例えば、今回のニュースリリースは、『何月何日、ジビエ解体ショーをやります』というタイトルと、日時場所など詳細情報、会場の見取り図が書いてあるけど、これじゃ単なる案内だね。我々マスコミとしては、この程度のものを寄こされるようじゃ、『呼べば簡単に来る』と思われているようで、あんまり気分が良くない」

「すみません」夕は詫びた。「今まではそれでお越しいただいていたので」

「ニュースリリースには、少なくともイベントの趣旨を記すべきだ。キミたちは香椎先生のゼミやジビンカの企画でコンセプトの大切さを学んだんだろう？　それならどうして、イベントにもコンセプトを持たせようとしないんだい？」

「なるほど……」夕は目の覚める思いがした。

——私たちは学生というだけで、だいぶ優遇されていたんだ。本当なら、まず自分たちがジビエについて勉強し、イベントを通じて誰に何を伝えたいのか、このイベントが社会的にどのような意味をもたらすのか——そこまで考えなければならない。そして、それをちゃんと言葉で説明できなければならない——。

オープンで忙殺され、大事なことを見失っていた。

「私たち、もう一度考え直してみます」

「楽しみにしてるよ」

夕はこのやりとりをゼミ生に話した。全員大いに納得し、多少時間が掛かってもイベントの趣旨を明確にしようと、企画を練り直すことにした。それらは香椎にも報告された。

「今津さん、ウチのゼミ生がいろいろ教わったそうで、ありがとうございました」

後日、香椎は電話で礼を述べた。

「いえいえ、マスコミの分際で出過ぎた真似でしたかね」

今津はねばっこく笑った。

「ところで香椎先生、あなたにまつわる噂を小耳に挟んだんですが」

「噂？」

「そう、先生、あなたは次の」

「おっと、待って」香椎は制した。「ゼミ生へのレクチャーは、私への裏取り料ですか？」

「そういうわけでは――へへ」

「どうせ友田さんが漏らしたんでしょう？」香椎はため息をついた。「まったく、あの人は」

「で、どうなんです？」

香椎はしばらく考え、

「友田さんは議会とうまくいっていない。だから私に力を貸してくれるようにおっしゃいました。それだけです。なんら具体的な話ではありません。というより、現に私はいろいろと力を貸してるつもりなんですがね」

「じゃあ市議に、というのは」

「ゼミ生をほったらかしにはできませんよ」

「なあんだ。はは」今津は笑った。「そりゃ、そうですよね」

「それくらい分かるでしょ」香椎も笑った。

今津は笑いながら、香椎が明確に否定しなかったことを頭に留めておいた。

§

梅が終わり桜が咲きはじめると、世間は春らしい暖かさに包まれていった。

春休み中の三月下旬、都会の有名エリート大学の学生が十名ほど、バスに乗ってジビンカの見学にやってきた。時刻はランチ営業が終わった夕方の仕込み時間。フロアでは片付けが、厨房ではディナーの仕込みが続いている中、乙成と夕が店内を案内した。

エリート学生は切れ者揃いらしく、鋭い視線で店内を舐めまわすように見た。そして、甲高く気障りな口調で矢継ぎ早に質問した。

「ショップコンセプトはどんな理論を下敷きにしたんですか」

「衛生関連の法規は専門家の指導を受けたのですか」

「ジビエの味付けや保存はどうやって学んだのですか」

夕と乙成はたじたじになりながら、何とか質問に答えていった。エリート学生らはピリッとした表情のままメモをとり、すぐに次の質問にかかるという具合だった。

「嫌な奴らだ」肇は厨房からその様子を見て呟いた。「香椎先生の頼みじゃなかったら、絶対に受け入れなかった」

「おい肇」薫子が言った。「昼のジビエシチューが残ってる。あいつらが帰る前に、ちょっとだけ振る舞ってやろうか。きっとびっくりするぜ。理屈じゃねえって分かるよ」

「そいつは面白い。やりましょう」

肇はニヤリとして人数分の小鉢を取り揃えた。

やがて、エリート学生らはばらばらになり、自分の見たいところを好き勝手に見て回った。庭に出る者、厨房を覗き込む者。トイレや洗い場、更衣室まで視察した。その時々に、彼らは何かしら棘のある感想を呟くのだった。

「清掃チェックのリストが無いな」

「フロアの動線はいいけど、座ると目線が低くなりすぎる」

「色彩は心理学を取り入れるべきだ」

厨房を覗き込んだ者は、薫子と肇のムスッとした顔を見てすぐに首をひっこめた。そして小さな声で「感じ悪ぅ」と言った。肇はとっさに薫子の手首を掴み、彼女が飛び出そうとするのを引き止めた。

最後に、エリート学生らは再びフロアに集った。彼らの顔には一様に物足りなさと半笑いが浮かんでいた。

「最後に訊きますが」エリートのリーダー格が乙成に尋ねた。「このお店の３Ｐについて教えてください」

「へ？　３Ｐ？」乙成は夕を見た。夕は目をぱちくりさせている。次いで勝田を見た。勝田は目を逸らした。

「やっぱり」リーダー格は憚ることなく失笑した。「や、結構です。どうもありがとう」

彼らはぞろぞろと玄関口に向かった。そして聞こえよがしに、

「よくもまあ知識もないのに店を出したな」

「連日盛況なんて、このへんに他に店がないだけだろ」

「メニューが無いのがウリなんて。味はウリじゃないんだな」

肇がシチューを出そうとすると、薫子が般若の形相で止めた。

悪口は続く。

「あんまり参考にならなかったなあ」

「言っちゃ悪いけど、ヒナビじゃこれが限界だろう」

「所詮Fラン大学だぜ。期待する方がおかしい」

今度は薫子が肇を止めた。


その晩、「ふりかえり」の時に珍しく香椎が顔を出した。香椎は有名大学の視察の模様を聞いて口をへの字にした。

「俺、薫子さんがいなかったら、あいつら全員ぶっとばしてましたよ」

肇は握り拳を握って訴えた。

「確かにムカつく奴らだったわ。でも」夕は目を細め、寂しげに言った。「私たちが理論を知らなさすぎるのは事実だと思う。知っていれば、いろいろ違うのかもしれない。例えばこの間のイベント企画も」

「そうかもしれません」乙成は軽くうなずいた。「私、今日は自分が何にも知らないんだってこと、思い知らされました」

そして香椎に目を向け、

「今日の人たち、３Ｐということを言っていたんですが、それってなんですか？」

香椎は少し考え、

「話の流れから察するに、プロダクト（製品）・プライス（価格）・プレイス（立地）のことを言ったのでしょう。商品やサービスに魅力があるか、値段が妥当か、販売する立地はどうか。この三点を考慮して経営を行うことを、『3Pを重視する』という言い方をするのです」

夕は香椎にすがるような目を向けて言った。

「私たち、今までそういうことを漠然と感じながらやってきたけど、そんなふうに言葉で知ると、はっきりと理解できた気がします。先生、ゼミでそういうことをもっと教えてください」

他のゼミ生らも香椎に真剣な眼差しを注いでいる。

「そうだね」香椎はうなずいた。「これまでずっとゼミの時間を実務に費やしてきたから、少し理論に戻ってみようか」


春休みが明け、ゼミ生らは三年になった。香椎は約束どおり、ゼミの時間に経営理論のレクチャーを始めた。最初のうちは香椎が資料を配布して読み合うスタイルだったが、そのうちに商店街の店主を講師に招いたり、会計士や記者(今津豊)など、周辺視点の講義を設けたり、理論と実践の両方にわたる学びを行った。時には薫子も聴講した。

こうしてゼミ生らは、少しずつ経営理論の常道を身につけていった。彼らの学びが異常にスムーズだったのは、軽微ながら実務を体験していることと、くわえて、「もう馬鹿にされたくない」という一種の雛美大スピリットによるところが大きかった。

Chapter 13
インターンシップ

五月（さつき）晴れの雛美大キャンパスは、暖かな陽気に包まれて、どこか眠たげな、まったりとした空気が漂っていた。年度が変わってひと月。新歓ムード一色で賑やかだったキャンパスは、すっかりいつもの様子に戻っている。

社会一般の五月といえば、その「まったり」が「物憂げ」に変わり、人々の心を蝕む時候である。節目を経て、人は良くも悪くも心を削られる。五月病という症状である。

乙成が、五月病かもしれない――。

れっきとした社会人のそれとは意味を異にするが、ジビンカにもその兆候が見られた。

肇がその話を聞いたのは、ゴールデンウィークが明けた頃。とある晩のジビンカの帰り道、夕の口からだった。

「ほんとかよ、それ」

「たぶんね。他に説明がつかないわ」

肇はいまいち信じられなかった。

「五月病ってのは、多少慣れてきた社会人がかかるものだろ？　ジビンカはせいぜい半年じゃないか。慣れたとはいえない」

「じゃあ、あの鬱っぷりは一体なんなの？」

「俺が今度直接訊いてみるよ」

「あんたのそういうところが人を傷つけるのよ。人の心を素手でつかみとるようなこと、するもんじゃないわ」

「人間は、お互いに言ったり聞いたりしないと、分からないさ」

「肇は絶対結婚できないわね」

——ふん、勝手に勝田とよろしくやってろ。

喉まで出掛かった言葉を呑みこむ。

翌日、肇がゼミの教室に入ると、すでに大半の学生が集まっていた。乙成は最前列窓際の席に着き、うつむいてため息をついている。

——マジで沈んでるな。

肇は声を掛けようと真っ直ぐ近づいていった。すると、

「詩織、大丈夫？」

横合いから夕が滑りこみ先に尋ねた。

乙成は顔を上げて夕を見た。乙成の目には涙が溜まり、こぼれおちそうに光を溜めていた。

「私……」乙成は声を絞り出すように言った。「今日のゼミで、代表を降りようと思うんです」

「いきなりどうしたの？」夕の顔が強張った。「嫌なことでもあったの？　誰かに言われたの？」

「そんなことはありません」

「じゃあ何？」

「だって、だって……」

「聞こえたぞ」肇がぶっきらぼうに割り込んだ。「代表を降りるのは、もしかして俺が副代表になったからか」

乙成は頭を横に振った。

「違います。宝塚さんのせいじゃありません」

乙成は視線を落とし、ポツリポツリと言葉をこぼした。

「みなさんご承知のとおり、新年度が始まってから、ジビンカの業績がよくありません。みんなと企画を出しあって、いろいろやっていますが、効果が出ません。新聞社や商店街の方も、以前ほど目をかけてくれなくなりました。これらは全て、代表である私のいたらなさだと思うんです。全部私がいけないんです。私がしっかりしないから……」

乙成の頬を涙が伝った。

「おい、冗談言っちゃいけないぜ」肇は息を荒げた。「成績が落ちて人が構わなくなったのが、全部お前の責任だっていうのか？　ジビンカは何人でやってると思ってんだ？　全部が全部自分のせいだなんて傲慢すぎるぜ」

「肇は言葉が強すぎるわ。黙ってて」今度は夕がしゃべりだした。「詩織。売上が落ちてるのも、お客さんが減ってるのも、一人の責任じゃないわ。もちろん、詩織は代表よ。でもそれって、失敗の責任をとる代表ってことじゃなくて、みんなの意見をまとめ、舵をとる――そういう役職でしょ？　今の詩織には何の落ち度もないわ」

「そうは言っても、考えてみてください」乙成は訴えた。「私たちは学生だからそれですみますけど、これが社会に出てはじめたお店だったらどうです？　お店の不振が、仮に他の誰かや条件のせいだったとしても、不振は不振に変わりありません。それでお店が潰れちゃったら、何もかもおしまいなんです。その責任は、誰かが必ずとることになるんです」

「乙成、お前……」

肇は乙成の覚悟に胸の詰まる思いがした。

――こいつ、将来本気で店を出そうと考えている俺よりも、ずっと立派に覚悟を決めてやがる。

「分かった」肇は言った。「辞めるなら、辞めちまえ」

「ちょ、肇」

「そのかわり、乙成が辞めるんなら、俺も辞めるぜ」

乙成はキョトンとした。

「そらそうだろ。責任って意味で考えたら、俺ら料理課は乙成よりもはるかに重いぜ。料理屋の存在価値は、何はなくともまず料理だ。きっと不味いから客が離れたんだ。無理もない。薫子さん以外は素人がやってるんだからな」

「待ってください、宝塚さん」乙成は慌てて言った。「料理のせいじゃないです。料理は、お客様からいつも褒められますし、盛り付けもきれいだし。アンケートを見ると、再来店動機の一位は『味』です」

「そんなの何とでも書けるさ。面と向かって不味いと言う奴はいねえ」

「でも、責任が料理課にあるとは、私、全然思えません」

「じゃあ、俺も言う。責任が代表にあるとは、全然思えない」

乙成は言葉に詰まった。

「だいたい、店の不振の原因は、代表と料理課に限らねえよ。仕入れの食材が悪いとも言えるし、営業や宣伝が足りないとも言える。何とでも言えるんだよ。いずれにしても、『できないから辞める』ってのは違うだろ。うまくいかない時こそ、ふんばりどころだ。それを乗り越えて、お店は強くなっていく──俺はそう思うけどね」

「そうよ、詩織」夕は言った。「肇の言うとおりだわ。こういう時こそ、代表が全員を引き締めていかなきゃならないんじゃないかしら」

乙成は小さな唇をわなわなと震わせた。

「さあ、元気出して。詩織には、私もいれば、肇もいる。みんなついてる。一人で負わないで、みんなで頑張りましょう」

「──はい」

乙成の口から小さな返事が漏れた。細く消え入りそうだったが、芯のある声だった。彼女の目は、夕につられてほんの少し微笑みを浮かべた。

「ぶっちゃけ、あいつのああいうメソメソしたところが、代表に向いていないって思うんだ」

乙成を説得した日の晩、肇と夕はともに夜シフトだった。二人は乙成の話をしながら家路を歩いていた。

「でも俺、今では本当に乙成が代表でよかったと思ってるよ」

「どうして？」

「あいつ、いろいろとマメだろ」肇はうなじに両手を当て、反り身になった。「例えば、みんなが『料理だ』『接客だ』『仕入れだ』と、分かりやすい仕事に掛かりきりになってる時、あいつだけはちゃんと全体を見て、細かいところを見落とさない。これは素質だな」

「そのとおりよ」夕はニッコリした。「彼女は地味なところをしっかり押さえている。でもそれじゃ彼女の自意識はいつまでたっても満たされない。だからたまには光を当ててあげたいと思うの」

「そのへんは俺にはよく分からん。——ああ、乙成にはもう一ついいところがある」

「何？」

「泣き虫で弱っちいから、喧嘩する気にならないんだよ。気に入らないから引きずりおろそうとか、クーデターを起こそうとか、真剣に考えられない。あいつをいじめることは、社会に対する悪であるような、そんな気がしちゃうんだよな」

「それも分かる。人柄よね」

「俺、もしお前が代表だったら、さっさと独立して自分で店を出してたかもしれないな」

「わ、ひどい」夕は眉をひそめた。

「その方がお前だって都合がいいんじゃないか？」

つい口に出た。肇の頭の中には勝田の面影が浮かんでいた。

——いけね。

軽い冗談のつもりだった。

「それ、どういうこと？」夕は想像以上に恨めしげな目をして肇を見据えた。

「悪ィ。気にするな」肇は素直に謝った。

だがこの帰り道、夕が機嫌を取り戻すことはなかった。

§

六月。

絹のような雨がしとしとと何日も続いた。ジビンカ隣の公園のあじさいは、青紫の小花を無数に花開かせた。

ジビンカの来客数は、雨もあって低迷したままだった。ここ二カ月の売上推移をたどると、体感的には減少の一途だったが、数値上は横ばいで、一応黒字である。商店街との定期イベントと通常営業だけだとこのような状態に落ち着く——ゼミ生らは数値の意味をそう捉えた。

しかし、以前あれだけ忙しく、周りにちやほやされていたゼミ生らにとって、現状は物足りなく感じられた。同時に焦りも湧いてきた。このままボーッとしていたら、落ちるところまで落ちるだけ――。ゼミ生らは打開策を打つべく、たびたび話し合いをもった。しかし、長期プランは結果を待ちきれないし、新規企画だと前回のニュースリリースの失敗で尻込みしてしまう。

ゼミ生らがすっかり「お手上げ」となった頃、香椎がこんなことを言った。

「先日、地元高校の先生と会食した時、高校生がジビンカに関心を持っているという話を聞きました。そこでみなさん、高校生とコラボで何か考えてみてはどうでしょう？」

想像もしていなかった提案に、ゼミはざわついた。

「ジビンカに関心？」肇は茶々を入れた。「俺たち、結構テレビや新聞に出たからな。高校生どもがミーハーなだけなんじゃないですか」

香椎はニッコリし、

「そういう部分もあるでしょうけど、根本は違うようです。その先生がジビンカへの関心について生徒にアンケートをとったところ、将来起業したい人、料理の勉強をしたい人、企画業務に携わりたい人など、いろんな人がいるそうです。ある意味、ジビンカは近隣で一番それができているると、高校生には映っているんですね。

今、みなさんは、ジビンカの将来について悩んでいます。物事というのは、ずっと間近で取り組んでいると、全体が見えづらくなるものです。ここらで一度、商店街以外の外部とコラボして、違う視点からジビンカを見つめなおすというのはどうでしょう」

「いいと思います」乙成は答えた。「けれども、高校生の関心がそんなに多岐にわたっていたら、カバーできるかどうか」

「そうね」夕は言った。「高校生とコラボで料理イベントをやっても、料理に関心のある生徒にしか応えられないし……将来起業したいという人に、ジビンカが何を伝えられるかしら」

ゼミ生らは一様に顔をしかめて思案した。

そんな中、

「みんな何を悩んでんだよ」

肇一人だけが平然としていた。

「ははあ、さてはみんな、高校生の頃に親に甘えて暮らしてたんだろ。俺なんかこう見えて、親父が店をたたんだり、結構苦労をした。バイトデビューは高校一年だ。その頃から勤労少年だったんだぜ。

俺が思うに、高校生とのコラボは、何もイベントばかりじゃない。俺は高校生をジビンカに入れて働かせればいいと思う。職場体験ってやつさ」

「職場体験？」ゼミ生らは異口同音に言った。

「夏休みの間、高校生をジビンカでバイトさせるんだ。料理がやりたい奴は厨房担当、フロアならフロア、企画なら夕が預かればいい。それでいろんな関心に応えられる。高校生は職場体験ができた上に、小遣いが稼げる。人が増えれば俺たちも楽ができる。いいことづくめじゃないか。一石何鳥だか分からないよ」

香椎はうなずき、

「さすが宝塚君です。バイト……となると難しいですが、無償のインターンシップってことなら話ができます。大学・高校双方にメリットがあるし、インターンが話題になれば、今津君も食いつくと思います。この件は私がとりまとめて高校側に申し入れようと思いますが、みなさんどうですか？」

香椎の問いかけに、ゼミ生らは賛意を示した。

「じゃあ、決まりですね」香椎は笑顔を浮かべた。「それでは高校に打診してみます」

その後、インターンの話はとんとん拍子に進んでいった。高校生の参加希望者は二十人を超えた。さすがにそんなに受け入れられないので、ジビンカの中心メンバーが審査員となり選抜試験を催した。作文と面接の結果、五人の高校生が決定した。選考基準は得点だけでなく、それぞれの特技と関心に比重を置いた。企画立案やイラストの得意そうな子は営業広報課に、コミュニケーション力が高そうな子は食材管理課所属でフロア専用に、料理を学びたい子は料理課に――という具合である。ちなみに、選考時はオブザーバーとして香椎准教授・結城薫子も同席した。

決定者は後日招集され、最終確認が交わされた。インターン期間は高校の夏休みである八月の一カ月間。週のシフトと報酬を確認し、双方納得した。高校生のシフト入りは八月一日と決められた。

「よろしくお願いします！」

とりわけ元気な女子高生・遊佐もえが、はつらつと挨拶した。

五人のうち、主な三名は次のように配置された。

▪遊佐もえ（ゆさ・もえ）＝食品管理課／フロア担当
　おしゃべり大好き。以前から接客に興味があった。

▪島谷優里亜（しまや・ゆりあ）＝営業広報課／企画兼フロア担当
　好奇心旺盛。将来はブティックを開きたい。

▪田川満（たがわ・みちる）＝料理課／調理補助担当
　将来役立つスキルとして調理師免許取得を目指している。

他の二名（男1女1）はそれぞれフロア担当・企画担当になった。

最終確認の日、遊佐と島谷は積極的に大学生に近づき、十五分後にはすっかり打ち解けていた。夕は「お姉さん」と呼ばれてまんざらでもない様子。乙成も明るさに呑まれて笑顔をひきつらせていた。

ただ一人、料理課所属の田川満は、押し黙って椅子に座り、騒ぎ立てる同級生らを疎ましく見ていた。目つきが鋭く、近づきがたい雰囲気を醸している。

夕は肇に耳打ちした。

「あの田川って子、大丈夫なの？　いくら料理に興味があっても、コミュニケーションが取れなかったら仕事にならないわ」

肇は声を殺して答えた。「あいつ、薫子さんの見立てなんだ」

「それって、薫子さんの単なる同族意識じゃないの？」

「俺もそう思う。けど、まさか言えやしねえ。薫子さんに全部任せるしかないよ」

八月一日までの間、インターンらは、やることが何も無いわけでは無かった。フロア担当者は一日目から現場に出られるよう、店に来て接客用語を頭に詰め込み、挨拶の発声練習をした。といって、別段厳しいレッスンではなく、大学生たちと楽しみながら学んでいった。高校生たちは覚えがよく、次から次に吸収していく。三日もすると、立ち振る舞いや声の出し方は、ゼミ生と遜色なくなった。少なくとも、一番現場で鈍臭いとされる乙成よりは、高いパフォーマンスを発揮できるようになっていた。乙成は一見大人しいが、顔に似合わず負けず嫌いなところがある。夕は、乙成が物陰で歯を食いしばってくやしがっているのを見て、微笑ましく思った。

田川満は料理課所属で、他のインターンとはカリキュラムが異なった。彼は学校が引けると毎夕厨房に入り、結城薫子の訓練を受けた。薫子は田川を丁寧に教育した。それは肇らゼミ生の時と違い、情のこもった指導であった。

「薫子さん、ちょっと田川に甘くないっすか」

ある晩の営業中、肇はリンゴの皮を剝きながら尋ねた。その場には田川もいた。彼は調理台で不揃いなキュウリをほぼ等体積に乱切りしていた。

薫子はシチューをかき混ぜながら肇に目を遣り、

「お前は大学生だろ。高校生と同じつもりか？」

「そうじゃないっすけど、なんかこう、腑に落ちないんすよ！」

肇が悶々と答える間にも、田川のキュウリを刻む音が聞こえる。

その音は二人の会話をかき消すように大きくなった。

「ま、ぶっちゃけ言うとさ――アタシには分かるんだ。こいつ、どこにも行くとこがないんだよ」

包丁の音が止まった。

「コイツの目を見てピンときたよ。追い詰められてるなって。家にもガッコにも居場所が無い。たぶん悪友の二、三人はいるだろう。けれども根が大人しいから、人とつるむのも派手に遊ぶのも好きじゃない。いざ卒業前になり、将来に夢も希望も何も無くて、考えた挙げ句ジビンカのインターンに乗っかってみた……そうだろ？　満」

田川はすっかり固まって薫子を見ていた。

「返事をしろ、ボーヤ」

「はいっ」田川は包丁を置いて気を付けの姿勢をとった。「俺、幼い頃から独りぼっちで、かといってツッパルほどのキモもなく……。たまに社会人の先輩と悪ふざけしてお巡りの世話になることはあったけど、そんなのも全部飽きちゃって。夢も希望も無い中で、そろそろ将来を考える時が来て、俺、何になりたいのかなって考えたら、ふと、料理が浮かんだんです」

「どうしてまた」肇が尋ねた。

「一度、社会人の先輩と、どっかのキャンプ場でバーベキューをしたことがあるんすよ。その時、俺が味付けしたら、めちゃくちゃ『うまい、うまい』って喜ばれて。その時のことを思い出して、俺、料理ならやれるかなって思ったんです。へへ、安直っすよね」

薫子は田川の肩に手を置き、

「私とまったく同じだわ」

――ビンゴだよ。同族意識だ、こりゃ。

肇の脳裏に夕の顔が浮かんだ。

「つまりお前は、ただのインターンで来たんじゃないんだな？」

薫子は確かめるように訊いた。

「お前、ここに将来を見付けに来たんだろ？　生き甲斐を探しに来たんだろ？　死に場所を定めに来たんだろ？」

「死に場所って！」肇は声を上げた。

「はいっ。俺、ここで散ります！」田川は朗々と答えた。

「おい、ガキッ！」肇はたまらず口を開いた。「ヒトサマの大学のゼミで死なれてたまるかよ。薫子さんも、ガキをおだてるのはいい加減にしてください」

「何がいい加減だ。こいつは背水の陣を敷いて、ジビンカに人生を懸けようとしてるんだ。それをいい加減とは、言葉が過ぎるぞ」

「そうっすよ」田川は軽く言った。

「てめえ」肇は真っ赤になった。すぐに薫子を振り返り「俺、こんな奴、知りませんからね。薫子さん、勝手に世話してください！」。

「言われなくてもするさ。満、お前は今日から私の一番弟子だ」

「ありがとうございます」田川は恭しく頭を下げた。

「ちょっと待った」肇は唖然とした。「一番弟子は俺でしょ？　いくらなんでも、研修開始早々のインターンが一番なんて！」

「何言ってやがる、お前はゼミ生筆頭だろ？」

「……ってことは、一番弟子でしょう？」

「え？　そうなのか？」薫子はわざとらしくすっとぼけた。

「ハッキリさせてくださいよ。一番弟子とゼミ生筆頭、どっちが偉いんすか？」肇は混乱寸前だった。

「さあ？　どっちかな？　お前らのうち、料理の巧い奴が上なんじゃないのか」

「馬鹿にし過ぎです！　ガキと俺を比べるなんて！」

「ガキったって、トシ、そんなに変わりませんよね」田川は不敵に笑った。「それに俺、料理、得意っすから」

「うるせえ、バーベキュー小僧！」

「ちょっと、料理が出てこないんだけど！」

フロアから夕の声が飛んできて、三人は作業に戻った。

――畜生、絶対負けねえぞ。

肇はいらいらしながらデザートの盛り付けを急いだ。

――厨房がガゼン活気づいたな。

薫子はしたり顔でシチューをかき混ぜた。

§

八月。

蝉時雨たけなわの頃、ジビンカに若々しい掛け声が飛び交った。

「いらっしゃいませッ！」

「ありがとうございますッ！」

インターン生の初営業っぷりは、並み居る来客の度肝を抜いた。高校生と大学生が一体となり、ごくスムーズに営業している。みな笑顔で、実に楽しそうである。

この日は高校・大学連携の珍しいインターンシップということで、関係するＶＩＰがこぞって来店した。友田市長、雛美大学長、インターンシップの高校の校長と担任、商店街会長らである。香椎は市長と同じ席に着いた。地元民放もテレビカメラを持ち込んだ。

地元新聞の今津豊は、招待を受けた立場だが、席に落ち着くことなく写真を撮りまくっていた。

「驚いたね。高校生たち、デビュー戦から上出来じゃないか」

今津はディッシュアップにいた夕に声を掛けた。

「苦労しましたから」夕も笑顔で返す。

今津はそれを見逃さずシャッターを切った。

翌日の朝刊にはその一枚をはじめ、数々のスナップショットが掲載された。これが起爆剤になり――と同時に、ジビンカも新聞掲載を見据えたサービス企画を打ち出したので、客数はうなぎのぼり、アンケートの顧客満足も過去最高得点を記録した。

新聞に負けず劣らず集客に貢献したのは、フロア担当の遊佐もえである。人一倍コミュニケーション力の高い彼女は、当然友達も多かった。同じ高校、他高校は言うに及ばず、出身小中学の同窓生、折々に属した部活・クラブ活動・生徒会など、普通なら途絶えてしまいそうな人間関係を、彼女は色褪せず保持していた。さらには、後輩・先輩、ご近所、学校の出入り業者、果ては「バス停で知り合ったおじいちゃん」まで、誰もが「ただの知り合い」という程度でなく、彼女の友達だった。

そんな遊佐の知り合いが、誰かしら毎日必ず来店する。

「もえちゃんが働いてるって聞いてさ」

「一カ月限定なんでしょ？　見届けなきゃ」

「エプロン超似合ってるね！」

連日取材に訪れた今津豊は彼女を見て、

「この子、今の時点ですでに友田市長に勝てそうだ」と舌を巻き、名刺を彼女に渡した。

夕は乙成に「コミュ力高そうだから友達を連れてくるだろうとは思っていたけど、まさかここまでとは」と、想定以上の繁盛に顔をほころばせた。


営業広報課所属になった島谷優里亜は、遊佐同様フロア担当で、彼女もまた友達効果でジビンカを盛り上げた。だがそれ以上に、彼女の本領は企画の面で発揮された。

将来アパレル業界での起業を夢見る彼女は、未来への準備として、すでに相当な数のビジネス書を読み漁っていた。また、休みの日は街の店やイベントを巡り歩き、商いの現場を見聞きして回った。そうして気付いたことをノートにまとめ、ビジネスにおける立地・集客・キャンペーンのノウハウを、自分なりに蓄えていた。所詮高校生の自己流で、まともなノウハウとは言い難かったが、彼女のビジネスに関するうんちくは、同年代やゼミ生のそれと比べて、ずっと広く及んでいた。

八月の間は夏休みで、香椎ゼミは開講されなかった。だが、ゼミ生らは週に二回ペースで自主ゼミを開いて集まり、ジビンカのイベント企画会議を行っていた。

その席に高校生インターンも招かれた。

営業広報のリーダーである夕は、高校生——特に島谷の企画力に期待していた。もうゼミ生ではネタが出尽くしていたからだ。夕は企画会議に入る前に、高校生らに過去のイベント実施記録を見せた。その際、没アイデアは伝えなかった。没を見せるとそれを避けようとして新しい発想を妨げる。

「じゃ、思いついたものをどんどん言ってみて！」

ゼミ生らの脳はすでに枯渇し、みな押し黙っていた。高校生たちは、はじめのうちは緊張して黙していたが、やがて意見を言い始めた。

「デリバリーをやる」

「二号店を出す！」

「ラーメンをはじめる！」

「ジビエアイスを売るっ！」

「アイドルに会える店にするっ！」

「ちょっと待って」夕は制した。「どれも面白そうだけど、技術や人手、お金に限りがあるわ。ジビエアイス？　どうやるわけ？　お肉のアイスなんて聞いたことないわ。

みんな、最初に配ったプリントを見て。それはジビンカが立ち上げられた時に書かれた企画書の写しよ。そこにジビンカのコンセプトが書かれているから、それに沿ったアイデアを出してほしいの」

「コンセプト？」遊佐が首を傾げた。

「事業をする時の目標で、ぶれちゃいけない決め事みたいなものよ」

隣で島谷が言った。

「ふうん……。この、高齢者の農業を守るとか、ジビエとか、農薬の野菜を使用するとか、そういうことですか？」

「簡単に言ったらそういうことね」夕はうなずいた。

会議は小休止を挟んだ。高校生らは集まって何やら話し合っていた。五分後、会議の再開が告げられ、全員席に着いた。

さっそく島谷が発言した。

「私だけでなく、高校生五人で考えたんですけど」彼女はそう前置きした。「まず、私たちは『ジビエ』について、よく分かっていません。──いや、インターンとして参加する前に、インターネットで調べたので、ジビエが何であるかは分かります。それと、実際に営業に入って、どんなにおいしいかってことも。

私たちが分からないのは、当の『ジビエ』が収獲される現場です。狩りの様子を全く知らないのです」

「お前、狩りを知らないのか？」肇が言った。「狩りっつったら、ライフル持って山に入って、獲物をズドン、だよ」

「それは分かってます」島谷は苦笑した。「私たちが知らないのは、ジビンカに運ばれてくるお肉が、実際にどこでどうやって狩り獲られているのか──です。自分が働いているお店のお肉が、どのような流れを経ているか知らないって、よく考えたらヘンじゃないですか？」

「確かに」肇はうなずいた。「俺たち、当たり前にお客さんに出してるけど、現場のことは猟師さんに任せっきりで何も知らない」

「働いている人でさえそんな感じなんですから、お客さんはもっと分からないはずです。そこで私たちは、『ジビンカ狩猟ツアー』を実施してはどうかと考えました」

「狩猟ツアー？」ゼミ生らはどよめいた。

「お客さんから参加者を募って、猟の現場を一日体験するんです。ジビエについて学び、同時に高齢の猟師さんの仕事ぶりを見れば、おおもとのコンセプトとも一致すると思います。

ツアーは親子参加型にしましょう。レクリエーションを交えて、子どもたちとお店の間でコミュニケーションを図ります。子どもがなつけば親も関心を持ちます。確実なファンづくりになるはずです」

大学生らはすっかり面食らった。

「すげえ！　無駄がねえ！　一石何鳥だ？」肇は目を丸くした。

「コンセプトだけでなく、ファンづくりまで」夕も驚いた。

「私たちじゃ絶対に思いつかなかったです」

乙成はさかんにまばたきをした。

狩猟ツアーは全会一致で決定した。実行委員長に勝田が選任された。香椎も許可し、予算が組まれ、猟師たちとも話がついた。検討の結果、バス一台をレンタルする半日ツアーとなった。さっそく店内に募集ポスターが貼り出された。ターゲットに合致する常連には、手書きのダイレクトメールを郵送した。

「今津さんには伝えないんですか？」

島谷は夕に尋ねた。彼女はすでに今津と知り合いになっている。彼が記事を書けば一気に募

集告知ができると思った。だが夕は少し考え、

「イベントに来てもらうのは構わないけど、今回は新聞告知は出さないわ。バスは定員三十人。私たちが十人くらいで、参加できるのは二十人ってとこね。あんまりたくさん応募があっても受け入れられないわ。すでに五十人近い応募があって、選考中よ」

「そんなに！」

「あなたたちの企画がそれだけ関心を呼んでるってことね」

夕はこのイベントを定例化したいと考えていた。二回、三回と重ねてジビンカのコンセプトを周知していく。第一回はテストケース──そう捉えていた。というのも、今回のイベントは、高校生が企画したからには、高校生にぜひとも参加させたかった。だが、インターン期間は夏休みに限られている。となると、今月中に実施しなくてはならない。

どんなに小さなイベントでも、本腰を入れようと思ったら、最低でも一カ月の準備期間が必要である。今回、関係先の都合を調整したところ、ツアーを実施できる日は、お盆過ぎの日曜日しかなかった。あと二週間しかない。完璧なイベントづくりは、どう考えても難しい。

──今回は今後のイベントのための練習ってことで。

夕はその旨を乙成に諮った。乙成は万事夕に従いつつ「参加者への配慮だけは、きちんとしましょう」と念を押した。

二十人分の参加費からバス代とお弁当代を払ったら、収支はトントンである（熟慮の結果、ジビンカでのお弁当作りは控えた）。だが夕は、絶対に満足して帰ってもらうために、お土産を付けることにした。完全に赤字である。

「イベントが成功して活況につながれば、赤字は広告宣伝費に変わるのよ……たぶん」夕は島谷にそう言った。それは自分に言い聞かせるようでもあった。ところが島谷は感激した様子で、

「すごい！『肉を切らせて骨を断つ』ってヤツですね」

「そうそれ、それが言いたかったの」

二人はいつしか仲の良い姉妹のようになりつつあった。

お盆が明けて日曜日、ツアー当日を迎えた。

東の空が白んできた午前四時。ジビンカ隣の公園に横付けしたバスは、参加者を乗せて出発した。向かうは市境の山村。猟友会の会長宅に程近い山が、狩猟ツアーの舞台である。

応募者から選ばれた二十名はほぼ親子で、内訳はちょうど大人十名子ども十名だった。子どもたちは朝から元気いっぱい、車窓の景色を眺めて目をキラキラさせていた。大人たちは眠たい目を擦りつつ、日常から非日常へ向かうバスの行き先に、密かに胸を躍らせていた。

バスが動いて十分ほどして、乙成が車内のマイクロフォンで挨拶した。次いで、実行委員長

の勝田がツアーの目的を、夕が日程を述べた。やがて子どもたちが退屈しはじめた。遊佐と島谷の出番である。二人はあらかじめ、バスでのレクリエーションを用意していた。ジャンケンや唄やクイズで、目的地までを盛り上げた。

二時間後、バスは目的地に到着した。バスは山裾の空き地に乗り入れた。小学校の運動場くらいの広さで、ぐるりを竹林が囲んでいる。無舗装で車は小刻みに揺れた。窓の外には猟友会の会長ほか、轡さんら猟師たちがすでに勢ぞろいして、にこやかに手を振っている。

バスを降りて二十分後、参加者は猟友会の説明を受け、さっそく山林に入る段となった。

「山に入ったら静かに。獲物が逃げるからね」

轡さんの念押しに、子どもたちは唇を真一文字に結び、大仰にコクッとうなずいた。

一行は猟師の先導で、ごく細い山道を進んでいった。先頭は猟銃を担う轡さんら三名の猟師。そのあとを、勝田・夕・肇・兵太の四人。参加者を挟み、しんがりを乙成らジビンカ・スタッフとインターンが従う。ひんやりと湿り気のある竹林の中は、青々とした匂いが充満していた。上から日が漏れ射し、揺れる笹葉をちらちらと照らす。海の底のような静謐さである。

笹葉を掻き分けつつ、二十分ほどゆるい斜面を登って行くと、ある地点から植生が変わった。常緑樹の太幹に、地を覆う丈高の草。青臭さが濃厚になる。猟師らは互いに目配せした。どうやらポイントに入ったらしい。

やがて、猟師らが足を止めた。

轡さんが肇を振り返り、声を殺して言った。

「――獲物がいる。静かに」

肇は後ろに伝えた。一行は足を止め、息をひそめた。

猟師らは首を伸ばし、背丈ほどの高さの草薮の先をうかがった。しばらくすると、向こうからカサカサと草葉の擦れる音がした。肇は目を凝らした。二十メートルほど先に、茶色い動物の頭らしきものが小さく見えた。三つ、四つ……全部で六つ。うち二つは頭に枯れ枝のごとく角を生やしている。野生のシカだ。

シカたちは、何かの拍子に揃ってビクッとした。こちらの気配を察したらしい。辺りをキョロキョロするものの、逃げ出す様子はない。固まってしまったのか、まだ安全だと思っているのか。

猟師たちは静かに猟銃の準備にかかった。顔を見合わせてうなずくと、二人の猟師が轡さんを残して左右に散開した。腰を低くし、草深い地面を泳ぐように抜けていく。足音がしない。まるで忍者だ。

肇の眼前で、轡さんは猟銃を構えた。他の猟師たちも同じようにする。互いに合図を繰り出し、タイミングを詰めていく。肇の後ろでは、全員がまばたきもせずに六つの頭を注視している。子どもたちは瞳を輝かせ、声をあげたいのをこらえている。

風が止み、草の流れが止まった。


ズトン！


銃声が轟き、轡さんの背中がビリリと揺れた。前方からドッと地を蹴る音がして、慌ただしい草擦れの音が聞こえた。シカたちはばらばらに逃げ出したらしい。

「当たった」

轡さんが普通の声量で言った。肇は興奮気味に、

「何匹ですか？」

「一頭だよ」轡さんは振り返った。笑みを浮かべている。「今日のツアーはラッキーだ。山に入って三十分足らずで獲物に出くわし、さっそく一頭仕留めた。こんな狩りはそうそうない」

「他の五匹は？」

「きみ、こっちが三人だからって、三頭一度に狙うのは無理だよ。一頭当たれば御の字だ。しかし、当たりどころが悪かったたな」

肇は頭を上げた。角のない茶色い頭が、伸び上がっては崩れ、また伸び上がっては倒れる。

逃げようにも身体が利かないようだ。

肇は後ろを振り返った。一同唖然としていた。声も出ない様子である。乙成と遊佐・島谷が前に出てきて心配そうに成り行きを見守っている。

やがて、二人の猟師が轡さんの元へ駆け戻った。

「あんたのが脚に当たったな」轡さんは一人に言った。

「しくじったよ。皮は値がつかんな」男はバツの悪い顔をした。「どうする？　このまま縛りに行くのは危ない。暴れてるぞ」

「疲れ果てるまで待つか？」

「日が暮れらぁ」

「じゃあ、もう一発いくか。その方がシカも楽だろ」

「それがいい」

男は身を翻し、シカの方に猟銃を構えた。

後ろの全員が後ずさりする。

草薮の向こうでは、手負いのシカが、ドスドスと音を立て、大地に身を叩きつけていた。

猟師の肩が上がり、銃口が定まった。

その時、

「やめてーっ！」

金切り声がして、あたりのくさむらから鳥や虫が飛び出した。銃を構えていた猟師はあやうく引き金を引くところだった。全員が声の方を見た。小学校中学年くらいの女子が二人、真っ赤な顔をして涙を流している。二人はしゃくりあげて言った。

「もう止めて、可哀想だよ」

「ダメだよ、そんなこと、ダメだよ」

つられて他の女子も泣きだす。親たちも沈痛な面持ちである。

重たい空気の中、夕が勝田の耳元に囁いた。勝田は合点し、

「ええと、バスに戻りたい方は、ぼくについて来てください。見学を続ける方は、そのまま残ってください」と触れ回った。

泣いている女子が勝田に歩み寄り、

「どうしても殺しちゃうの？　ねえ、どうしても殺しちゃうの？」

と、袖を引いた。勝田が困惑していると、遊佐が近づいて女の子の肩に腕を廻し、顔を近づけてなだめた。

戻ることにした人々は、勝田を先頭に麓へ引き返しはじめた。およそ半分が、勝田の後に従った。遊佐は泣きじゃくる女子の手を取り、一緒に歩いて行った。

草を分ける音が遠くなっていく。

その様子を、猟師たちはじっと眺めていた。

「仕方が無いよ」轡さんは二人の猟師に言った。「こうなることは、うすうす分かっとった。むしろ半分も残った方が驚きだ」

数分後、山あいに一発の銃声が鳴り響いた。

「もー大変だったんですよ」

勝田は香椎にツアーの一幕を報告し、嘆きをぶつけた。

ツアー直後に開かれた自主ゼミには珍しく香椎も参加していた。キャンパスは蟬の声にうめつくされ、朦々たる熱気に取り込められている。中庭に面したゼミの教室は冷房が効いていたが、弾けるような夏の日差しは、窓からなだれ込むように注ぎ込んで眩しかった。

だが教室の空気は暗く、重苦しい。

「お昼のお弁当も午後のレクリエーションも、まるでお通夜。帰りのバスの中でも泣いている子がいました。おしまいになって、解散式でお土産を渡したら──よしゃあよかったんですよ、何もあの状況で、さばきたてのシカ肉をあげることはないでしょう?」

香椎は複雑な顔をして勝田の話を聞いた。勝田は言いたいことを言い終えると、崩れ落ちるように椅子に尻を落とした。ゼミ生とインターンの高校生も打ち沈んでいる。

「でもさ」肇が言った。「人は動物を殺している——これが現実なんだぜ。俺たちはいつもスーパーできれいにスライスされた肉ばかり見ているから、思いもよらないけど、ほんとは毎日のようにかわいい牛さん豚さん鶏さんが大量虐殺されて、俺たちの食卓に並んでいるんだ」

「そんな言い方止めてよ」夕が制する。

「でも事実じゃねえか。そこを誤魔化そうとするから、世の中どっかおかしなふうになっちゃうんだよ」

「今の問題はそこじゃないわ。今回のイベントは、時間が無くて準備がすごく大変だったけど、途中何の問題もなく——一人のけが人も、迷子も無いって意味よ——無事に終わった。それなのに、この胸の悪さは何なのかしら」

「そうですね……」

乙成は目をしばたいて言った。彼女は小学生同様、ツアーでトラウマを得た一人だった。あれ以来ずっと肉を口にできずにいる。

「頑張っていただいて申し訳ないのですが、成功か失敗かで考えたら、やはり厳しい判断を下さざるを得ない——かもしれません」

「どこが失敗だよ！」勝田が声を荒げた。「俺、実行委員長として言わせてもらう。全部予定どおりに遂行した。予算も計画どおり、スケジュールも完璧。落ち度は無いよ。あれが失敗なら、何が成功なんだ？」

「そうカリカリするな」肇がたしなめた。「乙成は別にお前を責めているわけじゃねえよ」

香椎はしばらくゼミ生のやりとりを見ていたが、

「確かに失敗ではありませんが、単純に成功と言い切れないのも事実です。

さて、このイベントを企画してくれたのは、インターンの女子二人、遊佐くんと島谷くんでしたね。きみたちは今回の結果をそれぞれどう思ったかな？　思ったことを言ってみてほしい」

「はい」はじめに遊佐もえが言った。「シカが撃たれた後、半数の人がバスに戻りました。残った中にも『戻ればよかった』という人がいました。参加者の半分以上が嫌な気分になったんです。楽しいはずのツアーが逆効果になったのなら、失敗だと思います」

「なるほど」香椎はうなずいた。「島谷さんは？」

「私はもえとは逆で、成功だと思います。確かに残酷なシーンはありましたが、当初の目的の一つである『ジビエについて見識を深める』という点を十分果たしたと思います。まさにあの瞬間が、ジビエについての偽りのない事実を教えてくれました」

「立派な意見だ。ありがとう」

香椎はうなずいた。そして、

「高校生が立派な意見を出してくれました。今度は大学生が答える番です」と言ってゼミ生に目を遣った。

肇は腕組みし、

「そうは言ってもなあ。お互い、成功の判断基準が違うから、どちらが正しいとは言えない」

「きわどいところです」乙成は言葉を濁した。

夕は高校生二人を見遣り、

「あなたたちは、相手の意見を聞いて、納得できた？」

遊佐と島谷は互いの顔を見合わせた。まず遊佐が答えた。

「やっぱりゆりあは『深いなあ』って思いました。単に参加者を楽しませるだけじゃなく、参加者を教育するってことを考えた場合、イベントは成功なのかも」

島谷は、

「もえの言うことは現実を直視していて正しいと思います。やっぱりお客さんを嫌な気分にさせたら、ビジネスとして失敗です」

「すげえな、お前たち」肇は目を見張った。「俺なんか意見が違う奴がいたらムカついて話もしなくなるけど、ちゃんと違う意見も受け入れてる。すげえなあ」

「二人は大した高校生ですよ」香椎は全員を見渡して言った。「ところでみなさん、このように成功と失敗で意見が分かれたのはなぜだと思いますか」

みな難しい顔をした。香椎は反応を待たずに答えを述べた。

「これは大人社会でもしばしば陥ることです。今回の企画で、みなさんは企画の目的を明確に打ち出しました。イベントの方向性を、ジビンカのおおもとのコンセプトまで立ち返り、見事に組み上げたと思います。

しかし、事業においては、あらゆる行動が目的と結果の二点で結びつかなくてはなりません。『何を目的にツアーを企画するか』だけでなく、『何をもってツアーの成功とするか』まではっきり決めておく必要があったわけです」

「ああ、そこは穴だったぜ」

肇は唸った。全員同じ思いの様子だった。

香椎は次いでPDCAサイクルについて言及しようとし、思いとどまった。

問題に対し、まるで答えあわせのように教えるのは簡単だ。でもそれではゼミ生らの真の学びにならない。それぞれがみずからの経験を踏まえ、各人なりの学びをトレースしたら、生涯の教訓となる。ここは各人の反省にまかせよう——。

ここまで学生に反省をうながしたら、あとは励ますのが教育者の役目——と、香椎は意識して明るく言った。

「最後に個人的な意見を言わせてください。今度のツアー、成功か失敗かといったら、私は成功だったと言えると思います」

全員の視線が香椎に吸い寄せられた。

「ツアーの企画書を読むと、目的の項目に『狩猟技術の見学』『ジビエについて見識を深める』とありますが、どこにも『参加者を楽しませる』とは書いてありません。実施項目の記述に、楽しませようとするニュアンスがありますが、それはあくまで参加者を募るための手段であり、目的ではありません。すなわち、成功を定義せず、目的が達成されているのであれば、これは成功以外の何ものでもない、と」

ところが、

「先生」肇は顔をしかめた。「いまさら何言ってんの。それは悪いジョークだぜ」

「私たち、そんな慰めはいらないから」と夕。

勝田は口を尖らせ「ぼくらは言い訳上手になる気はないです」。

乙成は人差し指を唇の前に立て、

「高校生もいるんですから、そんな屁理屈は禁止ですよ」

「ちょ、みなさん」

香椎は気まずそうに頭を掻いた。

「うちのゼミは、案外クールでストイックなんだなあ」

§

狩猟ツアーが終わると、ジビンカの夏の日は早足に駆け抜けた。

インターンも残り四日となった八月二十七日。

この日のランチ終了後、一人のインターンに最終試験が行われることになっていた。

チャレンジするのは料理課／調理補助担当・田川満。

彼に課せられた試験は、その日の賄い飯づくりである。

『一カ月の修行の成果と、お前が将来再びジビンカの敷居をまたげるかどうかを、試させてもらう』

お盆前、結城薫子は調理試験の実施を、田川の他、全ゼミ生に伝えていた。ゼミが狩猟ツアーの企画で湧きに湧いていた頃である。

「薫子さん、俺には試験はないんですか？」

肇が苛立った様子で尋ねた。薫子は肇の頭をはたき、

「馬鹿、アイツの性格を分かってるだろ？」

「いってえなぁ。どういうことです？」

「遊佐や島谷はツアー企画で脚光を浴びて、インターンをエンジョイしている。だけど田川はどうだ？　毎日野菜を切って皿を洗って。修行といえば修行だが、それじゃあまりに不公平だろ。アイツだって、何にも言わないけど悶々としているはず。私は不公平は嫌いなんだ」

「そりゃ分からなくはないっすよ」肇は顔をしかめた。「でも、『将来再びジビンカの敷居』がどうのこうのってのは、薫子さんが勝手に決めちゃっていいことなんですか？」

「ふん」薫子は口を尖らせた。「お前たちがそっぽを向くのなら、私はアイツを連れてどっかで勝手に旗を上げるさ。私には弟子への責任があるからな」

肇は開いた口が塞がらなかった。薫子は田川に入れこんでいる。それはまるで、自分が世間から白い目で見られたり、厳しい料理の世界で修行に励んでいた時のフラストレーションを、田川に対して逆方向から照らしつけているようだった。

肇が乙成に試験の旨を告げると、彼女は微笑み、

「本人たちがやる気になっているのなら、いいんじゃありませんか？」

「お前、おおらかになったなあ」

「私も田川くんの料理、食べてみたいです」

「薫子さんが言ってた。中心メンバーはみんな来て試食しろって。なんなら香椎先生も」

「ではみなさんに伝えておきます」

この数日後に狩猟ツアーが行われ、成否が議論となったのは先に述べたとおりである。


そして迎えた試験当日。八月二十七日。

この日は通常の営業日である。ランチ営業のオーダーストップは十四時。田川は十四時から厨房を一人あずかり、賄い飯作りに取り掛かる。タイムリミットは十五時半。その後、フロアで試食審査が行われる。香椎は都合で来られないが、薫子・乙成・勝田・肇・夕・兵太・進藤ら主だったメンバーは揃うことになった。むろん、他のインターン生も集まる。全部で都合十食ほど作ることになる。

調理開始前に薫子が言った。

「手伝いは使わず、全部一人で作れ。店にある食材は何を使ってもいい。ジビエは煮込みベースを使ってもいいし、冷凍庫のものを解凍してもいい。在庫？　気にしなくて大丈夫だ。こないだ武井が間違って多めに仕入れたから、むしろ使ってくれ」

時計の針が十四時を示した。

「では、はじめろ」

「はい！」

田川はめまぐるしく動き出した。

厨房の傍らでは、料理課スタッフたちが、通常営業の片付け作業にかかっていた。彼らはささやき合った。

「アイツ、何を作る気だろう？　一人じゃ大変だろう」

「皿や小鉢の数を聞いて、用意しておいてやろうか」

「止した方がいいぜ。ほら、薫子さんが睨んでる」

フロアの方も客足が引きはじめたので、奥の一角を仕切って試食会場を整えた。夕と経理の谷川しずく、遊佐と島谷がこまごまと動いている。

「いい香りがするわね」

夕の言葉に、谷川は鼻をひくひくさせ、

「私、思うんだけど、ジビエってそれほどいろいろできないよね？　作り付けのシチューの他は、ライスとサラダ……って考えたら、普通にコースっぽいメニューになるんじゃないかしら」

「私、それで十分なんですけどー」遊佐がニッコリ笑う。

「もえは食い意地が張ってるからね。ジビエ丼とか超似合いそう」

「ちょ、ゆりあ、そのセリフ女子力低い！」

閉店十五時を迎えた。厨房の料理は続いている。

乙成がレジを締め、ディナーの準備が滑り出す。まもなく、試験終了の十五時半を迎えた。

「終了！」薫子が声を上げた。

田川はタオルで額の汗を拭い、ふーっと息をついた。どうやら間に合ったようである。

フロア奥のテーブルに、ゼミ生とインターン、結城薫子が着いた。やがて田川がワゴンに調理を載せてやってきた。

「お待ちどうさまです」

一同はワゴンに目を見張った。

「おお、カレーか！」

「意外ね！」

「スパイシーな香りがしていたけど、まさかジビエでカレーとは！」

ジビエカレーは田川の手で一人ひとりの前に置かれた。使われているのはよく煮込まれたシカ肉。野菜は細かく刻まれ、柔らかな肉の食感を妨げないようにしている。とろみが効いて、いかにも甘口に見える。ジビエ独特の臭みは、カレーのスパイスでほぼ消えている。

「いただきます！」

十本のスプーンが光った。

「おお」「うまい」「思いのほか本格的」

口々に感想が寄せられる。一見甘そうに見えるルーは、小気味の良い辛さが効いて、食べながらにして次のひと口をそそる。シカ肉は煮込みを用いているものの、一度焼きを入れて食感と香ばしさを工夫している。ジビエの難しさは匂いのコントロールだが、田川は敢えて全てを消し去らず、わずかに残すことで、味と香りに奥行きを醸しだしていた。

一同ぺろりと平らげた。

「いやあ、本当にうまかった」勝田は言った。

「ごちそうさま。ありがとうね、田川くん」夕は田川にウインクした。

「悔しいけど、うまかったぜ」肇は苦々しく笑みを浮かべた。

「どうも……っす」田川は口籠もるように礼を述べた。

肇は続けて言った。

「でも、正直なところ、チョイスにカレーは無いと思うぜ。だって、うちは学生起業とはいえ本格志向だ。それなのに大衆料理のカレーとかおかしくねえか」

「宝塚さん」乙成がきつめに言った。「田川くんは一人で頑張ったんです。美味しかったのなら、それでいいじゃないですか」

肇が見渡すと、試食した全員が肇に冷めた目を向けている。

「分かったよ」

肇は口をへの字にした。

「で、薫子さん、どうなんです？」

一番奥の席の結城薫子は、さっきからひと言も口を利いていなかった。その目は静かに、完食された皿に注がれていた。

彼女は頭を上げた。そして田川を見据え、

「この馬鹿野郎」低い声で言い放った。

一同静まり返った。田川はテーブルの脇に突っ立ち、すっかり硬直した。

薫子は顔をしかめ、

「今からディナーの営業があるんだぞ。この店中のカレーの匂い、一体どうするんだ」

「あ……」

全員ハッとした。

田川も「しまった」と顔をひきつらせた。

「まったく。賄いでカレーを作るなら、ディナーの後にしな」

薫子はウンザリした表情で立ち上がり、一人フロアの先へ歩を進め、中庭へ通じるガラスのサッシに手を掛けた。反対の手は胸ポケットのメンソールに伸びている。

彼女は出しなに少し振り返り、

「田川」

「はい」

「あれ、面白い味だな」

そう言い残し、表へ出て行った。

田川は姿勢を正し、薫子の背中に深々と頭を下げた。両腿の横に握られた拳がわなわなと震えている。

「お前、すげえな。今回ばかりは本当に俺の負けだ」

肇は立ち上がって田川の肩に手を掛けた。

田川が頭を上げると、全員の温かい視線が自分に向けられていた。

§

八月三十一日。インターンシップの最終日。

高校生は全員、ランチ営業に参加した。これが最後のシフト入りとなる。この日は大学生も高校生も、何か胸の奥につかえるものを感じながら営業に臨んだ。

今日で最後——インターン生らは、その事実を思い出すまいとするかのように、無我夢中で働いた。遊佐と島谷はいつもより饒舌にお客さんに接し、フロアを所狭しと駆け回った。田川は薫子にくっつき、師匠の一挙手一投足を見逃すまいとしていた。ゼミ生らはインターン生に有終の美を飾らせるべく、親身に補助し、前へ推しだした。

この日は今津豊がやってきて、インターン生の写真を撮り、店長乙成や数名のお客さんにインタビューを行った。

十四時半頃、最後のお客さんの会計が済み、遊佐と島谷が見送った。店のドアが閉じたところで、店内に大きな拍手が巻き起こった。

「高校生のみなさん、お疲れ様でした」

乙成が進み出て、ねぎらいの言葉を掛けた。五人の高校生はフロア奥にいざなわれた。そこにはすでに、ゼミ生全員が居並んでいた。正面には、勝田、夕、兵太、谷川、薫子の五人。みな花束を手に笑みを浮かべている。それぞれ進み出て、担当した高校生へ花束を手渡した。夕は島谷に、兵太は遊佐に、薫子は田川に。他の二人には谷川と勝田が渡した。高校生の目にうっすらと涙が浮かんだ。

「みなさん、お世話になりました」

島谷が声を上擦らせて言った。

「ここで体験したことは、ずっと忘れません。将来お店を開いて分からないことがあったら、ここでのことを思い出し、『先輩だったらどうするかな』と、考えるようにします」

遊佐は目を真っ赤にして「もう、なんかもう、もう」と混乱していたが、「ずっと食べに来ますから、ずっとお店やってください」そう言うので精一杯だった。

田川はいつもどおりの無表情のまま、前に進み出て何かを言いかけた。すると薫子が、

「お前は卒業したら来い。いいな、ヨソに行くんじゃねえぞ」

田川は目を見開き、

「はいっ！」店中に響く声で答えた。

「田川くん、ここで働くの？」遊佐は涙を拭って言った。「じゃあ私が食べに来たら、田川くんもいるってわけね」

「わりぃかよ」

「ううん。悪くない。凄くいい」遊佐は歯を見せて笑み、「良かったね。いい師匠に出会えて！」。

「まあな」田川ははにかんで視線をそらした。

島谷が、ゼミ生の前へ進み出て言った。

「実は私たちからゼミのみなさんに、お礼といってはなんですが……」

二人のインターンが控室に戻り、大きな紙袋を三つ持ってきた。遊佐も加わって袋の口を解いた。中からビニールの包みがいくつも出てきた。高校生らはそれらを一つずつ確かめ、ゼミ生に手渡していった。

「おお、エプロンだ！」

肇はビニール包みから取り出した厚手の布地を面前に垂らした。黒地に明るい赤で「Gibin'ka Restaurant」とプリントされている。

「かっこいいデザインね！」夕はさかんにまばたきして言った。「そういえば私たち、ユニフォームにあたるものがなかったわね」

「そこなんです」島谷は自信ありげにうなずいた。「ジビンカってみんなバラバラの格好なので、統一したらお客さんの印象がよくなるんじゃないかなって、みんなで話し合って決めたんです。それに、同じものを身に着けてると、チーム感が出て、ますます頑張れる気がしませんか？」

「これ、すごいです」乙成が声を上げた。「一人ひとり名前が刺しゅうされていますね。みなさん、いつの間にこれだけのものを」

「えへへ、頑張りましたから」

遊佐が人差し指を横にして鼻の下を擦った。第二関節のところに絆創膏が巻かれている。

「みんなありがとう。大事にするわ」

夕は涙を浮かべて礼を述べた。妹弟のような高校生たち。愛おしくてたまらなかった。

エプロンは薫子にも渡された。彼女はさっそく身にまとい、窓ガラスに映った自分を見て右回転、左回転。ご満悦の体である。

「ん？　一つ残ってるな？」

薫子は卓の上の包みに目を遣った。ビニール越しに刺しゅうを見ると、香椎の名が縫われている。

「おい。明日から先公もシフトに入れてやりな。高校生の善意を無駄にするな、と」

店内にドッと笑いが起きた。

一同いい顔になったところで、今津がカメラを手に、

「じゃあ、みんな、記念写真を撮ろうか！　並んで並んで！」

その時の写真は、早くも翌九月一日の地域面に掲載された。若者の笑顔の下に、「絆のエプロンが街を明るくした一カ月」と題字されている。事実、インターンがいた一カ月間は、店内アンケートの顧客満足も、商店街利用者のジビンカの印象調査も、調査開始以来最高得点を記録した。狩猟ツアーの一件を除けば、確かに街を明るくしたのである。

九月一日以降、ゼミ生らは、店内に高校生の明るい声が聞こえなくなったのを寂しく思った。しかし、彼らの心づくしのエプロンをまとうと、高校生のエネルギーとパッションを身にやつした気になり、不思議と声が出て動きもよくなった。

「さあ、一周年に向けて頑張りましょう！」

乙成はゼミ生らに発破をかけた。

しかし、ジビンカにはこれから、数々の試練が降りかかる。

九月初旬のこの頃にわずかに訪れた平和は、それらを乗り切るためのひと時の安らぎ、あるいは、嵐の前の静けさだったのかもしれない。

Chapter 14
批判

秋のジビンカは季節に合わせてイメージチェンジを行った。旬野菜を入れ替え、それに合わせてジビエの味付けを変更。店内のディスプレイも、夏模様から「豊かな秋を喜ぶ山賊のアジト」に衣替えした。軒並み好評で客足は順調に伸びた。インターンの高校生たちもお茶に来たし、狩猟ツアーの親子らも、苦い思い出はさておき、家族の時間を楽しみに来た。

十一月三日――この日は雛美大の大学祭の最終日およびジビンカの創立日である。店舗には各方面から花や祝電が届けられた。ジビンカは「感謝の収穫祭」と題してスペシャルメニューを提供した。連日満席で、常連・近隣住民以外に、学生たちも学祭がてら来店した。

「あっという間に一年経ったな」

厨房の薫子は、忙殺の隙にフロアに目を遣った。帰り客と案内される客が、ひっきりなしにすれ違う。店内はざわめきと食器の音が充満している。

「早いもんです」肇は、洗い立て熱々の皿を猛スピードで拭いては重ねつつ言った。「しかし、まさかこんなに忙しくなるとは。みんなてんてこ舞いですよ」

「忙しいのはありがたいことだ」薫子は言った。「しかも、お前らの『てんてこ舞い』は、客に気付かれていない。みんな焦りや失敗を隠すのがうまくなったな」

筆はハッと手を止め、

「もしかしてバレてました？　さっきコップ割ったの」

「バカ。気を付けろ」

その時、フロアの方から白い光がほとばしった。

「今のは何です？」筆は目をしばたいた。

「カメラのフラッシュだ」薫子は目を細めた。「食う前に写真に撮ってるのさ。最近多いぞ。周りの迷惑を顧みない野暮な客」

「流行ってますもんね」

「言っとくが、料理の盛り付けは店のノウハウだ。勝手に撮っていいもんじゃない。せめて断りを入れろっつーの」

「知的財産の侵害ってヤツですね。ほんと、困ります」

筆は口を尖らせて洗い場に戻ろうとした。

「コップのことはちゃんと始末書を書いておけよ」

「へーい」

§

一周年イベントが終了し、日々が過ぎた十一月十二日。

この日は月曜でジビンカは定休日、香椎ゼミの開講日である。定刻となり、いつもの教室にゼミ生が集まっていた。

「一体何だ、これは！」

肇の叫び声は廊下まで響き渡った。

教室は静まり返り、ゼミ生らは一様に青い顔をしている。目をしばたかせ、乾いた唇を何度も舐める。始業ベルが鳴っても香椎は姿をあらわさなかったが、誰も何も言わなかった。

それどころではなかったのだ。

ホワイトボードにマグネットで貼りつけられた今朝の朝刊。社会面にぶち抜かれた記事は、大きな文字で牙をむくようにこう題字されている。

【時代逆行・軽率営業の学生レストラン】

新聞にジビンカの批判記事が出たのは、これが初めてではない。これまでも「学生で大丈夫なのか」「官学癒着ではないか」「危機管理は行き届いているのか」――この程度の問題提起はあった。もっともせいぜいケチをつけるようなことばかりで、しかも地方紙に限られていたから、大した影響は無かった。

しかし今回は違う。全国紙で全十五段のカラー写真入り。記事はなかなか痛いところを突いている。

【農薬野菜を推奨しているが、子どもや妊婦への影響を考えているのか】

【山で何を食べているか分からない野獣を提供するにあたり、衛生管理はどれほど行き届いているのか】

記者はこれらの問題を提起し、実際に取材に動いている。

【大谷野市辺境の狩猟は害獣駆除が前提であり、食用としての準備はない。また、屠殺は資格保持者が行っているが、通常ISO取得施設内で行われる工程とはほど遠い】

【実際にジビンカを訪れて食事をし、スタッフに農薬野菜について尋ねたところ、明るく『問題ありません』と答えるだけで、科学的な質問をしようとすると目を逸らされた】

肇は吠えた。

「誰だよ、『問題ありません』なんて答えたの！」

夕が進み出た。

「犯人捜しをしても意味は無いわ。それに、この手の質問はいくらでもあって、フロアに出れば誰でも一度はこんなふうな答え方をしてる」

「こんな答え方じゃ問題になって当然だろ」

「じゃあ、あんたなら答えられるわけ？」

肇は言葉を詰まらせた。

沈黙の中、しくしくと鼻を啜る音が聞こえた。

「もう……ダメです。終わりです……」

乙成が耐えきれず泣いている。

ゼミ生らは彼女の啜り泣きを黙って聞いていることしかできなかった。全国紙でこれだけ批判されたら絶望的、もう浮かぶ瀬は無い――全員、そう思っていた。泣き虫の乙成にいつもなら励ましの言葉のひとつも出るところだが、今日ばかりはそうはいかなかった。

「しっかし……」

肇が腑に落ちない顔をして言った。

「こんだけデカデカと載ったら、苦情の電話とか来そうなもんだが」

「誰の携帯にも、店の転送電話にも、その手の連絡は無いわ」と夕。

「新聞も昔ほど影響力が無いのがまだ救いだ」勝田はそう言って机上に広げたノートＰＣをオ

ンにした。「時代はネットに変わろうとしている。この記事についてネットは何と言っているか、調べてみよう」

勝田はキーボードを叩きはじめた。彼は常よりジビンカのイメージ調査のために、各種SNSや短文投稿サイト、匿名掲示板をチェックしていた。

「うわ……」

勝田は茫然とした。肇は勝田の肩越しに画面を覗き込んだ。開かれていたのは短文投稿サイト。画面上を滝のように文字列が流れていく。俗にいう「書き込み」が刻々と投稿されているのである。「ジビンカ問題」と新設されたページでは、ジビンカへの批判が目白押しだった。

「誠、何か上手いこと書けよ。批判を押し返すような」肇は勝田の肩を突いた。

「焼け石に水だよ」勝田は首を横に振った。「いわゆる『炎上』状態だ。今何か言っても揚げ足を取られるだけ」

夕も画面を覗き込んだ。

「ねえ、この『ジビンカ問題』のおおもとを発信しているのは誰なの」

「正確には分からないけど、あたりは付けられるかもしれない。捜してみよう」

勝田があれこれサーチすると、いくつかのアカウントが参照された。結局おおもとは分からなかったが、『URUSH-IKC』というアカウントが、とびぬけて大量に発信しリアクションを得ていた。

「こいつのプロフィールを見てみようよ」

進藤がアカウントを指差した。

「ＯＫ」勝田はアカウント名をクリックした。

漆川紗江＠ＩＫＣチェアマン

「チェアマン？　サッカークラブか？」肇は首を傾げた。

その後ろで乙成が、

「ＩＫＣ、ＩＫＣ……あっ！」

「お前、知ってるのか？」

「はい。ＩＫＣは『稲瀬川大学環境サークル』のイニシャルです。漆川さんはそこの部長で、学生ながらたまにテレビのコメンテーターにも起用される、ちょっとした有名人ですよ」

「私も知っているわ」夕も言った。「かなりストイックな環境志向を持っているサークルよね。ダイオキシン問題やアスベスト問題の時も名前を聞いた。歴史のあるサークルで、ＯＢがらみで各界にネットワークがあるって聞いたことがある」

夕の言葉を聞き、ゼミ生らは首を傾げた。

稲瀬川大学といえば名門中の名門で、ＩＫＣはそんな名門大学の中でも特に有力なサークルである。雛美大なんて歯牙にもかけないはずだ。そのＩＫＣが、ジビンカに正面からケチをつけるとは――一体何のために？

勝田は冷静に言った。

「こういう連中が農薬野菜をどうこう言うのは、活動の一環として分からなくはないな」

「こいつらはそれだけじゃない気がする」

肇は眉をひそめた。「誠、そのＩＫＣとやらのＷＥＢサイトは無いのか？ ちょっと見てみたい」

「よしきた」

勝田は検索を掛けた。ヒットした検索結果で最上位の文字列をクリックする。

「あっ！」

トップページを開くなり、誰もが声を上げた。でかでかと掲載されたメイン写真は、新聞に掲載されたジビンカ批判の写真と同じものだった。猟の写真、農薬散布中の写真。新聞には載っていない店内の隠し撮りもあった。

肇はピンときた。

最近フロアでフラッシュが光っていたのはＩＫＣだったのだ。

「この写真、どの席からどの方向に撮っているんだ？」

「たぶんあのサッシの横です」

肇は乙成が指差す先を見た。そしてもう一度写真に目を遣り、

「ジビンカにメニューが無くてよかったな。毎日レシピが変わるから、この写真がいつ撮られたものか分かるぜ」

肇は写真をしばらくじっと見つめ、

「思い出した。火曜日だ！　一周年記念の初日！」

「その日の客なら覚えてる！」進藤が声を上げた。「初日にあの席に座ったのは、ぼくらと同じくらいの年の女子だった。なかなかの美人で――もしかしたら彼女が漆川だったのかもしれない」

「私も覚えてる」と夕。「目つきの鋭い女子よね。初日だけじゃなく、その翌々日も来てた。毎回連れ合いが違ったよ。ＩＫＣの部員だったのかも」

勝田はＩＫＣのサイトの「部員紹介」ページを開いた。

「そうよ、この人たち！」夕は叫んだ。進藤も乙成も見た顔だった。

「畜生、こいつら何の恨みがあって……」

肇は上下の歯を噛みしめた。

武井兵太は腕組みして口を開いた。

「自分たちの信念と違うからって、何も全国紙で叩くことはねえよな」

「まったくだ。叩くんならもっと他にもあるだろうよ」

肇はＩＫＣが憎くて仕方なかった。そういえば、ちょうど二年前、肇と兵太は稲瀬川大学の学祭でＩＫＣの無農薬有機野菜のライスカレーを食べた。あまりの旨さにショックを受けたものだ。

肇はそれを思い出し、ますます苛立った。

「畜生。兵太、今から二人で文句を言いに行こうぜ」

「おう」

「止めてください！」

乙成が張り裂けそうな声を上げた。

「そういうのは、止めましょう……いまさら喧嘩をしても、こんなふうに新聞に載ってしまったら、もう駄目です。これ以上泥沼になったり傷つけられたりするくらいなら、いっそ良い思い出のまま終わらせましょう」

「終わらせるって――お前本気か？」肇は叫んだ。「そういうことは言わねえって約束だろ！

ジビンカは終わっちゃいねえ。お前が何と言おうと、俺が終わらせねえ！　みんな、どうなんだ！　おい、進藤、何とか言ってみろ！」

進藤は言葉を詰まらせた。他のゼミ生も息を呑むばかりで何も言わなかった。

ジリジリした空気が教室を席巻していた。

と、その時、誰かの携帯電話が着信音をかき鳴らした。乙成が鼻を啜りながら「私です」といい、鞄からスマートフォンを取り出した。彼女は画面を見て言った。

「香椎先生です」

乙成は肇らの目を見て念を押すような視線を送ると、その場で電話に出た。ゼミ生らの見守る中、乙成の単調な相槌が続いた。最初のうち、彼女は落胆したような声音で応えていたが、やがて少々驚くような調子に変わってきた。

「――分かりました」

乙成はうなずくと、無人の教卓へ近づき、上に本を数冊重ねた。

そこに携帯電話を斜めに据え、

「みなさん、先生からお話があるそうです」

そう言って、スピーカー機能にした。

『あー、みなさん、聞こえますか？』

ノイジーな香椎の声が教室に細々と届いた。

「先生！」肇が叫んだ。「今朝の新聞見たんですか？　大問題だっつーのに、なんでゼミにこないんですか？」

『ごめんごめん』香椎は申し訳なさそうに言った。『どうしても手を放せない用事があって。もちろん新聞は見ました。それで気になったから、こうして電話をしたんです』

ゼミ生は黙って聴いていた。香椎は続けた。

『あの記事にはぼくも驚きました。きっときみたちはもっと驚いている——絶望のどん底にいると思います。教室では乙成さんが涙目になり、宝塚君が吠えまくって、海老原さんがいさめている……そんな絵が目に浮かびますよ。いや、実に鮮明に思い浮かぶものだから、我ながら素晴らしい想像力だと——クックック……』

「？」

次の瞬間、

『ハッハッハッハッハ……』

香椎は破裂したように笑い声をあげた。

「ちょッ、先生、何がおかしいんですか！」

夕はなじったが、怒りというより薄気味悪く思った。

他のゼミ生らも同様だった。

『いや、すみません。これにはちゃんとわけがあります』香椎は調子を戻して言った。『今回の新聞の件、火元はどこだか分かりますか？』

勝田が答えた。

「ＩＫＣですよね」

『お見事！　さすが副代表兼サイバー担当です。そのとおり！』

「先生、何を言いたいんだ？　ハッキリ言ってくれ」肇が吠えた。

『分かりました。言いましょう。――正直言って、ぼくはいま嬉しくて仕方が無いんですよ。ジビンカがはじまってわずか一年足らず。きみたちのやってきたことは、商店街の復興やジビエの普及、高齢者の職業確保にとどまらず、実に広範に影響しています。

考えてみてください。稲瀬川大学といえば、日本に冠たるエリート大学です。中でも伝統があり知者揃いのＩＫＣが、みなさんに批評を突き付けている。言っちゃあなんですけど、Ｆラン・落ちこぼれ・誰でも通る大学と言われる雛美産業大学は、これまで稲瀬川大学から歯牙にもかけられませんでした。それが今回、真っ向から論戦を張られたわけです。これは彼らの焦りによるものですよ』

「焦り？」

『そう。きみたちがそれだけこの一年で大きくなったんです。かたやＩＫＣは必死です。なぜって、これまで築いてきた地位を格下の雛美産業大学に奪われてしまうかもしれないんですから。ＩＫＣは長年、環境問題・動物保護・農薬による土壌汚染を訴えてきました。ジビンカは、決して環境問題に反対するわけじゃないですけど、ジビエや農薬野菜など、どちらかというと逆の立場ですよね？　つまり、ＩＫＣにとって、ジビンカが大きくなりすぎることは、邪魔で迷惑。くわえてエリートの沽券もあります。雛美大と同等なんて、彼らは耐えられないわけです……いや、ひょっとすると、もうすでに彼らの地位と名声は、ジビンカの下に位置しているかも。この一年のメディア露出は、きみたちの方が圧倒的でしたから。

とにかく、今、きみたちは稲瀬川大学と対等か、それ以上になっています。胸を張っていいですよ。すごいことです』

香椎の口調は刺激的だった。絶望的な状況を圧倒的なプラス思考で捉えなおした上、ゼミ生らの成長を断言する。電話を聞いていたゼミ生らは、知らず知らずのうちに顔を上げていた。

『新聞を真に受けて悲観することはありません。むしろ、全国新聞でＩＫＣに叩かれている――これこそがきみたちの実績であり、誰ひとり手を抜かずにレストランを経営してきた証拠です。出る杭は打たれるっていうでしょう？　みなさんは、出る杭なんです。固くて強い杭です』

携帯電話から流れる鼓舞は、あけぼのの太陽のようにゼミ生らのしおれかけた性根を照らし出した。

「そうさ、俺たちは間違っていない」肇は力強く言った。「俺たちはいつだって真面目にやってきた。ズルをしたり、手を抜いたりしたことはなかった」

「そうです」乙成も声を上げた。「全国新聞に載って、名前だけは全国区に広がりました。内容はピンチのようだけど——チャンスに変えればいいんです！」

「俺はジビンカを守り、ＩＫＣと戦うぞ！」肇は高らかに宣言した。

全員が「オーッ」と声を上げた。

『その意気です』

香椎は満足げに言った。

ピンチの陰には必ずチャンスが隠れている。ピンチはチャンスの代名詞である。ピンチが大きければ大きいほど、隠れているチャンスも大きい——。

香椎の持論である。ゼミ生らの前で口にしたことはない。身をもって体験しないと分からない上、隠れているチャンスを見つけ出すのは難しいからだ。

だが乙成がそれに近い言葉を発したので、香椎は満足だった。

——あとは自分たちで実践して、成功体験を積んでほしい。

香椎は心からそう願い、気炎を上げる教室の空気を耳にたっぷり沁みこませると、そのまま通話を切った。

通話の後も、ゼミ生らの話し合いは続いた。できることは何なのか。その結果、今回の騒動で迷惑をかけることになった関係者や応援者にお詫びの電話を掛けることになった。

「なんで詫びるんだ?」肇は突っ張った。「俺らは何にも悪いことをしてないじゃないか」

「分かってるわよ」夕が言った。「これだけ新聞にデカデカと載ったら、ジビンカの周りの人たち――商店街や農家さんなど――が、矢面に立っていろいろ文句を言われているかもしれないでしょ? そのことについて、『本来ジビンカが説明すべきところを、お手間を掛けてすみません』と詫びるのよ」

「なるほど、大人だなあ」

「ただ詫びればいいってもんじゃない」勝田が言った。「今後ジビンカに代わって文句を言われたら、これこれこういうふうに返事をしてくださいと、そこまでお願いするんだ」

ゼミ生らは、伝えることをあらかじめまとめ、電話番号リストを手分けし、それぞれの携帯電話で電話をかけ始めた。VIPは代表乙成の担当である。市長、商店街会長、雛美大学長・学部長といった人々が相手だ。勝田は農家を中心、夕は轡さんら猟師に掛けた。後は手分けをして、マスコミ、納入業者、常連客に掛けた。

電話をするうちにゼミ生らは徐々に元気を取り戻していった。電話口でいただいた数々の言葉――「頑張ってね」「あんな記事、信じていないよ」「これからも行くよ」「応援してるから、何でも言って」――ほぼ百パーセント応援の言葉で、批難の声は一つも無かったのである。

電話をかけまくる中で、一件だけ、向こうから掛けてきた人物がいた。受けたのは夕である。

『今津だよ』男はいつもの調子で軽々としていた。『いやあ、書かれちゃったね』

「そうなんですよ。いま方々にお詫び電話の真っ最中です」

『忙しい時に邪魔したね。実は、今から取材に伺おうかと思って』

「なんのですか」

『なんのって、ジビンカのだよ』

夕は電話口でニヤリとした。「ええ、構いませんけど――」

『どうしたの？　何か引っかかる？』

「いえ、お手をわずらわせるだけじゃないかなあと思って」

『おや？　ガラじゃないことを言うね。本音を言ってよ』

夕は少し間を置き、

「こう言っちゃ悪いですけど、全国紙にあれだけ書かれたら、もう誰が何を書いてもひっくり返らないと思うんですよ。だから、今津さんに頑張っていただいても、今度の件は――」

『聞き捨てならないね！』今津はカチンと来た様子だった。『そりゃぼくは地方紙だよ。全国よりも頒布力はない。けれども、取材力と論説力は、どこにも引けをとらないつもりだ。覚えているかい？　ジビンカがメジャーになった時のこと。あれはぼくの記事が起爆剤になったんだよ。ローカル発でも世界は動くんだ！』

「うかつでした。すみません」

夕は恐縮した口調で答えたが、電話口ではペロリと舌を出していた。

『今回もぼくはやるよ！　今から行くからね！』

「あの、今日はジビンカは休みですので」

『ゼミの教室だね！　みんな残っていて！』


今津の渾身の記事は、翌々日の地方紙地域面に全段掲載された。目に炎を宿して取材したわりに、記事の見出しは「地方を元気にしているジビンカ・レストラン」と、ごくおとなしめであった。しかしその内容は、かつてない精度でしたためられていた。ジビンカの実績について事細かに記されている。商店街が活性化されたこと。農業や狩猟に従事する高齢者が喜んでいること。大学生や高校生が地域で活躍できていること。そしてなにより、お客が楽しい時間を過ごせていること。

記事のラストは、記者の範疇を超えているかのような、思い切った一文だった。

【実績・福祉・地域形成。この三拍子を達成したレストランは、日本で初めてではなかろうか】

肇は新聞を置いて言った。

「最後以外、今津さんのわりにはおとなしいな」

しかしこの書き方にこそ、プロの筆致が潜んでいた。まず、記事を読んだ地元ケーブルテレビが取材に来た。こうなると地方局も黙っていないし、各種業界紙も近づいてくる。まるで最初からマスコミを呼ぶために書かれた記事だった。公共放送局まで取材に来たと聞いて、今津はほくそ笑んだ。

「ありがとうございます」夕は満面の笑みで礼を述べた。

「どういたしまして」今津はニンマリし、「しかし——今思うと、今回はきみに担がれたかな？」。

マスコミ効果はてきめんで、客足は元に戻り、全国紙の影響で低迷が予想された売上は、なんと過去最高益を叩き出した。知名度でいえば、全国紙に載ったことで、かつてない規模に達した。

とにかく新規客が増えた。新聞を見てからかい半分に来る者もいれば、「全国紙で見たよ」と雛美大ＯＢが応援で訪れたりもした。どんな客も薫子が腕によりを掛け、確実にファンにして帰した。

「一つ学んだことがあるわ」と夕。

乙成と勝田は耳を傾ける。

「マスコミ同士は戦わないってこと。よほどシビアな政論でないかぎりね。彼らにもイメージってものがあるわ。今回、今津さんの記事をきっかけに多くのマスコミが好意的に取り上げてくれたけど、その余波で全国紙が批判のトーンを弱めた。そもそもジビンカの農薬問題は世論を二分して言い争うような話題でもないし、学生を叩いたって『弱者いじめ』にしか見えないから」

夕の目算で火消しが早まり、全国紙の批評がほぼノーダメージで終わったことを受け、乙成はぽろぽろ涙を流した。安堵のあまり緊張が解けたのである。ただ、彼女には一つ気になることがあった。お詫び電話の際、市長にだけ電話がつながらなかった。本人の携帯は通じず、秘書課を通すと「公務です」の一点張り。

「どうされたのでしょう？　香椎先生に聞いてみましょう？」

香椎に電話を掛けると『さあ？』とそっけない返事。

『ところで、今回の記事を書いてくれたのは今津さんですか』

「そうです。あの方にはほんとにお世話になりっぱなしです」

『すごいことですよ。なぜって、彼は稲瀬川大学卒業で、ＩＫＣのＯＢなんですからね』

「ええっ！」乙成は大いに驚いた。

『全国紙の記事のソースがＩＫＣだということくらい、彼のポジションからお見通しでしょうから。彼にも何か思うところがあったんでしょうね。だって、そもそも彼の方から取材依頼がきたんでしょう？』

「先生、これって……」

『はい』

香椎は乙成の察しに気付いたようだった。

『これから、手厳しい戦いが続くかもしれませんね』

§

稲瀬川大学は、大谷野市に隣接する赤松市にある。広大な緑のキャンパスにギリシャ風の白亜の建物が点々と建ち、自由で開放的な校風を外観にもあらわした大学である。歴史は古く、輩出した人材は多い。「イナ大を出れば社会のどこにでも口が利ける」とは、しばしばOBが自慢げに口にする言葉である。名門として名高いが、学風に古めかしさや重苦しさはなく、むしろフレッシュでチャレンジ精神に満ちている。稲瀬川大学についてはじめて知る人はこう言うのが常だ。

「え？　私立じゃないの？」

全国の国立大学法人の大学のあらゆるサークル活動を見渡しても、ＩＫＣほど大学首脳陣に愛され、融通を受け、時には利用されるサークルもないだろう。ＩＫＣは稲瀬川大学の学生活動のシンボル的存在である。その活動内容は、さきにジビンカのゼミ生たちが煩悶のうちに触れたので、ここで改めて紹介するのは控える。

とにかく、香椎の言うとおり、ＩＫＣはジビンカに対して鼻持ちならないものを感じていた。長年環境問題に提言をしてきたサークルとして、名門大学として、Ｆラン大学・にわかレストランを叩いておく必要を感じていたのである。

黒く重厚な会議場の扉が開き、集まっていた部員たちは立ち上がって部長を迎えた。

ＩＫＣの部室は学生棟のワンフロア全体に及んでいる。ラウンジ、書庫、会議室、応接室、部長室——様々な施設を擁し、さながら一個の企業である。会議室は三十席の円形テーブルが配置され、プロジェクター、ＡＶ機器も完備。学外とのテレビ会議も可能だ。

円形テーブルの最奥の席に、ＩＫＣ部長・漆川紗江は腰を下ろした。部員たちも着座し部長の言葉を待った。漆川は苦々しい顔をして、黒縁の眼鏡を机に置いた。細い腕を組み、華奢な肩をいからせて背を反らす。ショートボブが片方に傾ぎ、横一直線にカットされた前髪が苛立つように隙間を空ける。眉は波打ち、切れ長の目は怒気を孕んで中空を見据え、瞬いている。

「次の手立てを考えたわ」

細い唇の間に薄く闇が覗き、彼女はハスキーな声を漏らした。

「まず私たちは、私たち自身の役割をわきまえなくてはならない。我が部の目的は、地球環境の恒久的な保持・発展。さらに――」漆川は座をぐるりと見渡し「そのためにはいかなる手段も辞さない、という覚悟」。

部員一同、じっと耳を傾けている。

「私たちに弱点があるとすれば、名門のプライドね。私たちは先を急ぎ過ぎた。自分たちが万能だと思っているので、はじめっから最適解を用いた――しかし、大衆は付いてこれなかった！」漆川は明らかにじりじりしている。「ジビンカは大衆の愚昧に付け込んだ。聞くところによると、新聞掲載後、客入りはむしろ増えているというわ。それどころか、新聞は『人気に水を差している』『野暮な論説』と逆に攻められている。記事がＩＫＣ名義で無かったから良かったものの……。とにかく、私たちは、容易に勝てると確信していた敵に、しっぺ返しを食わされたのよ。慢心だわ！　私を含めて！」

部員たちは漆川の強い口調に押され、懸命に聞いていた。

「次は地道にやるわ」漆川は一転、つぶやくように言った。「外堀を埋めて逃げ場を封じる。そこで再び大きな爆弾を落としてやれば、今度こそジビンカは終わりよ」

彼女は全員に作戦を伝授し、一人ひとりに具体的な指示を与えた。部員たちは怪訝な顔一つ見せず、任務を受けると会議室を出ていった。

§

【ＩＫＣは定期的にジビンカを偵察していた。「農薬や除草剤の使用全面禁止」を訴える彼らとしては、農薬を肯定するジビンカを放置できなかったものと思われる】

「なるほどなあ」

肇はペーパーをめくって次のページに目を遣った。

【稲瀬川大学およびＩＫＣは、卒業後マスコミ関係への就職が多い。ＩＫＣはそのコネを活用したＰＲ例があまたある。マスコミの登場頻度の多さから、ＩＫＣの発言にはすでに社会的信用が培われており、メディアもその価値を理解している。特に現部長・漆川紗江は若手研究者、論客として定評があり、くわえてそのルックスの良さも、メディアに重宝される理由の一つである。ＩＫＣは資金面も潤沢である。企業や行政機関から補助金を受けているだけでなく、メンバーに依頼された講演や執筆の報酬も、活動資金として蓄えられている】

「スゲエな。ＩＫＣ」

肇はペーパーを勝田に返して言った。その書類は勝田が作成したもので、ＩＫＣについてネットで調べたことを一枚にまとめたものだった。

「同じ学生とは思えねえよ。資金作りが半端じゃない。執筆の報酬ってまるで作家じゃないか。ま、行政の補助金ってところは、俺たちも同じだから何とも言えないけど」

「額がまるきり違う」勝田は頭を振った。「ジビンカは一件だが、ＩＫＣは部員一人一件って具合だ。リサーチによると、ノルマがあるらしいぜ」

「マジかよ」

「ＩＫＣはサークルと言うより、もはやコンサル会社だ。俺たちは敵を学生だと思っちゃいけない」

「そうだな。裏にたっぷり企業や役所が控えているようだし」

ゼミ生らは、敵の強大さに戦々恐々としながら、日々の営業を続けていた。ところが例の新聞の一件以来、変わったことは何も起こらず、そのまま年を越した。その頃になると恐怖心もやや薄らいでいた。

冬休みが終わって間もない一月末、急に市役所から問い合わせがあった。ジビンカの会計が正しく機能しているか説明をしてほしいとのことである。先日市民からこんなクレームがあったという。

「ジビンカで食事をしたらお釣りが間違っていた。市の補助金を受けているそうだが、会計はしっかりできているのか」

経理担当の谷川しずくは首を傾げた。

「お釣りが違ったらレジが合わなくなるはずだけど、そんなことあったかしら」

調べてみても、そんな事実はない。谷川は商店街の税理士に相談して回答文書をつくり、提出した。

【帳簿・通帳は税理士の確認を受けています。今回のような場合は、現金過不足として処理す

るように教わり、実行しています】

間違いがあったかどうかの是非より、ジビンカが会計をしっかりしていることを強調して伝えておいた。

時を同じくして勝田の元に別種のクレームが寄せられた。これもまた市民からのタレコミで、連絡を寄越してきたのは消防署だった。

「近隣住民の方から『レストランの非常口前にずっと荷物を置いたままだったが大丈夫なのか』と通報を受けました。改善策を明示してください」

勝田は食材の搬入搬出を行う肇ら調理課にこの件を伝えた。肇は激怒した。

「そんな事実はねえよ！　俺は親父が店やってたんだ。親父が消防署に怒られてるのをずっと見てきた！　だからよく分かってる！」

「お前の親父、あんまり誉められた例じゃないな」

「だいたい、ジビンカの搬入はいつも正面入り口だ。非常口から物を出し入れすることはない」

「そういやそうだ」

勝田はさっそく回答を起草した。

【ジビンカでは、搬入時に非常口前に荷物を置きっぱなしにすることはなく、置いた事実もあ

りません。なお、災害時には一分以内にお客様やスタッフが退避できるよう、体制を整えています】

勝田は文面を谷川に託し、経理課から消防署へ回答を送った。こうしてジビンカは二件のクレームに対応したが、各所からそれに関する返事は返ってこなかった。それどころか、別のところから新手のクレームが次から次に寄せられた。どれも公的な機関からで、軒並み「市民からの通報」「苦情」であった。また、悪いことに、これらのクレームは全てジビンカ事業そのものに寄せられたものではなく、雛美大や商店街に寄せられたものもあった。

「ジビンカの学生たちはちゃんと授業に出席しているのか」

「商店街とつながって悪知恵を使っているという噂があるが本当か」

「雛美大の学生たちにゴミの出し方が分かるのだろうか」

難癖としか思えなかった。しかし役所の通達を無視することはできない。役所としても、市民から寄せられた声を黙殺することはできない。谷川は事務方のリーダーとして毎日苦情電話に対応し、適切に答えなければならなかった。乙成は大学や商店街に謝罪行脚、勝田は回答文書の作成に追われた。

夕は首を傾げた。

「今まで無かった苦情が突然増えるなんて、どういうことかしら」

肇は目を怒らせ、

「そらお前、明らかに嫌がらせだろう。釣銭の件も非常口の件も全部そうに決まってら」

夕は朝から電話口に立ちっぱなしの谷川を見た。彼女は気丈に対応しているが、顔は泣きださんばかりだった。

「俺たちもクレーム処理を手伝いたいが、内容が特殊すぎる。経理課ってすごいな。谷川にしか対応できないことがこんなに多かったとは」

「いま彼女は一人で矢面に立って戦っているのよ」

「戦う？　誰と？」

「おそらく、ＩＫＣよ」夕は呟くように答えた。「私たちにあらゆる方向から揺さぶりをかけて、ボロを見つけ出すか、ボロを出させるまで続けるつもりよ」

「やっぱり。俺もなんとなくそうなんじゃないかと思っていた」

「憶測よ。人に言っちゃダメ」

「分かってるよ」

二人の想定は正しかった。事実、このクレーム攻勢は漆川紗江による策謀で、ＩＫＣの頭数とコネをフル稼動した揺さぶり作戦であった。全ての苦情はでっちあげで、部員らが匿名で役所に偽りのタレコミを行っている。よほど突飛でない限り、いかなる通報も処理しなければならない役所の立場を利用し、ジビンカのメンタルを疲弊させようという魂胆だった。

この攻撃はジビンカのゼミ生にとって未曾有の経験であった。これまで彼らが乗り越えてきた戦いは、目的が明確で勝ち負けがはっきりしていた。それゆえに、戦う理由を仲間と共有し、力を合わせることができた。しかし今回は違う。相手は市役所、保健所、消防署……それぞれ独自のルールを持っていて、それに合わせて対応しなければならない。しかもこれは敵の切っ先をかわし続けるだけの不毛な防戦で、おおもとを叩けないために永遠に守勢のままである。

もっとも、ジビンカのゼミ生らの立ち位置では、クレームの裏側にＩＫＣがいるのを正確に掴むことなどできはしない。肇と夕の推測はあくまで憶測であり、鋭敏な感覚を持っていたからこそ事実に肉迫できたまでである。

クレームの件数は週を追うごとに増えていった。谷川は対応にかかりっきり。他のゼミ生らは、谷川がフロア営業に出られないことから、その穴埋めにかわるがわるシフトに入った。

谷川は青い顔をして言った。

「店に出れなくてごめんね」

「何言ってるの」夕は首を振った。「こっちこそ、手伝えなくてごめん。いまジビンカがあるのは、しずくが矢面に立ってくれてるからよ。ほんと、みんなあなたのおかげで――」

そこまで言いかけて、谷川は人差し指の先で夕の唇に触れた。夕はされるままに谷川の目を見た。彼女の目蓋にはいっぱいの涙が浮かんでいた。

「ありがとう。でもそれ以上は言わないで。私、嬉しくて泣いちゃうよ。でも、今泣いたら終わりの気がする。まだ張り詰めてなきゃいけないから――」

谷川の悲壮な戦いは、確定申告を前になお激化していった。ついに税務署から電話が来た時は、目の前が真っ白になり、倒れかけたほどである。「そういえばまだ申告書を出す前だ」と思い直した途端、今度は息が荒くなり、自らビニール袋に顔を突っこんだ。その様子を見ていた面々は、谷川しずくという人間の知られざる側面を知った。彼女はこれまで、底抜けに明るく、おしゃべりで、運動と食べることが大好きというキャラで通っていた。だが、この顛末を機に、責任感のある誠実な人間であることが明らかになったのである。事実、彼女はタフであった。そうでなければ、一学生の身でこれほど厳しい社会の洗礼に耐えることはできなかっただろう。彼女の心は電話が鳴るたびに削がれていくようだった。だが彼女は強靭な精神の力で最後のひと筋を断ち切らせずにいた。

役所とのやりとりは息が抜けない。この手の苦情は手続きや弁明を億劫がって気を抜いた瞬間、負けが決まる。負けイコール問題の是認、すなわち終焉である。しかも法律・条令・規則といったものは、どこが勝負の切れ目になるか分かりづらい。少しでも間違えたらおしまいという恐怖感に、谷川ら経理課は戦々恐々としていた。彼らには少し早い社会の荒波、大人の世界のシビアさであった。一方、ＩＫＣは何もかも承知していて、その恐怖を連続して与えることによりジビンカが精神的に折れることを想定し、クレームを通報し続けていた。

経理課は根気よく役所に説明を行い、場合によっては報告書を作って提出した。この期間に経理課が作った資料は数百ページに及ぶ。提出すれば、それに対して疑義や質問が寄せられる。呼びつけられることもある。その際の役所の姿勢は本気である。細かい決め事の一つ一つ、その一字一句の解釈を通じ、どれだけ厳密であったかをつぶさに見る。軽視してしまったことや口約束で進めたことなど、痛いところを突いてくる。掛けられた疑義に誠心誠意回答し、なんとか役所に認められれば、事は一件落着となる。一件落着はめでたいことだが、もとは難癖であることから、ただ疑いが晴れただけで、なんの成果も得られない。若い学生たちにはこの虚無感が一番堪えた。そして机の上には同様のクレームがまだ延々と山積みにされているのである。まるで無間地獄だった。

この終わりなき戦いは、あまりにも長く続いたため、ゼミ生全員に、一筋の光も想像させなかった。一身に電話を受ける谷川は、絶望の先端を一人ひた走っていた。

だが、ある時、谷川は意外な展開に遭遇した。

ある苦情の電話に返答をした時のことだ。喉の枯れた谷川は、よろしいでしょうかと確認する自分の声すら掠れて聞き取れなかった。それでも何とか「分かりました」という相手の声を

聴いて、そのまま電話を切ろうとした。その寸前に、

「頑張ってくださいね」

今まで自分を責め立てていた相手からのエール。

谷川は息を呑んだ。頭が真っ白になった。

――どういうこと?

耳を疑いつつも、彼女は「ハイ」と声を絞り出し、電話を切った。彼女の頬をひと筋の涙が伝った。誰よりも暗闇を駆け抜けていた彼女が最初に知る、出口の光であった。

それからあとも、同様の電話が相次いだ。質問をクリアして電話を終える直前に、こんなことを付け加えられたりした。

「レストラン、今度家族で伺います」

「ジビンカは我が市のサクセスケースです。自信をもって」

ある人はストレートに言った。

「いろいろ批判もあるだろうけど、応援している人もいっぱいいるから。めげずに!」

これには受話器を置く前に声を上げて泣いた。

しばらくこういう電話が続き、その後クレーム電話はぱったりと止んだ。谷川ら経理課が虚脱する中、ゼミ生らは訝しく思った。乙成は呟いた。

「不気味ですね。これはどういうことでしょう」

勝田はびくびくして言った。

「もしかして、最後にひとつ、どでかいクレームが押し寄せるとか」

「馬鹿野郎、花火大会じゃあるまいし。収束したんならそれでいいじゃねえか」肇はそう言って谷川を見遣り「お前、すげえな。全部のクレームを黙らせちまった。マジお疲れ！」。

「へへ……」

谷川はうっすら微笑んだ。疲れ切っていたが、どこかやりきった顔をしていた。

クレーム攻勢の唐突な終焉――これは別段、大きな力が通報を遮ったわけではない。通報先の組織の各所が「これはジビンカへの嫌がらせでは？」と、それぞれに気付き始めたのである。なにせ、あまりに数が多かったし、内容が抽象的過ぎた。はじめのうちは、ルールに則り通報ごとにジビンカに指導の連絡を入れていたが、やがて「いくらなんでも多すぎる」「苦情内容に裏付けがない」「同じような苦情ばかり」――つまり、「またか」と思うようになり、各所とも担当レベルで黙殺するようになった。それ以降は、新しい苦情が来ても「検討します」「調べておきます」と、お茶を濁すようになった。その結果、ジビンカへのクレームは消えてなくなったのである。

絶妙なタイミングでの終焉だった。谷川しずくだけでなく、他のゼミ生も、精も魂も尽き果てる一歩手前だった。

§

稲瀬川大学の学生棟に、部長室の扉をノックする音が聞こえた。

細身の男子部員は扉を開け、部屋の中央まで歩んだ。

漆川紗江はソファに腰を下ろし、足を組んでノートパソコンをクリックしていた。

「部長、お呼びですか？」

彼女は顔も上げず、

「報告しなさい。ジビンカはどんな感じなの」

「経理課の谷川しずくがフロア営業に復帰しています」

「そう」

「お言葉ですが」男子は視線を落として言った。「私は、あの通報攻撃は妙案だと思ったのですが、なぜ止めてしまったのでしょう」

「止めたつもりはないわ」漆川は言った。「良くも悪くも、役所の人間が意外に良心を持っていたということね。もともとあまりいいやり方では無かったから、構わないのだけど」

漆川はようやく頭を上げた。表情は淡々としているものの、眼鏡の向こうの目は明らかに不服そうであった。

「次の作戦に入るわ」

男子は姿勢を正し、拝聴の姿勢を取った。

「ジビンカは苦情攻勢で精神的に疲弊している。おまけに苦情が止んで油断が生じている。ここで一気に急所を刺す」

「どうするのです？」

「秘策があるの」漆川の目が狂気に揺れた。「見ていなさい、ジビンカ。稲瀬川大学ＩＫＣの理念に反する者は消えてもらう。あの店は、もうおしまいよ」

§

苦情攻勢からひと月余り経った二月末。ジビンカは年度末の忙しさに明け暮れていた。そんな日々の連続に、ひところの苦情攻勢はずっと昔の話に思えた。

つまりそこに気持ちの隙が生じていた。

ある日、ランチ営業を終えレジを締めた乙成が、店に掛かってきた電話に出た。

「はい、ジビンカ・レストランです」

『ちょっと！』

乙成の耳を、甲走った女性の声が刺し貫いた。

『おたくで食べてから、うちの子の体調が悪いんだけど！』

「えっ？」相手の剣幕に乙成は面食らった。

『山の得体のしれないシカやイノシシなんか出すから、こんなことになるのよ。農薬だらけの野菜も原因に決まってるわ』

「あの、それは」

『もう然るべきところに訴えたから！　あんたたちなんか、潰れてしまえ！』

電話は切れた。乙成は受話器を置いた。

ちょっと前の乙成なら、ベソをかいて夕か勝田にすがっただろう。しかし、先の苦情攻勢で耐性ができていたためか、少しびっくりするにとどまった。乙成は夕に今の電話のことを告げた。

夕は難しい顔をして、

「その電話ヘンね。少なくともこの間までの苦情電話とは違う。だって、前は役所からだったけど、今度はお客さんから直接でしょ？」

「そうです」乙成の目が沈んだ。「もう訴えたと言っていましたが」

「訴えるって……どこに？　ハッタリじゃない？」

「だといいんですけど」

電話口で直接相手の怒号を聞いている乙成は、夕の憶測を容易に受け入れることはできなかった。あの怒りは迫真だった。

果たして乙成の不安は的中してしまった。

翌朝——その日は前夜からの雨が止まず、町じゅうが黴(かび)つくように湿気っていた。午前六時頃、まだ無人のジビンカの電話が鳴った。転送先第一位の乙成の携帯電話に通話が飛ぶ。合わせて二本目、三本目の電話が鳴る。それぞれ設定どおりに勝田、夕、谷川に転送されていく。寝床にいる者、朝の支度をしている者など様々だったが、みな電話を受けてびっくり、連絡しあって緊急にジビンカに集まった。

「一体何なんだこれは？」

勝田が吠えた。

「朝からテレビ局が電話とは！　すぐに取材に来るらしい」

「私はケーブルテレビと地元紙から来たよ」と夕。

乙成と谷川もそれぞれマスコミから電話を受けていた。

ガヤガヤしているうちに、裏の戸から薫子が出勤してきた。

乙成が細い声を揺らして言った。

「ジビンカから食中毒が出たそうです。今からマスコミ各社が取材にやってきます」

「なんだッて？」

その後、ゼミ生全員に一斉メールが送られた。緊急会議の招集である。ほどなく肇や進藤らがやってきた。

「香椎先生は？」肇は尋ねた。

「連絡がつかなくて」乙成は首を振った。

フロアで緊急会議がはじまった。最初の議題は「今日これからどうするか」。もうしばらくしたらマスコミが集まる。そうなると仕込みを邪魔され、営業がままならなくなる。

「今日は休業にしてはどうでしょう」進藤が言った。

「待て」勝田は制した。「昨日乙成が受けた電話が本当かどうか分からない。デマかもしれない。休みにしたら、食中毒を認めたことになる」

夕は乙成を見た。

「その食中毒の電話は、それっきり掛かってこないの？」

「はい」

「それ以外のところからも？」

「ええ、ありませんね」

「それなら食中毒の可能性は低いわよね。ジビンカはメニューが無いから、お客さんはみな同じものを食べている。他の店より集団化する可能性は高いはずよ」

肇は壁時計を見上げて言った。

「そろそろマスコミが来るぜ。くそッ。こんなの罠に決まってら。食中毒ですかと訊かれても、ハイともイイエとも言えないじゃねえか。どうやって疑いを晴らすんだ？」

「私ちょっと腑に落ちないことがあるんだけど」夕は小首を傾げた。

「何だよ」

「食中毒の噂は今のところ一般からの通報だけで、何の裏もとれていないはずよ。マスコミってそんなに軽はずみに動くものかしら」

勝田は顔をしかめ、

「うちに掛かってきた通報は一本だけど、マスコミには何本も行ってるのかもしれない。あるいは、俺らが知らないだけで、実はもう病院に何人も運び込まれているとか——」

乙成と夕は青ざめた。

進藤が手を挙げ、

「とにかく、今日の営業のことを決めましょう。マスコミが来れば、きっとみんな対応に追われてしまう」

「安心しな」

凛とした声に全員が振り返った。薫子である。彼女は白いコック服の上に高校生インターンの贈ってくれたエプロンをつけ、

「平日のランチくらい、私がちょっと本気を出したら一人で回せる。問題は無い。フロアを二人選んで、店を開けちまえ」

「ありがとうございます」乙成は頭を下げた。

肇は舌打ちし、

「チッ、かっこイイな。一度でいいからそんなセリフを言ってみたいもんだ」

「百年早えよ」

薫子は厨房に下がっていった。

薫子の姿が見えなくなると、肇はみなの間にそっと身を乗り出し、小声で言った。

「いいか、みんな。絶対にマスコミと薫子さんを対面させるなよ。変なことを訊かれたら、ブチ切れて何をするか分からない。食中毒の前に暴力事件になる」

全員黙ってうなずいた。

事実、薫子は一見平然としていたが、内心ムカついてしょうがなかった。

——私の厨房から食中毒？　いい加減なことをぬかしやがって！

午前八時半過ぎ、三社のマスコミがやってきた。地元新聞、大手新聞支局、民間放送一社である。ジビンカのマスコミ対応責任者は、営業広報課のリーダーである海老原夕。彼女は雨降る中を傘も差さず、ジビンカのエントランスに立ち尽くし、やってくるマスコミに対峙する構えだった。

「おはようございます」地元新聞社が真っ先に挨拶をした。次いで大手紙の男がいかにもこなれた調子で言った。

「今からマスコミがたくさん来ますよ。あなたも何度も同じことを言うのは面倒でしょう？どうです？　記者会見形式にしたら」

地元紙と民放は「さすが」という顔で大手紙を見た。

しかし夕は、

「今日はその予定はありません。食中毒の件で消費者から声が上がっているのは認識していますが、まだそれが食中毒によるものなのか、事実関係を調査中です。現状、みなさんにお伝えできる話はそれだけです。お引き取りください」

「そんな」三社は夕を呆然と見た。

「よろしければ名刺をお預かりします。発表できる情報が集まりましたら、こちらからお知らせしますので」

大手紙は食い下がった。

「店長さんのお話だけでも聞けませんか？」

「店長は大学との話し合いで不在です」

「中で写真を撮らせてください」

「もうすぐお客様がお見えになりますので、ご遠慮願います」

何を言われても夕は塞ぎとめた――実はここに今津の入れ知恵が活きていた。彼女は事前に今津に電話をし、いくつか知恵を授けられていたのである。

その後もマスコミがぞろぞろやってきたが、同じやり方で返した。大手紙はそれでも引き下がらなかった。彼らは店の外から長いレンズで店内に迫った。レンズの先は厨房を狙っていた。肇や勝田は外から厨房が見えないようカーテンを閉めたり自ら遮り役になって薫子の肖像を守った。

マスコミは遠慮が無く、営業が始まり客が入りはじめても、エントランスに三脚を広げていつまでも居座った。ランチ営業が終わる頃、今津がやってきた。いつまでも粘っていた大手紙

が彼を見付け、

「あなたはいつもジビンカを好意的に書いている記者だよね」

そういってものを聞き出す構えだった。今津は認め、

「あなたがたも無手じゃ会社に帰れませんよね。じゃあ、お土産にちょっと耳寄りな情報をお知らせしましょう。お車ですか？　はあ、それなら私の車についてきてください。話しやすいところで……」

そう言って回れ右してエントランスを出ていった。全てのマスコミが今津の後に従い、消えた。彼らは門番の女子大生がしぶとく口を割らないことに、すでに疲れきっていた。これにて夕のマスコミ撃退の任務は完了。その夜、今津から夕に電話があり、「みんな途中でいなくなっちゃってね」とのこと。どうやらうまく巻いたらしい。

さて、マスコミが消え、ランチ営業が終わった頃、息つく間もなく次の珍客がやってきた。保健所である。通報を受けて抜き打ち検査にやってきたのだ。さすがに中に入れないわけにいかない。窓口となるべき乙成と谷川は、食中毒疑惑の説明をしに大学に赴いていたので、勝田と夕が対応した。

保健所はてきぱきと作業をすすめた。フロアを検査し、厨房へ。水道の水を汲んだり、冷蔵庫のラバーや蛇口のあたりを綿棒で拭って試験管に入れたり、もろもろの部位を採取した。包

丁など調理機材、食器なども採取し、食材の一部を接収した。

彼らはひととおりのものを預かると、

「明日も伺います。いくつかの専門的な検査を行いますので、結果が分かるまで数日掛かります」

夕はおずおずと尋ねた。

「大丈夫だと思うのですが、もし、何か見つかったらどういうことになるんでしょう」

「最悪、営業停止となりますね」


翌日。

ゼミ生らはおそらく新聞にデカデカと「学生レストラン食中毒」と書きたてられるだろうと予想していたが、実際に掲載したのは地元紙一社であった。今津が所属する新聞とは違う新聞である。多数集まった大手紙や全国紙は、結局情報の裏取りが完璧にできなかったため、断念したようだ。載せた地元紙も「弊紙に多数の通報者——市内レストランに食中毒の疑い」と、記事としては非常に微妙なものだった。

その日も朝からマスコミがジビンカに集まっていた。彼らは店内に取材を申し込もうとはせず、道端や隣の公園にたむろし、何かを待っているようだった。肇は顔をしかめてキッチンの窓からそれを見ていた。やがてランチ営業が終わり、予定どおり保健所が二日目の検査に来た。その時を見計らい、マスコミが動いた。全身白衣の保健所スタッフが、横付けされたバンから店に入っていく。それを包み込むようにカメラのフラッシュが光る。ビデオが伸びあがって撮り下ろす。そばで記者がしゃべりだす。

「十五時ジャスト、いま保健所職員が店舗に入っていきます」

「ものものしい様子です」

「何が出てくるのでしょうか」

その翌日。

ついに新聞各紙はこぞってジビンカを吊るし上げた。

【大谷野市内学生レストランに保健所が立入検査】

どこの紙面もほぼ同じヘッドラインで、昨日と違い大々的な扱いだった。記事に目を向けると、

【……学生たちが地域活性化、獣害問題、農業問題等を解決するべく開店した飲食店（ジビンカ・レストラン）で食中毒が発生した疑い。ジビエ肉の使用や、学生主体の運営に、これまで

も賛否があった……】

　おおむねこんな調子である。特筆すべきは、はっきりと店名入りだったことだ。テレビではワイドショーが各局時間を割いて伝えた。コメンテーターは先の全国紙の批判とリンクさせ、勝手放題に言った。

「害獣駆除の肉を『もったいない』の精神で処理しようとする考えは非常に安直。菌や病気など安全面がずさんだったのでは」

「所詮学生の集まり。経験者が一人か二人いるくらいでは、安心経営はできない」

　食中毒の真偽にはほぼ触れず、ジビエや学生経営についていちゃもんが並ぶ。ゼミ生らは怒りを覚えた。しかし乙成と谷川は大学から「学生からは何も発信しないように」と釘を刺されており、それは全ゼミ生にも伝えられていた。みなジッと耐えた。肇も歯ぎしりをしてこらえた。

　だが、そんな彼も一つだけ「マスコミの言うとおりだ」と思ったことがあった。

【せめて責任者ともいえるゼミ指導教員は、顔を出して説明すべきだ】

「香椎先生はどこで何をしているんだよッ！」

　肇の叫び声はジビンカの窓をビリビリと震わせた。

ゼミ生らは連日早朝から臨時会議を開いていた。

「電話が通じなくて。分かりません」乙成も困惑の色である。

夕がカバンから写真週刊誌を取り出し、

「これに少し載ってたわ」

そう言ってページをめくり、ある記事を指差した。


【食中毒学生レストラン指導教員、被害者にお詫び詣で？】


一枚の白黒写真が大きく掲載されている。暗闇の中を足早に歩く香椎の横からのショット。市内の大病院の通用口に向かっている。

「これ、ほんとかよ？」肇は紙面を覗き込んだ。

「間違いよ」夕は断言した。「被害者も何も、私たちの店からまだ菌が出ていない。それに、どこからも『入院患者が出ている』という情報は寄せられてないし」

「じゃあこの写真は？」

「香椎先生の個人的なお見舞いか、先生自身が通ってるか」

「ふん」肇は週刊誌から目を離した。「いずれにしても、先生が姿を見せない、連絡もくれないのは、どうかと思うぜ」

みな同感だった。先生は一体どこにいるのだろう。ここ数週は春休みでプロゼミも開催されていない。大学の春休みは二月から四月上旬までと長く、この間に入試、卒業式があり、先生だって大学に出てくる用件はたくさんあるはずだ。だが、誰も彼とキャンパスですれ違ったりすることはなかったし、そんな話も聞かない。

それでなくても、目下ジビンカは全国的に手ひどい汚名を受けている。この間の批判記事の際は、電話ではあったものの、ゼミ生を激励してくれた。今回は前以上の渦中である。むしろ今こそ声を掛けてくれるべきではないか。

ゼミ生らはそう思いつつ、香椎のいないことに慣れていたのも事実である。彼への文句はいくらでも思いつくものの、では仮に彼が目の前にあらわれたとして、具体的に頼みごとがあるか、何かしてほしいことがあるか――となると、とりたてて何も思いつかないのだった。ただ精神的な支柱として香椎の存在を感じていたいだけである。

「とても忙しいに違いない」

「きっと、どこかで様子を見ているだろうよ」

ゼミ生らは香椎についてそれ以上考えなかった。誰が言わずとも、香椎に頼らず自分たちで問題解決に臨むのは決まっていた。

営業前の会議はさらに続いた。

厨房の方から薫子が一人で仕込みをする音が聞こえる。フロアは男女がひとりずつ、モップ掛けやテーブルセットをしている。

そんな中、残りのゼミ生が大テーブルを囲んで顔をしかめている。

「もし菌が出たらどうしよう」勝田はポツリと言った。

「お前、何でそんなことを言うんだよ！」肇は机を叩いて怒鳴った。

「あらゆる場面を想定するべきだろ？」勝田は冷静に言った。「ここでみんなで顔を向かい合わせて心配していても、保健所の結果が出ないことには何にも始まらない。だったら先に、身の振り方を考えておくんだ。白だったらそのあとどうするか。逆に黒だったら——」

「大事なことだと思います」乙成は賛成した。「私も白だと信じていますが、『もしも』を想定して動くのが、地域に店を出している私たちの社会的な責任だと思います」

肇は口を噤んだ。「社会的な責任」という言葉を聞かされては、容易な返答はできなかった。目の色がくるくる変わり、やがて、

「そのとおりだ」と呟いた。

周りのゼミ生らは重い唾を飲み干した。

「もしホントに食中毒だったら」肇は静かに言った。「まずは、謝ろう。具合が悪くなった人

のところを一軒一軒回って、デコから血が出るくらい土下座をするんだ。誠意を見せよう。そして慰謝料を払おう。治療費と、お詫びの意味を込めたお金だ」

「やっぱり――、頭を下げるだけじゃだめですよね」

乙成は消え入りそうな声で言った。

「分からない。でも、他に思いつかない」肇は首を振った。「金で解決って、何だか下世話に思えるが……でも、社会じゃ何でもかんでも賠償金とか保証金とか、金で解決するじゃないか。俺は同じようにしたい。『学生だから仕方がないでしょ』って逃げ方だけは、したくない」

夕はうなずき、

「ジビンカで食べた料金を返す意味もあるから、お金は外せないと思うわ。それと、最後に私たちが卑怯な逃げを打たなかったことだけは、世間に知らせておきたい」

「まったくそのとおりだ」と肇。

「金、いくらぐらい掛かるだろう」と勝田。

「見当もつきません」乙成は頭を垂れた。

「もし払いきれなかったら、どうする？」

勝田はそう言って窓に目を向けた。外から車の音が聞こえる。今朝もマスコミが取り巻いている。

「俺、大学を辞めて、働いて払うよ」

沈黙の中に肇の声が浮いた。

「仕方がないよな」ずっと黙っていた武井兵太が口を開いた。「俺、奨学金とダブルパンチの人生だ」

「俺もそうする」勝田は唇を歪めた。「楽しい大学時代だった」

「まだ決まったわけじゃないさ」肇は尖った声で言った。「でもみんなの覚悟は分かったよ」


その日のランチ営業はさんざんだった。十二時でも満席にならず、一時半にはわずか一組。オーダーストップ前にノーゲストになった。

この日は保健所から最終結果が知らされることになっていた。新聞にデカデカと載った影響は大きい。白か黒か——黒なら営業停止は必至。谷川は営業が終わる前からそわそわしていた。保健所との折衝は彼女が担当していた。

「黒だったら怖いなあ」谷川は夕にこぼした。「こないだのクレーム攻撃の時もしんどかったけど、今日のはそれ以上に怖いわ。だって、ダメだったら一発ＫＯだもん。弁解の余地はゼロ」

「そうね」夕はうなずいた。「でも大丈夫だと思うわ」

「どうして？」

「どうしてって。大丈夫だと信じる以外に、何を思うの？」

「夕ちゃんは楽観的だなあ」

　ネアカが売りの谷川に言われ、夕は苦笑した。

「楽観的かどうかは分からないけど、もしこれが本当の商売だったら、私たちとっくに潰れてるよね。なにせ全国紙で食中毒の報道だもん。たとえ白でも風評で押し潰されちゃうよ。ゼミの研究でよかったのかも」

「そう言えなくもないね」谷川はうなずいた。「そうだ、一つ気になっていることがあるんだけど」

「何？」

「この件も、稲瀬川大学のサークルが絡んでいるのかな？」

「うーん。どうなんだろう。分からないわ。どうして？」

「何かニオうのよ」谷川は声を殺して言った。「私、この間まで役所とやりとりしてたでしょう？　なにかこう、裏がある時には、ピーンと感じるようになったの。超能力かな？」

「どんなふうにピーンと感じるわけ？」

「何か一瞬でも怪しく思うと、全体がちぐはぐに見える感じ。一つだけピースがかっちりはまらない無地のパズルみたいにさ」

「どこかにそんなピースがあった？」

「あったよ。ほら、食中毒で最初にマスコミが来た次の日。一社だけ新聞に載ったでしょ？ああいうのは、すっごく怪しい」

「あったあった」夕はハッとした。「普通全紙足並みを揃えるわよね。そういえば、あの一社のこと、今津さんが言ってたよ。あの新聞社はホシュケイ？——だからどうのこうのと」

その時、バックヤードで電話が鳴った。

「ううう、ついに来た。行ってくるね」

谷川は青い顔をして駆けていった。夕はフロアに残った。やがて電話のベルが途切れた。夕はフロアでじっと待った。

しばらくして、

「夕ちゃん！」

夕は振り返った。谷川の顔ははちきれそうに明るい。夕の耳は谷川の声をしっかりとらえた。

「白だよ！　白！」

その晩、ディナー営業が終わった夜遅くに、ゼミ生らはジビンカに集合した。シフト外の人間も情報を聞きつけて駆けつけた。みな目をきらきらさせている。食中毒は出なかった。そのことが、彼らを元気づけたのだ。

「今日のディナー営業は、オープン以来ワースト5に入る結果でした」

手始めに乙成が言った。

「仕方がないと思います。風評は広がっていますから。でも、実際に食中毒は出なかったわけですので、このことを広く伝えて、またお客様に来てもらいたいと思います」

「もちろんだ」肇は言った。「いままでのように、逆境をバネにして、もっとすごいジビンカにしようぜ」

「でもどうやって離れていったお客さんに白だったたってことを伝えるんだ？」勝田は困った顔をした。

進藤は腕組みし、

「手っ取り早いのは、店内ポスターとか、ホームページとか」

勝田は顔をしかめ、

「店内ポスターは店に来てもらわなきゃ見てもらえない。ホームページだって、関心のある人しかアクセスしてこない。外に向けて発信する方法を探すべきだ」

「待って」夕が挙手した。「広報の立場から言わせてもらうけど、ホームページは間違いなくやるべきよ。テレビや新聞など他人のフィルタが掛からない媒体で私たちが主体的に発信している姿勢を示すために、活用すべきだわ」

「じゃあそれは営業広報にまかせよう。外への呼び掛けをどうするか考えよう」

すぐに肇が発言した。

「今回のことは結局全部デマだったんだ。そのデマをばらまいたのはマスコミなんだから、マスコミを使おうぜ」

「どうすんだよ」

「記者会見をやるのさ」

ゼミ生らはどよめいた。

「奴らに全てを伝えさせるんだ。最初の嘘電話、いい加減なマスコミ報道、保健所の厳しい検査、最後に白だったという事実。この辺を正確に伝えれば、みんな分かってくれるんじゃないか？」

乙成が手を挙げて言った。

「ニュースリリースは出そうと思っていますが、記者会見というのはいかがなものでしょう」

「文句があるのかよ」

「そうじゃありません——ただ、記者会見って、謝罪が多くありませんか？　中には身の潔白を訴えるのもありますけど、私がテレビで見る限りでは、どうしても、言い訳しているふうにしか見えない……マスコミの扱い方もあるのでしょうけど」

「確かにそうだな」勝田は同意した。「マスコミの質問を聞いていると、悪い方に面白い方に誘導的だよな」

「それ以前の問題があるわ」夕が言った。「ジビンカの食中毒疑惑はマスコミが広めたもの。それをマスコミ自身が容易に撤回するとは思えないの。自社の報道力のつたなさを知らしめるようなものだもの」

肇は口を尖らせた。

「報道って事実と正義を伝えるものじゃないのかよ」

「そうであってほしいけど」夕は目を伏せて答えた。「極端な話、マスコミによっては、食中毒がなかったなら食中毒を起こしてしまえ——ということもあるかもしれないわ」

ゼミ生らは重い唾を飲んだ。

勝田は目元に固い決意を漂わせ、

「こうなったら自分たちの出来る範囲でコツコツ知らせていくしかない。『食中毒はありませんでした』というポスターを、店内のみならず、大学内や商店街に貼らせてもらうんだ。そしたら外向けの告知になるだろう」

「でもちょっと弱いわね」夕が首をひねった。「私が読んだ広告の本によると、街角ポスターはよほどのインパクトが無いと。思わず立ち止まってしまうような何かが必要よ。さもないと、街の風景の一部になってしまうって」

「インパクトか——」肇は思案し「じゃあ、俺が剣と銃をもって、バイキンに変装した勝田と進藤をやっつけてる、というのは」。

「おいこら」勝田は口を尖らせた。「みんなが真面目な話をしているのに、何を言うんだ」

「俺は真面目だ」

「インパクトって、そういうことじゃないわ」夕が割って入った。「私たちが食中毒疑惑を乗り越え、今後どうなっていくか——その思い入れとか、意気込みみたいなものを表現する上で、インパクトが要るってこと」

「むずかしいなあ」ゼミ生らは首を傾げた。

みなが考えていると、バックヤードの扉が開いて薫子が出てきた。彼女は調理服から私服に着替え、帰り支度を整えたところだった。彼女は帰り時間にゼミ生らが打ち合わせをしていても、中に加わらず、そっと帰っていく。「このレストランはあくまで大学のゼミ」。彼女はきちんと線引きをしていた。また、ゼミ生らも、薫子にだいぶ無理をしてもらっているので、残ってまで話し合いに参加してもらうのは悪いと思い、声を掛けない。むろん、ごくまれに例外はあったが、その数はオープン以来三回にも満たない。

ところがこの夜、薫子は話し合いの輪をちらりと見遣り、ふと何かを思い出したように足を止めた。

「おい、宝塚肇」

「はいッ」

いきなりフルネームで呼ばれた肇は立って気をつけした。

「お前、休憩の時私から百円借りたよな」

「はい。自販機のジュースを買いました」

「返せ」薫子は手を差し伸ばした。

「いや、だから、今日財布忘れたから借りたんで……」

「チッ」薫子は顔をしかめ「これじゃ帰りに煙草を買えねえ。お前、明日絶対に返せよ」。

そう言って身を翻して立ち去った。

重い沈黙の中、ゼミ生の冷ややかな目が肇に注がれた。

と、その時、

「これよ！」夕が声を上げた。「返金よ、返金」

「え？」全員の視線が夕に集中する。

「お金を返すの。食中毒はありませんでした——だけど、疑惑の期間に来店した方にはみんな料金をお返ししますって。これはインパクトあるわ」

「ちょっと待て。俺たちは食中毒を出してないんだぞ」肇がわめく。

「全ては信頼回復のためよ」

一同は身を乗り出して夕の話を聞いた。

「ジビンカの食中毒騒ぎは世間のみんなが知ってるわ。結果デマだったけど、仮にその事実を人々が受け止めたら、次に期待するのは何かしら」

「人はそこで何かを期待するものでしょうか」乙成は言った。

「そこよ――表だっては何も期待はしないけど、期待のアンテナは実は張り巡らされている。傷ついたジビンカがカムバックする時に、第一声がごく普通のメッセージだったら面白くないわ。もしそこで、意外なこと、突拍子もないことを訴えたら、どう思う？　騒ぎの後だけに、その一言が効いてくるわよ」

「まさにバネになるな」勝田の顔が明るくなった。

「そうよ」夕はみなを見回して言った。「ここで何を言うかが大きな呼び水になっていく。きれいな言葉を並べただけでは印象に残らない。『白でした。これからも頑張ります』――こんなんじゃ当たり前すぎてスルーされるだけ。突拍子もないことを態度で示さないと。だとすると、返金が一番だと思うの」

「金で解決ってわけか」肇は恨めしげな顔をした。「しかし、俺としては、やっぱり名目が合わないよなあ。だって、食中毒は起こしていないし、誰にも迷惑を掛けていないんだぜ。その返金をマスコミが持ってくれるなら構わないが」

「何を言っているの」夕は肇に微笑みかけた。「返金は謝罪の意思表示だけど、謝罪は謝罪でも『お騒がせしてすみませんでした』っていう意味の謝罪よ」

「あ、それなら分かる」肇は手を打った。

「すごくいいと思います」進藤が言った。「返金キャンペーン。普通のお店じゃ絶対にありえないことですからね。リピーターどころか、ジビンカを知らない人にもインパクトを与えます」

「返金の金はどうするんだ？」武井兵太が尋ねた。「それに、言ってきた奴がホントに食ったかどうか分からない」

「返金は期間を設けましょう」夕は兵太を見た。「金額については、前にみんな一度覚悟をしたことがあったでしょ？」

「そっか」兵太は苦笑した。「ジビンカが白でも、やっぱり俺は奨学金とダブルパンチなんだな」

「どんまい」肇は兵太の肩を叩いた。

夜のフロアに少しだけ明るさが舞い降りた。

「では、それで行きましょう」

乙成がGOサインを出し、返金キャンペーンの開催が決まった。


各課は一斉に動き出した。代表・副代表と経理がキャンペーンの趣旨とフローを明文化し、営業広報課が広告物を制作した。食材課と料理課はオフ時間に商店街や駅前に走り、掲示物の許可を取って回った。掲示を許可してくれたところはみな親身だった。

「食中毒じゃなかったんだってね。頑張って！」

「応援しているよ。ウチの外にも中にも貼ってくれ」

「角の駐車場の看板にも貼っていいよ」

かくしてキャンペーンは開始された。ポスターとホームページのほか、予算を付けて新聞折り込みを行った。駅前や商店街でのフライヤー配りもした。ゼミ生が直接消費者に騒動の謝罪ができたことは、大きな反響を呼んだ。一週間後、返金キャンペーンは通常の広告効果をあげ、ジビンカの客数を大幅に回復させた。

しかし意外なことに——誰一人返金を要求してこない。キャンペーン中には、問題の期間に確実に来店している人もたくさん見えた。だが誰もキャンペーンには触れず、笑顔で「ごちそうさま」と店を出ていく。

「どういうことだ？」肇は不可解だった。「店内にも大きなポスターを貼っていますから、気付かないはずはないと思うのですけど」

兵太はニヤリとして呟いた。

「どうやら俺は、奨学金だけのシングルパンチで済みそうだな」

「とにかく、気を引き締めていかなきゃ」夕は強く言った。「キャンペーンの本当の意味は『呼び水』なんだから。明らかに疑惑の期間に来店された人がいたら、積極的に声を掛けていくの」

何も言わない客に敢えて声を掛けようとするやり方に、一部のスタッフは「過剰接客だろ」と批判的だった。何も寝た子を起こすことは無い。肇と乙成すらそう思った。だが夕と谷川は、積極的にお客に接していった。その結果、お客の本音を知ることができた。

とあるサラリーマンはこう言って返金を拒否した。

「食中毒って聞いて怖くなったよ……ちょうど新聞に出た前日に食事に来てたからさ。返金？とんでもない。身体はなんともないし」

友達連れでやってくる常連さんは、

「さすがにあれだけ騒がれると足が止まったよね。でももう心配ない。また友達を連れてくるよ」と、こちらも返金を拒んだ。

人はみな正直――ゼミ生らは心があらわれるようだった。だが、真実がどうあろうと、マスコミの影響は大きいことが分かった。人々がマスコミを信じてしまうのは、拡散力もさることながら、信頼性によるところが大きい。特に新聞のように活字になると、人はつい信じてしまう。

夕と勝田は話し合い、ジビンカのWEBサイトにキッチンの模様を紹介することにした。写真で清潔な調理場・シンク・冷蔵庫を掲示し、動画で食器洗浄・グリーストラップ清掃・ジビエの管理や野菜を洗っている様子を紹介する。写真や動画を用いることで、マスコミに負けない説得力を押し出した。これを見たタウン誌やネットメディアが情報をシェアしてくれたので、ジビンカが食中毒を出さなかったという事実は少しずつ広まっていった。

しかし大手メディアは相変わらず無反応だった。

「なんだよあいつら」肇はカリカリして言った。「出もしない食中毒は騒ぐくせに、それを訂正しようともしない。今津さんすらアテになんないな」

「いろいろとしがらみがあるのよ」夕はなだめた。

谷川は首をひねり、

「でも、やっぱり何か、裏がありそうな気がするのよね……」

「というと？」肇は食いついた。

「んー、ただの予感よ、予感。パズルが合わない」

「パズル？」

谷川はニッコリ微笑み、

「ま、解決したんだからいいじゃん？」

§

「大谷野市は何を焦ってるってわけ？」

ＩＫＣの部長室。漆川紗江は呆れた表情を見せた。

「はあ、それが」そばに侍る男子は顔を曇らせて答えた。「大谷野市内で状況が急転したようで、鎌田課長から『ジビンカ攻撃より雛美大攻撃にシフトしたい』と」

「で、何と答えたの？」

「はい。『私たちＩＫＣは環境保全のサークルで、ジビンカは理念に反するので批判するが、別段雛美大全体を非難するものではない』と伝えました。すると——まさか私がそんな反論をするとは思わなかったのでしょう。鎌田氏は口調を変えて『おたくら学生はいろいろ先生方に便宜を図ってもらっているはずなのに』云々、と」

「馬鹿な」漆川は一蹴した。「役人がそんなんだから大谷野市はいつまで経ってもああなのよ。もういいわ。あそことは縁を切りましょう。十分活用させてもらったわ」

「承知しました」

「それで、ジビンカはどうなったの」

「来客数が前年比の七割くらいに落ち込んでいるようです。WEBサイトを見ますと新たに店内の清掃を徹底しているというページができていましたが、焼け石に水でしょう」

「ふうん」漆川は鼻で応えた。「で、今後どうするの？」

「といいますと？」

「これでクロージングのつもり？」

男子学生は言葉を詰まらせた。漆川は意地悪っぽく笑み、

「まあいいわ。今回の件、少なくともＩＫＣは結果を出した」

漆川はノートパソコンをクリックし、とある画面を呼び出した。

「先日、某新聞社に提案して食の安全についてのアンケートを行ってもらったの。ジビエや農薬野菜についての意識調査よ。結果、かなり高い反応を得た。市民は食にまつわる健康不安を

倍増させている。明らかに一連の食中毒報道が世論を喚起している。仕掛け人たるＩＫＣの成果ね」

漆川は男子学生に画面を示した。いくつかの複雑な図表が並んでいる。彼女は相手がひととおり見終えるまで時間を与えず、話を続けた。

「この調査報告はすでに全国の食や環境に関するＮＰＯに送付済みよ。かなりの数のレスポンスがあって、そのうちいくつかはデータをもとに具体的に活動し、定期的にＩＫＣにレポートすることになった。それに対し、ＩＫＣは今後アドバイスを提供する。どう？　これ。つまり、私たちの啓蒙活動はちゃんと全国的実践にリンクしたってわけ」

「素晴らしい」男子はじわりと言った。

「今回の食中毒の件は、私だって正直いいやり方だとは思っていないわ」漆川は薄笑みを浮かべた。「でも、仕方がないのよ。私たち『使命を得た者』は、衆愚を導くために一定の暴挙を許されるべきなのよ。その孤高に耐えられるかどうかが、私たちの試練」

男子学生は何も答えなかった。

「とにかく、ジビンカについては動向に注意しつつ、私たちは次の活動に移りましょう」

「次の活動とおっしゃいますと？」

「忘れたの？」漆川は呆れた顔を浮かべた。「来年の『全大学地域活性化プレゼン大会』に向けての準備よ。全国持ち回りの大会で、来年の開催地はここ赤松市。私たちの稲瀬川大学がホスト校よ」

「ああ、そうでした」

男子はためらうような声を上げた。漆川は眉をひそめ、

「長年ＩＫＣが獲っているけど、最近は参加大学が増えて、内容が充実してきている。まさかホームで負けられないわ。今日から準備に取り掛かるわよ」

「はい」

§

「最初に食中毒の電話をくれた人に、お詫びをしたいと思うのですが」

乙成がそう言ったのは、ある晩、ディナー営業が終了後の「ふりかえり」だった。

「何言ってんだよ」肇は反対した。「保健所の検査はシロだったじゃないか。一体何を詫びるんだ？」

夕は間に入った。

「詩織にも思うところがあるのよ。どういうことなの？」

乙成はぽつぽつと語り始めた。

「世間に対して食中毒の疑いを晴らすことはできましたが、どうしても最初の電話が気になってるんです。耳に怒っている声が焼き付いてて、今でもふとした時に聞こえる気がします。あの電話はなんだったのか、このことが解決しないと、問題が解決したと言えない感じがして……」

「なんだ、お前の中の解決かよ」肇は吐き捨てるように言った。「ほっとけばそのうち忘れるさ」

「もしかしたら、電話の人のお子さんは、アレルギーとか自分の体質で身体を壊したのかもしれません。それをうちの料理のせいだと勘違いされている可能性はあります。うちに非はありませんけど、何がどうあれ、ひとりのお客さんがジビンカで食事をしてつらい目に遭ったのなら、悲しいことです。せめてお見舞いくらいはしたいなぁって」

「おれは賛成だ」勝田が発言した。「誤解があるなら解くべきだし、代表のそういう姿勢こそが、血の通ったお店づくりになると思う」

「どうせ俺は冷血漢だよ」肇は口を尖らせた。「でも、どうやって最初に連絡をくれた人に連絡するんだ？　あれは確かお店の電話だったと思うが」

「履歴が残ってないかしら？　子機で出たの？　親機で出たの？」

「親機です」

夕は机のところにいって電話機を操作した。

「あった、きっとこれよ」夕は顔を上げて振り向いた。「その日に残っている履歴は、野菜農家さん、轡さん、商店街の渡辺会長――みんな登録名が出る中で、番号は一件だけ」

乙成はナンバーディスプレイを覗き込み、

「ああ、確かこれでした。今から掛けるのは遅いでしょうか?」

勝田は壁掛け時計に目を遣り、

「まだ大丈夫じゃないか?」

「じゃ、私、掛けてみます」乙成は一つ唾を飲み込むと、意を決して受話器に手を伸ばした。

「待って」夕が進み出た。「掛ける前にスピーカー設定にして。私、電話の内容を聞きながら、あなたが答えに詰まったら、カンペでサポートするから」

夕はポケットからメモ帳とペンを取り出した。

「助かります」

乙成はスピーカー通話に設定すると、受話器を耳に当て、着信履歴から発信ボタンを押した。

トゥルルル……　トゥルルル……

呼び出し音が鳴る。営業終了後のうす暗いフロアに音がこもる。

ガチャリ――緊張が走る。

『――はい、どちらさまでしょう？』

スピーカーから女性の声がした。声の様子から三十代くらいか。

「夜分すみません」乙成はガチガチに緊張した声で言った。「私、ジビンカ・レストランの乙成と申します」

『え？　何？　……ジビンカ？』

「はい。ジビンカ・レストランの店長、乙成と申します。実は先日、私どものお店で食事をされて具合を悪くされたとお電話をいただき」

『ああ、はいはい。……あのお店ね』

妙な間が三、四秒――。

「あ、あのう。具合を悪くされた件について、色々とご説明したいことがございまして」

しどろもどろになる。夕がそばで盛んにまばたきしている。乙成はそれを見て余計に焦り、

「つ、つまりですね、その、私どもは、ええと、謝罪を――」

――謝罪？

夕は眉をひそめた。彼女はメモ帳に何かを書きつけようとした。

ところが、

『謝罪なんて別にいらないわ』

女性は吐き捨てるように言うと、電話を切った。

プーッ、プーッという単調な音がスピーカーを通じてフロアに響いた。

「切られちゃった」

乙成は肩を落とした。受話器を戻す。そのまま両手を顔にあてがい、肩を震わせ、かすかに嗚咽を漏らし始めた。

「何がまずかったのかな」勝田は冷静に言った。「まだほとんど本題に入っていなかったのに」

「謝罪って言葉が引っかかったのかしら」夕は首を傾げた。

「こりゃおかしいぜ」肇はみんなに言った。「気づいただろう？　相手の女、ジビンカって言ってすぐに分からなかった。まずいものを食わされた被害者意識があった上、怒って新聞にリークまでしといて、店の名前を忘れるか？」

「確かに」全員うなずいた。

「いずれにしても、このままじゃいけないわ」夕はポケットから携帯電話を取り出した。「向こうだって思うはずよ。電話しておいて、こっちが切ったらそれっきり——って。誠意を疑われかねない。同じ電話だと出ないかもしれないから、今度は私が自分の携帯から掛けてみるわ」

と、その時、店の電話機が呼び出し音を鳴らした。

「あら？　さっきの番号よ」

夕は咄嗟に乙成を見た。だがまだ肩を震わせている。

夕は勝田を振り返った。

「頼むよ」勝田は拝んだ。「俺、こういうの苦手なんだ」

「副代表でしょ？　──ったく。仕方ないわね」

夕はスピーカー通話のボタンを押し、しぶしぶ受話器を取った。

「はい、レストラン・ジビンカです」

『あのう……』さっきの女性の声だった。だが、先ほどとは打って変わって声が沈みきっている。『先ほどお電話をいただいた者ですけど、店長さんは……』

「席をはずしております。私でもお伺いできますが」

『はい……』女性の声はいっそう弱々しくなった。彼女は口籠もるように「あの、その」と繰り返すと、まるで意を決するように息を呑み、

『実は、全部嘘なんです』と言った。

「嘘？」夕は思わず繰り返した。

スピーカーを通じて全員の耳に届く。皆、意味が掴めずに、ポカンと固まっている。

「嘘というと、一体どういうことなんでしょう」

『すみません、本当にすみません』

女性は悲痛な調子で繰り返した。

「どういうことなのかお話しいただかないと、なんと申し上げて良いやら」

電話の周りでは、徐々にみな怒りを帯びていった。肇は真っ赤になっている。彼は自分の胸を指差し、暗に「替われ」と迫った。夕はそれを拒んだ。

『そう……ですよね』女性は気丈に声を発した。『お許しください。本当なら、何もかも正直に申し上げないといけないのですが、どうしても全てを打ち明けることができないのです。ただ一つだけ、事実を申し上げるとするなら、食中毒の電話は、頼まれてかけたんです』

「頼まれた？」

『はい、実は――家庭に事情がありまして、それがのっぴきならぬものですから、どうしても政治家のお力添えが必要でした。ちょうどその時、大谷野市のとある市議会議員の秘書の方から「協力をしてくれたら、診てもらえるようにしてやろう」と』

「診てもらえる？」

『はい――お察しください。とにかくそれで、この間はあのような電話をいたしました。でも、断じて申し上げます。私、ああ言いましたけど、新聞社やテレビ局には何も伝えていません。秘書の方から『マスコミに伝えたと言え』と言われたのでそう言いましたが、実際には何もしていないんです。なのに、あのような騒ぎになって、私もびっくりしています。それに、後からあなた方が学生起業で頑張っていることを知って、自分のやっていることが情けないやら……』

女性の声は最初上擦っていたが、最後あたりは完全に涙声だった。

『先程は失礼にも電話を切ってしまいましたが、あの後、胸が苦しくなって、こうしてお電話を差し上げたんです』

「そうだったんですか」

夕は周囲の面々を見た。皆、憎悪の表情を消し、同情するような眼差しをしている。肇だけはいまだに歯噛みするような顔をしている。

乙成は顔を上げ、泣き腫らした目を夕に向けている。

「よく話してくださいました」夕は穏やかに言った。「あなたのことも、あなたが真実を告白したことも、私どもは誰にも漏らしません」

『私は、私は……』女性は電話口で嗚咽を始めた。

「悪者は別にいるということですね。私もあなたも、同じ被害者です」

その後、電話は十分ほど続いた。罪を告白した女性を夕がなぐさめる展開になり、もともと意図した謝罪の立場は逆転した。この懺悔電話によって食中毒に関する一切の疑問は、幕を下ろした。

「夕は攻め方が足りない」

電話が終わった後、肇は言った。「その市議会議員が誰だか、吐かせればいいのに」

「分かっても仕方がないわ」夕は答えた。「それに、忘れたの？　私たちはジビンカを企画する前から、ずっと行政に泣かされてきた。ついこの間だって、しずくがめちゃめちゃな目に遭わされたじゃない。

私たちは最初から目の敵にされてる。真っ向から戦ってもあおり合いになるだけ。しかも、勝てる相手ではない。だったらこっちはコツコツと実績を積み上げて、世間を味方に付け、正義で身を固めて敵を黙らせるしかないわ」

夕は乙成に視線を移し、

「これで詩織も納得いった？」

乙成はコクリとうなずいた。「ありがとうございます。これで今までどおり、穏やかな気持ちでジビンカを続けられます。なんだかいつも大事なところを押さえてもらって――本当にありがとうございます」

両手を前に合わせ仰々しく頭を垂れた。

「詩織、前にも言ったわよね。敬語やめてってば」

こうして一連の食中毒騒ぎは幕引きとなった。

電話の人物の告白で黒幕の存在が明らかになったことは、まだ若いゼミ生らに大人の世界の恐怖を感じさせた。だが、夕の言うとおり、これまでの「山あり谷あり」を振り返ってみて、結局何があっても自分たちでコツコツやっていくしかないという着地点は、すでに共有済みであった。

しかし――読者のみなさんご承知のとおり、黒幕も一枚岩ではない。

その一つ、ＩＫＣ。彼らは理念に照らしてジビンカを攻撃し、自らの判断でそれを終えた。さすがエリート大学の老舗サークルである。目的意識がしっかりしていたので、一切尻尾を出すことなく、騒ぎを撤収した。

もう一つの黒幕が、大谷野市の前市長派であることは言うまでもない。彼らは次期市長選に備え、現職のあらゆる後ろ盾を攻撃していた。その矛先の本丸は、市内の人気者で現職の参謀役・香椎である。前市長派は彼をおとしめるために、食中毒のデマでジビンカを攻撃した。最初はうまく風評被害を引き起こしたが、中途で瓦解した感は否めない。夕の起案の返金キャンペーンが、ねつ造された悪評を、強いインパクトでもって一掃したのである。

ここで前市長派の目算に狂いが生じた。さらに新たな事態が巻き起こり、彼らの焦りはにわかに募った。前市長派の手先、政策企画課の鎌田課長は市議らの要請により、ＩＫＣに攻撃のあり方を変えるよう願い出た。賢明な漆川はこの申し出に「事の潮時」を察し、手を引いた。

それにしても、前市長派が急に焦りだしたのはなぜだろう。

驚くべき事実が世間に知らされたのは、その後まもなくであった。

§

雛美大キャンパス内の桜並木、淡桃色の小さな蕾は、今まさにほころびかけていた。教育棟の周辺では、サークル勧誘の机や看板が並び始めている。

ある月曜日、香椎ゼミの学生らは、大学事務局に申し出て教室を一つ開けてもらい、自主ゼミを行っていた。次年度のジビンカの運営や予算など、重要事項を話し合うためである。

この時も香椎はいなかった。連絡もつかなかった。大学事務局に尋ねても「知らない」とのこと。

「先生、ホントにどうしちゃったんだろう」夕は首を傾げた。「後期は休講が多かったでしょう？」

「心配ですね、具合でも悪いんでしょうか」と乙成。

「それなら大学に連絡が来るだろうし、さすがに俺らにも伝えられるだろう」と勝田。

「言えない理由があるんじゃないか？」肇が意地悪な笑みを浮かべた。「例えば大学をクビになったとか」

「まさか」夕は首を振った。「それなら後任の先生が来るはずよ」

「ところで、私たちの単位ってどうなるのでしょう？」

「あ、そこ大事よね」

「さあなぁ。そもそも先生の出席日数が足りねぇな。俺たちは進級して、先生がダブるんじゃないの？」

ゼミ生らの間に笑いが起きた。乙成も微笑んだまま、

「冗談はそれくらいにして、次年度のジビンカについて話し合いを始めましょう」

その時。教室のどこからか、電子的なメロディが流れてきた。

「ごめんなさい、私です」

乙成はポーチの中の携帯電話を捜し始めた。彼女はディスプレイを見て、「あっ」と声を漏らした。

乙成は顔を上げ、

「香椎先生からです」

「何？」肇は声を荒げた。「乙成、出る前にスピーカーモードだ。みんなで文句を言ってやる」

「荒っぽいことは止してくださいね」

乙成は教壇に本を重ね、携帯電話を立てかけた。そして指先で通話を押した。

『――乙成さん？』籠もるように、香椎の声がした。

「先生、お久しぶりです」乙成は言った。「今、自主ゼミ中です。先生の声は、スピーカーモードでみんなに聞こえています」

『そうなんですか？　ちょうどよかった』

「何が『ちょうど』いいんだよ！」肇が声を荒げた。「先生、あんまりだぞ。職務放棄だ。みんな心配してんだぞ」

『宝塚くんだね？　ごめんごめん』香椎は素直に詫びた。『いろいろと忙しくて……で、その後どうですか？』

「その後？」

『新聞の一件の後ですよ。ほらジビンカの批判が全国紙に……。あ、そのあと、食中毒のこともありましたね』

ゼミ生らはしらけた。

「先生、ホントに何にも知らないんですね」勝田は淡々と言った。「食中毒はとっくに解決しました。保健所が来たり、返金キャンペーンをやったり。ほんとに大変だったんだから」

「そういえば」肇が口を挟んだ。「先生、週刊誌に撮られてたよな。夜中に病院に入っていく写真を見たぜ。あれどういうことだよ。解決していないことといったら、それぐらいだ」

『いろいろとすみません。本当にこのところ忙し過ぎて。新聞やテレビもあまり見れていない。ぼく週刊誌に載ったの？　知らなかったよ。ああ、決して君たちのことを忘れていたわけじゃないからね』

「当たり前でしょ」さすがの乙成もいくらか怒気を含んでいた。「先生はどんなに忙しくても先生が本業なんですから。そこは忘れないでください」

その後、乙成と夕を中心に、最近あったことを報告した。香椎はいちいち「うん、うん」とはっきり相槌を打った。電話口なのでどんな顔をしているか分からないが、香椎は全て受け入れているようだった。

「──というわけで」夕が締めくくりに入った。「食中毒の騒ぎは、通報者の告白によって幕を下ろしました」

『なるほど。そういう流れだったんですね』香椎は大きく息を漏らした。『新聞やテレビでも伝えられていないことが起こっていたわけだ。ところで、今後どうするんです？』

「どうするって」逆に夕が尋ねた。「先生は担任でしょう。先生からの指導はないんですか」

『君たちは十分立派にやっているからね。卒論や卒業については、ぼくの責任もあるけれども、ジビンカについては、自分たちで判断してもらって結構。君たちはもう立派な経営者ですから』

「はあ」

『ぼくがどうするって聞いたのは、君たちは通報者の告白を受けて、黒幕にどう立ち向かうのかな——と思ったからです』

「それについては、みんなで答えを出しています」乙成が言った。「私たちは自分たちのやるべきことをコツコツ続ける。つまり『気にしない』ってことです」

『えらい！』香椎はピシャリと言った。『柳に風、泰然自若。まるで禅の境地ですね』

「おっしゃる意味がよく分かりませんが」

『皆さんはジビンカを通して、びっくりするぐらい成長を遂げられたんです。驚きました……。もう本当に、ぼくがみなさんに教えることはありません』

「先生がいたら、もっと成長したかもしれないな」

肇は嫌味っぽくそう言った。ところが、

『逆ですね。確かに最初は導く人は必要でしょう。でも、ずっとそれじゃ成長が無い。ぼくは自分の放任を肯定するわけじゃないですけれども、途中から見守るスタンスにシフトしてよかったと思います』

香椎の口調は徐々に感に溢れていった。

『ああ、これで心おきなく大学を去ることができる』

「大学を去る？」

誰一人としてその一言を聞き逃さなかった。

「どういうことです？」夕は尋ねた。

ゼミ生らは耳の神経を尖らせた。

『――いやあ、実はどうしても大学を辞めなければならない事情ができまして』香椎は事もなげに言った。『詳しいことは、後任の教員が入りますから、その人から聞いてください。や、もちろん君たちと縁を切りたいからこういうことを言うわけではありません。ジビンカとぼく、そしてゼミのみなさんは、これからも今までどおり一心同体です』

「ちょっと待って」肇は叫んだ。「何が一心同体だ。だったら一蓮托生で、ジビンカが潰れるまで付き合ってくれよ」

『ジビンカはずっと続きますよ』

「俺たちはいつか卒業するんだぞ」

『ええ、知ってます。ですから、新入生を入れて続ければいい。雛美大のゼミ生が代々受け継いでいくようにすればいいんです。——おっと、電話が来ましたんでこれで失礼します。それじゃまた』

香椎はあっさり通話を切った。

教室に沈黙が漂った。

「結局、何で辞めるのか聞けなかったな」と肇。

「何が何だか、全く分からないよ」勝田はぼやいた。

乙成は狼狽しつつ言った。

「何にしても、来年のことを考えましょう。私たちも四年生になります。先生が言うように、そろそろ次に託す準備もしなければなりませんね」

「お前ホントに強くなったな」

「もうハプニングも放任も、慣れっこになっちゃいました」

§

翌日。朝刊にこんな大見出しが載り、市中を大いに驚かせた。

【大谷野市市長・友田和人氏、死去
先月末より入院、そのまま帰らぬ人に】

ゼミ生らは訃報に茫然とした。友田市長といえば、香椎の盟友でジビンカともつながりがある。公務でもお忍びでも、頻繁に来店してくれた。若くて気のいい人物だった。

――もしかして先生の退職と何か関係あるのかしら。

夕の頭によぎったのは、あの週刊誌の写真――夜中に病院を訪れる香椎の姿だった。

Chapter 15

香椎の決断

香椎の身に何があったのか。時計の針を少し過去に戻してみよう。

さかのぼること四カ月前。昨年十一月中旬のこと。

その頃ジビンカは全国紙に批判記事を書き立てられ、火消しに奔走していた。香椎は電話口でゼミ生らに「騒動の背後にＩＫＣの存在が見え隠れする」と伝えたが、その電話は、大谷野市の市立病院の駐車場から掛けられていた。

その時彼は、友人の見舞いに訪れていた。友人とは、大谷野市市長・友田和人である。見舞いが実現するまでには、随分時間が掛かった。

友田は十一月の上旬に脳卒中で倒れた。香椎は噂を耳にし、いち早く見舞いに行こうとしたが、市長の側近らに強く拒まれ、それどころか、当初は入院していることすら認めてもらえなかった。友田入院の情報が世間に漏れれば市政が混乱する。そこを前市長派に突かれてはたまらない。それで側近らは、情報を遮断していたのである。むろん、香椎も側近の一人である。

だが折しもジビンカが全国紙に叩かれていた。ジビンカと香椎の関係は大谷野市では周知で、ジビンカの醜聞は香椎の醜聞。そんな彼がいま友田に近づくのは危険――香椎以外の側近はそう考えて、申し訳なく思いながら香椎と距離を置いていたのだ。

十一月中旬になり、香椎はようやく友田に会うことができた。側近はしぶったが、友田が自ら携帯電話を使って彼を呼び出したので、病室に通さざるを得なかった。

香椎は友田を久しぶりに見て、全く病人のようには思えなかった。彼はいつもどおり溌らつとしていたし、目に光もあった。

友田はいきなり言った。

「香椎君。きみ、代わってくれ」

「何のことです？」

「何をって、市長職だよ」

香椎は面食らった。「気を確かに持ってください。見る限り顔色もいい。年明けには登庁できるでしょう」

「年明けに一回くらいは顔を出せそうかな」

「しっかりしてください。あなたらしくないなあ」

香椎は強い口調で言った。ところが友田は生真面目な視線を壁に向け、

「検査で脳に大きな動脈瘤が見つかった。医師によると切除は不可能らしい。実を言うと、こ

うやって身体を起こしているのもあぶないくらいなんだ」

香椎の頭は真っ白になった。友田は続けた。

「ぼくの市政は香椎君の思想でできているようなもの。つまり、ぼくの後をやれるのは、きみをおいてほかにいない。だから代わってくれと言っているのだ」

「もう市政なんか考えなくていいから」香椎の声は揺れた。「世界中探せば、名医がいるはず。あなたは早く引退表明をして、自分のことだけ考えてください」

「どのみち市政に穴を開けるわけにはいかない。代わってくれたらぼくも安心して治療に専念できるんだがな。もしぼくの身に何かがあって、その後、市政に前市長派が返り咲いたら、大谷野市はまた既得権益と癒着の街に逆戻りする。それと、ジビンカだ」友田は薄笑みを浮かべた。「あの店は大谷野市の宝、未来の希望の象徴だ。絶対に守らなくてはならないよ」

その後、二人は少し話をした。その中で友田は、前市長派の子飼い議員とＩＫＣが陰で手を組んでいるらしいといったことを口にした。香椎は面会を終え、病院の駐車場からゼミ生に電話を掛け、その情報を伝えた――これがあの電話である。

市長は一時的な入院ということで十二月議会は副市長が代理でこなした。前市長派の面々は色めき立ったが、年が明け、一月三日のお昼のローカルテレビ番組に、友田市長は笑顔で出演した。何も知らない市民は「お正月から元気だな」とポカンと観ていた。前市長派は薄々と入院の情報をキャッチしていたが、「噂と違うじゃないか」とおおわらわである。

収録のテレビ局は厳戒態勢で臨んだ。友田には車いすが用意された。押し手は香椎である。

「相変わらず重い。ホントに病気ですか？」

本番前、香椎は笑い交じりに言った。友田は十分に回復しているように見えた。実際のところ、主治医は患者の微動すら怖れている。

「そりゃあ、重いはずさ」友田は言った。「両肩に半端ない重責が乗っているからね」

「なるほど」

「ま、それもいずれ、きみの肩に移るんだが」

「またそれを言う」

これが香椎と友田の最後の会話となった。

数日後、友田は入院先で昏睡状態に陥った。再度の脳卒中である。二回目はもう難しいかもしれない——周囲は覚悟をした。香椎は毎日見舞った。しかし、友田はついに意識を取り戻すことなく、三月上旬に死去した。

友田の葬儀は近親者だけで極秘に行われた。側近たちは、後継が決まるまで厳重な緘口令を敷いた。

実は友田が昏睡状態に陥った頃、側近たちは後継決めの会合を持った。香椎も参加した。農協出身の現職市議が満を持してこう言った。

「香椎准教授は、このご時世に高齢の農業従事者への配慮を訴えるなど、重要な問題に独創的な意見を発信し、しかも大学機関を通じて検証まで行っている。農政と地方都市の問題にこれだけの理解者はいない。私はがぜん香椎氏を推す！」

また、別の人は、

「香椎さんは講演やイベント、地元テレビや新聞で市民に顔を知られている。知名度は申し分ない」

「社会の流れに呑まれず、信念を実現できる人だ」

「何しろあのジビンカの生みの親だ」

「そういえば友田市長が生前、香椎さんに『代わってくれ』と言っていなかったっけ？」

会合は最初から香椎擁立の流れであった。香椎はたじたじとなった。ついに、友田の後援会長が香椎の手を取り、

「次期市長に立候補してほしい。我々が応援します。私が引き続き後援会長を務めよう。あなたなら絶対に勝てる」

「とんでもない！」香椎は拒否した。

「友田市長は回復するかもしれませんよ。そしたら市政に復活されるでしょう。それに私は一介の大学教員。実際の政治はからっきしです。私より優れた人はたくさんいるはず。他をあたってください」

「君、建前で話していたら政治の話はできんよ。後継を選んでおかなけりゃ選挙は負ける。君、頼むよ」

その後も人々は香椎を推したが、首を縦に振ることは無かった。しかし誰もそれくらいで諦める者はいなかった。会合の後も友田派の人間が毎日のように香椎宅を訪れ、出馬を要請した。選挙区の衆議院議員までやって来た。

「仕事も資金も、何の心配もいらないから」

「本当に困ります」

「俺はこんなこと総理にもしたことがないぞ」

議員は玄関で土下座した。香椎は慌てて引きずり起こした。

どうしてこうも担がれるのか——香椎は困惑した。確かに友田とは親友と言っていい関係で、香椎の意見はしばしば市政に反映された。そういう意味では香椎が継ぐのが一番スムーズかもしれない。

だからといって実際の政治運営能力は別だ。香椎の自己分析によると、自分は参謀タイプでリーダータイプでは無い。

そんな自己分析などお構いなしに、後援会は毎日のように説得の使者を送り込んだ。香椎はほとほと嫌になり、家に籠もって居留守を使うようになった。家でも大学の仕事はできる。書くべき論文、読むべき資料は、インターネットでアップロード、ダウンロードしていたので、大学に行かずとも自宅からアクセスできた。

――そのうち適当な誰かが候補に選ばれるだろう。

ほとぼりが冷めるまでそうするつもりだった。


彼の考え方を変えたのは、香椎の一人娘だった。

小学四年生。地元の公立小学校に通っている。

ある晩、その娘が言った。

「今日、地域教育の時間に、高校生のおにいちゃんおねえちゃんと、レクリエーションがあったんだけど、去年の夏休みにジビンカでインターンをしたって言ってた」

「おお、あの子たちか」香椎の目蓋にいくつかの顔が浮かぶ。

「おにいちゃんたちが『ジビンカはなくなるかもしれない』って言ってた。私が『どうして？』って訊いたら、最近ジビンカは新聞に悪く書かれていたでしょう？　ノウヤク？　ジビエ？　そのせいでなくなるかもって」

「大丈夫だよ。パパがジビンカを守るから」

「そうだよね？　そうだよね？」娘は父がジビンカの生みの親であることを知っている。「パパはジビンカを守るよね？　だって、私、お友達とみんなでヒナビダイガクに行って『ジビンカのおねえちゃん』になるって約束したの。だからジビンカを守ってね」

香椎は驚いた。全国的に低偏差値で劣等色濃厚な雛美産業大学が、いまや子どもたちの間で憧れの進路になっているとは。しかもジビンカまで……。

——絶対に守らなければ。

おそらく、前市長が市政に返り咲いたら、ジビンカは潰されるだろう。ジビンカは友田市政の象徴で、彼らには目の上の瘤だ。

懸念されるのはそれだけでは無い。香椎はこれまで友田に、はからずも前市長派の目の敵になるような政策提言ばかり行ってきた。前市長が再選したら、香椎は大谷野市のあらゆる職を追われることになりかねない。娘の笑顔を保証できなくなる。

——じっとしていては、まずい。

「やっと決めてくれたかね！」

香椎が旧友田後援会に出馬の意向を伝えると、後援会長は大いに喜んだ。

「立候補すれば当選は確実だよ」

誰もがそう言った。しかし香椎は選挙というものが非常に複雑で先の読めないものであることを承知している。彼は全力投球するために退路を断つことにした。

つまり――大学を辞める。

学長とは大学以外の場所で面会した。

「惜しいなあ」学長は苦い顔をした。「しかし、きみが一度決めたら梃子でも動かんことは、きみの恩師から聞いている」

「恐縮です」

「まあ、思いっ切り戦うといい。私も応援するから」

「ありがとうございます」

「ただし」学長は念を押すように言った。「退職を公表するタイミングに注意してほしい。ジビンカの学生たちの気持ちも考えてな」

香椎は了承した。

ゼミ生らはとっくに香椎の手を離れ、自分たちで成長し、自立している。いつ伝えても大丈夫――香椎はそう思っていた。

だが、ジビンカに例の食中毒疑惑が発生していた。後援会によると、友田重篤と香椎擁立可能性の情報が早くから前市長派に漏れた可能性があるらしい。

「赤松市の大学生と手を組んで、デマをばらまいているようだ」

後援会長の言葉に香椎は唖然とした。友田重篤の情報はいずれ漏れると思っていたが、まさか敵陣営がここまで露骨な手を打ってくるとは。

「選挙は戦争だからね」後援会長はあっさりと言った。「勝つためならなんでも仕掛けてくるさ」

新聞やテレビを観ると、ジビンカと食中毒を絡めた報道ばかり。その時点でジビンカの食中毒は確定していないはずなのに、いかにもつながりがあるように報じられている。そのやり口は、事情を透かしてみると、露骨な意図が見え見えである。

香椎は深刻に悩んだ。自分の意思表明がちょっと漏れただけで、ゼミ生らをかくも苦しめてしまうとは。きっと今ごろ乙成君は泣いているだろう。宝塚君は怒り狂い、海老原君は腹に据えかねているだろう。ああ、ぼくは自分のゼミ生を放り出して、いったい何をしようとしているんだ――？

それから数日、香椎は選挙の準備をこなしつつ悶々としていたが、その間も食中毒疑惑の報道は過熱の一途だった。彼はたまらなくなって、ある昼下がり、ジビンカの様子を見に行った。

直接訪れるのではなく、離れたところから店先を覗き見た。電信柱の陰に隠れ、様子をうかがう。なぜそのような振る舞いに及んだのか、自分でも分からなかった。おそらく——さんざんニュースになっているにもかかわらず顔を出していない申し訳なさ、彼らに何も伝えないまま大学を辞める算段がついている後ろめたさが、無意識のうちに去来したのだろう。香椎の精神は疲れ切り、わずかそれだけのことも自己分析できずにいた。

しかし、香椎は物陰からジビンカを見て驚かされた。

現実は予想と逆だったのだ。

店先でエプロン姿のゼミ生らが、手にチラシを携え、往来の人々に頭を下げながら渡している。繰り返しジビンカの想いを唱えている。

「ジビンカの野菜は、農薬も除草剤も使っていますが、全て基準値内の、むしろ安全な野菜です」

「当店から食中毒が出ていないことは、保健所の検査で明らかになっています」

「おじいちゃんおばあちゃんの愛情野菜をお召し上がりください」

食中毒騒動は下火になりつつあったが、店の前にはいまだに数人のマスコミ関係者が張り込んでいて、その模様を映したり、街頭取材をしたりしていた。香椎はその様子も見つめていた。

ふと、とある初老の男性が、記者に声を荒らげた。

「なんだきみたちは！」その男性はさっきからインタビューに応じていたが、顔色から察するに、ついにしびれを切らしたようだった。「黙って聞いていれば、ジビンカを悪者にしようとしているだけではないか！　新聞もテレビも実情と違う！　市民はウンザリしているぞ！」

「そのとおりだ！」そばにいたサラリーマン風の男性も怒りだした。「ジビンカの食材は、人の口に優しいだけでなく、社会にも優しい。田舎のじいちゃんばあちゃんが、どれだけ助かって、生きがいにしていることか！　あんたたちは何を取材しているんだ！」

記者たちはたじたじとなった。一人のゼミ生が間に入り、荒ぶる男性らを諫めた。記者たちは平身低頭して引き下がる。ゼミ生らは自分たちのネガティブイメージを発信し続ける記者に対しても、余裕を持ち、穏便に接していた。

——下手な大人よりよっぽど大人じゃないか……。

香椎は感動した。同時に、ゼミ生らを過小評価していたことを反省した。彼らの成長は生半可では無い。実は香椎は、「今回の食中毒騒動で、さすがのゼミ生らも意気消沈して店を閉めるのではないか」と思っていた。しかし、いざ来てみると、逆風もなんのその、自分たちの主張を正々堂々と訴えている。

また、何と熱心なファンに支えられていることか。

——むしろぼくこそ戻るべき場所は無いね。

香椎は電信柱の陰で嬉し涙を浮かべた。

三月某日——新聞社と後援会の協定で友田市長の死去を正式に報じることになった前日、雛美大では春休み最初の月曜日——、香椎はゼミ生に電話を掛けることにした。大学事務に問い合わせると、乙成から自主ゼミの予約が入っており、教室を開放しているとのことだった。香椎はそのタイミングで乙成に電話を掛けた。案の定、みんなが集まっていた。香椎はそこで初めて、退職することを伝えた。ゼミ生らは動揺を示した。しかしそこに店舗運営の不安が一切混じらなかったのは、香椎の想像したとおりであった。

——彼らならやれる。

香椎はそう確信すると、通話を一方的に終えた。キャッチが入ったと言ったが、そんなものは嘘である。そうしなくては、ゼミ生たちに、声が震えそうになるのを気取られそうだった。せめて在職中は、強い先生でありたかったのだ。

§

大谷野市市長選挙の告示日、選挙掲示板に香椎の顔写真が掲載された。候補は三人、香椎と前市長の奥田氏に、市民団体リーダーが一人。市民団体リーダーは毎回出馬している泡沫候補で、実質香椎と奥田の一騎打ちである。

ゼミ生らが香椎の立候補を知ったのは告示の当日。新聞や看板である。何も訊かされないまま、この日を迎え、目の飛び出るくらいに驚いた。彼らはジビンカの朝の仕込み時間に、手を動かしながらめいめいに思いを述べ合った。

「先生は相変わらず水臭いよな。ひとこと言ってくれてもいいのに！」

苦言を呈する肇の目は爛々と輝いていた。他のゼミ生らも同様である。みな自分の先生が市長選に出ることを驚くと同時に、喜びとして感じていた。

「選挙は情報戦って言うからね」と夕。「きっと、立候補することは誰にも言ってなかったのよ。たぶん奥田さんは泡沫候補と一騎打ち――とでも考えていたんじゃないかしら」

現実的には前市長陣営にそれほど情報力が無いわけでは無い。しかしそれにしても、香椎の突然の立候補が一般市民に与えたインパクトは大きかった。何しろ人気があり、知名度がある。それがじわっと出るのではなく、ほとんどサプライズで出たのだ。期待値が違ってくる。むろんそれも香椎陣営の作戦のうちである。

「でも……」乙成は寂しげにつぶやいた。「もし香椎先生が市長になったら、先生はもう私たちの先生じゃなくなるんですよね」

「そらそうさ」肇は平然と言った。「でもまあ、市長になったからって、これっきりってことはないだろう。きっとジビンカに飯を食いにきてくれるさ。友田市長みたいに」

「そうね」夕は微笑んだ。「先生が市長になったら安心よ。だって、奥田市長になったら、ジビンカへの風当たりはきっときつくなる」

「そのとおり」肇はうなずいた。「是が非でも市長になってもらわなきゃな。ああ、俺たちに何か出来ることは無いか？」

「先生のことよ。サポーターは多いに決まってる」

「でも、今朝はまだ街宣車の声を聞いてないし、ポスターも幟も、全然見ない。俺たちで手伝った方がよくないか？」

「呆れた。今日告示されたばかりじゃない」夕はたしなめた。「私たちはいつもどおりジビンカを営業して応援しましょう。先生が当選したらきっとお客さんが増えるわ。だって先生ゆかりの店だもの。そうだ、新メニューを開発しましょうよ」

「そうですね」乙成は大きくうなずいた。「私たちがジビンカをきちんとやらなきゃ、先生だって安心して大学を去れませんし、おちおち市政に取り組んでもいられません」

「お前たち、もう通った気でいやがる」肇は鼻息を荒くした。「あの先生は確かに頭は良いけど、たまにどこか抜けちまうんだ。約束をすっぽかしたり、連絡を寄越さなかったり――ああ、放っておけねえな！」

香椎の選挙戦術は、おおむね後援会の計画に従ったものだったが、それはずばり肇らゼミ生らをハラハラさせるものであった。街宣車はほとんど走らせず、配布文書も決起会も少ない。奥田前市長が物量・人海戦術を張るのに対し、シンプルでコンパクトだった。そのかわりサプライズの辻説法を多用した。もともと知名度の高い香椎は、ポテンシャルからして当選確実だが、通常の選挙手法を用いると有権者が安心しきって投票率が下がる可能性がある。すると実情に反した結果が出てしまうことがある。それを防ぐため、香椎陣営は市民をわざと刺激するかのように、突然候補が目の前にあらわれたり、話しかけたりという、神出鬼没のゲリラ戦術を採ったのだった。

そんなこととは知らないゼミ生らは、悶々とするばかりである。

それだからある日のランチ営業後、いきなり外から、

【ジビンカの皆さん、毎日お疲れ様！】

聞き覚えのある声が拡声器を通して聞こえてきた時にはみんな驚いた。仕込みに入っていた肇は表に飛び出した。案の定、ジビンカの前の四辻に、たすきを掛けた香椎が、幟を持った複数のスタッフに囲まれて立っていた。

「おお、先生！」

肇は声を上げた。夕、勝田、乙成の他、薫子も出てきた。

往来にはゼミ生の他、近隣住民、大学生が集まり、商店街の通行客が足を止めた。香椎はゼミ生らの顔を一つ一つ認め、集まった全ての人に向かい話をはじめた。

【えー、市民の皆さんは、ここジビンカ・レストランを、すでにご存知のことと思います。前市長・友田さんの愛したお店です。そしてぼくは、ついこの間まで、ここのスタッフの担当教員を務めていました。いまぼくは、彼らにお詫びをしなければいけません。――みんな、黙って立候補してごめん】

周囲から笑い声が起こった。

【ぼくは経済学者のはしくれとして、自分の仮説を、このお店の運営を通じて検証し、ゼミ生の力を借りて社会に活かす研究をしてきました。その目標はおおむね達成できたと思います。しかし、それ以外の成果もありました。それは論文のように言葉にできるものではありません。みなさん、ご覧ください。ここにいるジビンカのスタッフ、一人ひとりの若者たちの顔を――彼らは雛美産業大学の学生です。そう、彼ら一人ひとりが、立派な成果なのです】

再び拍手。口笛も聞こえた。

「先生、俺たちのことはいいから！」肇が声を上げた。ほんの少し声が上擦っている。「こっちは任せろ！　自分のことを心配しろ！」

「先生！　ファイト」と夕。

「お店で待ってます！」乙成が叫ぶ。

【ありがとう】

香椎の声がかすかに震えた。

【きみたちは立派に成長した。今度はぼくが頑張る番です！】


投票日の夜八時半頃、地元テレビ各局は開票三十分で香椎に当確を点灯した。その後、奥田との票差はどんどん広がり、そのまま香椎が当選を決めた。後援会事務所に万歳の声。その模様はテレビカメラを通じてお茶の間に流れた。

その画面を見ながら万歳三唱をしていたもう一つの場所があった。ジビンカ・レストランである。その日集まっていたのは、ジビンカの常連で香椎とスタッフらをよく知っている人たち。その他、大家の轡さん、ジビエ猟師さん、野菜農家さん、店を誰かに任せて出てきた商店街の店主たち。

フロアにプロジェクターを持ち込んで白壁にニュース映像を映し出し、客もスタッフも一緒になって選挙速報を見届けた。

「よかったなあ」

大人たちの笑顔は、ゼミ生らに向けられた。ゼミ生らはまるで自分たちが当選したかのように感極まっていた。

「先生に負けないよう、私たちも頑張ります！」

乙成の挨拶に、盛大な拍手が送られた。

Chapter 16
プレゼン大会へ！

四月、雛美産業大学は新年度を迎え、キャンパスの桜並木をサークル勧誘のにぎわいが埋めつくしていた。

今年は新入生の数が多い。大学が「ジビンカ効果」を見越して定員の増枠を行ったためである。教員の数も補強された。

香椎ゼミは担当教員香椎の市長転出により後任が招へいされた。柳井裕、三十七歳である。香椎とは大学時代からの付き合いで同門。香椎は立候補にあたり、あらかじめ雛美大に彼を推薦していた。大学もそれを了承していた。

「というわけだから、みんなよろしく！」

新年度最初のゼミで柳井は朗らかに挨拶した。長身痩躯、長髪ワンレン・ストレートで、ブルーの細縁眼鏡を掛けている。大きな目、大きな口、何もかも作りが大きい。声も大きい。香椎と比べると随分大雑把な雰囲気である。

「みんな、ぼくのことはヤナッチと呼んでもいいよ」

しかもチャラい。

「あの、柳井先生」

乙成はゼミを代表して立ち上がった。

「今日は月曜日でジビンカは定休日ですが、月初でいろいろありますから、ゼミ生の半数はお昼過ぎには店に出なきゃなりません。なので、手短にお願いします」

「あ、ＯＫ」柳井は調子を崩さない。「最初に言っとくけど、ゼミの運営についちゃ、ぼくも基本的に香椎先生と同じでいこうと思ってる。研究や論文についてはゴリゴリ指導していくから。でも、ジビンカのことは、学生だけで対処できないこと以外、きみたちに任せるね。ぼくには分からないし」

「おう、店のことは心配いらない」肇が威勢よく応えた。「とにかく、俺たちが今一番不安に思ってることは、店をやりながら卒論もやんなきゃならないことだ。はっきりいって大変だぜ。だから先生は、俺たちに無事に卒業証書を渡してくれれば、それでいい」

「何て口の利き方するの！」夕は肇の後頭部をはたいた。

「いってぇ」

「先生、すみません。宝塚君は口は乱暴ですけど中身は空っぽで、そのわりにはジビンカで随分功績を上げているんです。そこに免じて、今の失礼はお目こぼしを……」

「ドンマイ。きみは海老原さんだね？」

柳井は目を細めて笑みを浮かべた。

「香椎先生からみんなのことは完璧にレクチャー受けてる。みんな凄く優秀な学生たちだって聞いてるよ」そう言って皆を見渡し、「宝塚君は気は大きいけど結構短気、情に弱いから動かしやすい。勝田君は真面目過ぎて周りが見えない。乙成君は泣き虫で、武井君はさぼりがち。進藤君は大学デビュー。谷川君はバレー部の副顧問が好きで、海老原さん、きみは――」。

「も、もう結構です」夕は真っ赤になって両手を振った。他の学生らも目を白黒させている。

学生らは戦慄した。と同時に、

――香椎先生、見ていないようで見てたんだな。

と、つくづく思った。

ジビンカの営業に並行し、新生・柳井ゼミは船出した。

この言い方は正しくないだろう。もともとジビンカはゼミの一環なのだから、本来なら「柳井ゼミに並行してジビンカの営業も続いた」というのが正しい。けれどもゼミ生らの心境は圧倒的に前者だった。香椎ゼミは、ほとんど座学的なゼミが開講されなかった。ゼミと称して集まっても店の運営会議がほとんどで、時折原点に立ち返る意味で概要をおさらいすることはあったが、ごくまれだった。そこにきて、柳井は精力的にゼミを開講した。ゼミ生らはもれなく出席したが、正直なところ「だるいなあ」「今夜二組予約だ」「仕込みやらないとまずいなあ」というのが本音だった。

ゼミ生らももう四年。他ゼミ・他学部の四年を見渡せば、就職活動や卒論制作が山場を迎えている。とりわけ就職については、就職説明会が目白押しで、学生課の催す面接対応講座には人が殺到していた。進学や公務員試験を目指す学生は、めいめい図書館に籠もって本を読んだりため息をついたり。一部の連中からちらほらと「内定」という言葉が聞かれ始めた。早過ぎやしないかと耳を澄ますと、「バイト先の店長がそのまま雇ってくれるってさ」などなど。人生行路はそれぞれである。

柳井ゼミの学生たちとて他人事ではない。みな自分の将来を考えるべき時である。その前提として卒業は必須。さいわいゼミには単位が足りず留年しそうな学生はいなかった。卒業研究さえクリアすれば卒業はできる。

柳井は卒業研究の題材に、当然の如くジビンカをあてはめた。ある日のゼミで彼は全員に告げた。

「ぼくは香椎先生の後を継ぐにあたり、随分ジビンカのことを勉強した。きみたちが当初提出した企画書も熟読した。そこで訊くけど——きみたちは覚えているかな？　なぜこのゼミがジビンカを始めることになったのか。何のためにこんな大掛かりなことをおっぱじめたのか」

柳井はニヤニヤして教室を見渡す。前に座っていた勝田と目が合った。

「はい、きみ」

「え、え～と……」勝田は言葉を詰まらせた。

「プッ」隣席の夕が吹き出す。

「じゃ、海老原さん」

「うッ……、確か、ええと、う～ん」

「お前も一緒じゃないか」肇は笑って二人を指差した。「お前たちは目先の経営ばっかりで、根本的なことはすぐ忘れちまうんだな」

「じゃああんたは言えるわけ？」夕は目を剝いた。

「当たり前だ」肇は自信満々に胸を叩いた。「俺は将来シェフになるためだ！」

教室の空気が固まった。柳井も絶句である。

「俺、何か変なこと言ったっけ？」肇は口を尖らせた。

乙成はコクッとうなずき、

「今は個人的なことを訊いているんじゃありません。ゼミ全体のことを聞いているんです」

「じゃ、言えないや」

「そらみなさい」夕はキリキリしている。

ところが肇は、一度曲がった背中をピンと張りなおすと、

「でも、俺、ジビンカのコンセプトだったらちゃんと言えるぜ。ひとつ、『高齢の生産者の職業を守る』。ふたつ、『地元大谷野市の活性化に寄与する』。みっつ、『消費者と生産者の距離を近づける』。どうだい？」

「何を強がってんだか」夕は眩暈を覚えた。

「いやいや、上出来だよ」柳井は手を打った。「コンセプトは一番大事。それがスラスラ言えるなんて、道理でジビンカがうまくいくはずだ」

「えへへ」肇は鼻の下を人差し指の腹でしゃくった。

「もっとも、研究のことも少しは考えてほしいがね」柳井はゼミ生全員を振り返った。「いい？　そもそもジビンカは、香椎先生が『生きた経済学』をみんなに学んでもらうためにはじめた。だからジビンカがどんなに優良店になろうとも、学問の一環であることを忘れちゃいけないよ。

ところでみんなは、ＰＤＣＡという言葉を覚えているかな。そもそもこのゼミの名称は『ＰＤＣＡ経済統計学』。これを忘れちゃったら本末転倒だぞ」

柳井は黒板に図を描いた。

Ｐの字を頂点にして、時計回りの三時のところにＤ、六時にＣ、九時にＡ。順に従い矢印で結ぶ。

「ひとつのプラン（Plan）について、様々な統計学や経済学の式を用いて活動（Do）をデータ化・計算し、その良し悪しを測る（Check）。結論がかんばしくないようなら、なぜよくないかを経済統計的に解析して改善を図り（Action）、再びデータを取って検証する――この一連の流れが、ＰＤＣＡの基本形だよ。

今回、ぼくがみんなに研究課題として求めるのは、このＰＤＣＡを使ったジビンカの具体的な検証。経営を通して取得したデータを活用し、ＰＤＣＡのループにあてはめてみてほしい」

「よっしゃ！」肇は立ち上がってゼミ生らを振り返った。「みんな、そのＰＤなんとかってやつをさっさとまとめて、早く仕込みに行こうぜ！」

「お、おおぉ……」ゼミ生らは弱々しく応えた。

「なんだよみんな、元気がねえな」

「肇、ちょっと待って」夕は訝しげに目を細め、「早く仕込みにって、卒業研究がほんの二、三時間で片付くわけないでしょ？　具体的にどうするのか、何にも決まってないじゃない。

――肇、あんたもしかして、声だけ上げて後はみんなにやらせるつもり？　私、忘れてないからね。前に学祭の時にカレーおむすびを作らせて」。

「またその話かよ！」

「まあまあ」柳井が間に入った。「二人は仲がいいね。おや、海老原さん、そうふくれっ面をしなさんな。宝塚君も落ち着いて。ぼくの説明が足らなかった。補足します。

ジビンカを開業する前に、いろいろとマーケットリサーチをしたと思う。それと同じ項目を再調査して新データを取得し、開業前と比較して、例えば商店街に変化があったか、住民の意識に変化があったか、その差を報告してほしい。また、今まで店で催したイベントのデータを整理し、参加人数、回収結果と合わせて、月の売上との相関関係を計算してほしい。難しく考えるのではなく、新任のぼくに、自分たちの成果を教えてやるって気持ちでやればよい」

その後、ゼミの主だった者が柳井の研究室に移動した。元は香椎の研究室で、柳井が引き継いでいる。ゼミ生らは書棚からジビンカ関係の資料をピックアップし、台車に載せて教室に戻った。そして全員で、資料として要る物、要らない物により分けた。

「あった、最初の街頭アンケートの回答ファイル」

夕がホコリの積もったファイルをはたいた。

「げほげほ、うう」進藤翔が中を覗き込んだ。「懐かしい。最初の頃のフォーマットって、こんなに簡素でしたっけ」

「それだけ私たちが成長したってことね」

「これは何だ？」肇は別のバインダーのページをめくり、首を傾げた。

乙成が横から首を伸ばし、

「市役所でのヒアリング用に集めたアンケートですね。集計データがパソコンの中にあるはずです」

「そんなアンケート、やったっけ？」

「覚えていないんですか？　みんなで遅くまで残って整理しましたよ」

「覚えてるわけがないよ」勝田が口を挟んだ。「だって、あの頃の肇はゼミに『お遊び』で来ていたんだからな」

肇はムッとして何か言いかけたが、当時を思い出して口を噤んだ。確かに勝田の言うとおりだ。最初の頃、肇はみんなと意見がぶつかってばかりで、やる気は皆無だった。出席しても居るだけ。市政提言会の時もそうだったし、市役所でのヒアリングは舐めてかかってしどろもどろになり、兵太と赤っ恥をかいた。ジビンカを真面目に捉えられるようになるまで随分かかった。

「そんな昔のことは覚えていない」肇は口を尖らせた。「俺は料理課だからな。レシピをたくさん覚えたら、昔の記憶が押し出されて耳からこぼれちまったんだ」

「幼稚園児みたいな言い訳だな。そんなら耳栓でもしとけよ」と勝田。

「一緒に口も塞いでほしいわ」と夕。

乙成と進藤が吹き出し、ゼミ生全員が笑った。

肇は赤面して身をよじらせ、

「ほらほら、笑ってないで資料をまとめるぞ！」

資料を確認し終えるのにそう時間は掛からなかった。乙成と夕はほとんど全てに関わっていたので、大方の流れを覚えていた。記憶を頼りにデータを整理しなおす。パソコンに打ちこんでいく作業は乙成と進藤が分担した。

データは克明に、三年前の商店街の様子を伝えていた。人の流れや通行量など数値データ以外に、街頭での聞き取り調査も残っている。「大谷野市の商店街に親しみを持つか？」「雛美産業大学にどのような印象を持っているか？」。シンプルな質問ながら回答数は四百以上も寄せられている。

整理を続けながら今の状況に思いを馳せると、ジビンカがいかに商店街に良い影響を及ぼしたか、それがはっきり分かる事例が次々に見つかった。例えば、ジビンカ開店前、商店街の空き店舗率は八割近くあった。それが今ではゼロである。通行人は明らかに増えたし、商店街の入り口に新しいバス停が設置されたことも好例の一つである。

「俺たちって、すごいんだな」

普段無口な武井兵太が言葉を漏らした。

「あったりまえよ」肇は自分の手柄のように胸を叩いた。「この調子で、卒業研究もジビンカ同様高得点を目指そうぜ」


ジビンカの忙しさは、春の歓迎シーズンを過ぎて一区切りした。乙成は店舗業務のシフトに【研究論文担当】を設定し、ゼミ生らが卒論に順繰りに携るようにした。担当シフトによって最初に実行されたのはアンケート調査である。オープン前に行ったアンケートと同じ内容の聞き取り調査を行い、当時との比較を図る。場所は商店街や大学周辺、大谷野市駅前広場など近隣一帯で、目標数は五百件。ゼミ生らは交代でシフトに付き、二週間ほどで目標数を達成した。そのデータを整理し、分析を加え、論文が一つのまとまった形になったのは、柳井の指示から約一カ月が経過した頃だった。

それではここで、聞き取り調査で明らかになったジビンカの輝かしい成功事例を紹介しよう。

◆大谷野市商店街の活性化
空き店舗事業でジビンカが開店したのち、商店街の人の流れに変化が生じた。最初は近所の人が「どんな店だろう？」と回り道をした程度だったが、事実それだけでも随分数は増えた。

そのうち半数以上が実際にジビンカで食事をし、その数割がリピーター化した。彼らがジビンカを訪れるために商店街を通行する過程で、商店街は活況を迎えた。先述のとおり、シャッター通りだったものがいまや全戸営業中である。

ジビンカはオープン景気後も、口コミやSNSシェアの他、良きにつけ悪しきにつけマスコミに取り上げられたことにより、絶えず人の意識にのぼった。そのたびに商店街も活況を呈した。活況を構成する人間の内訳は、従来のジビンカと商店街の利用客、渦中の店を見ようとする野次馬、日参するマスコミなど、多岐にわたった。数値を挙げると、ジビンカ開店以前の一日の平均通行量は約千二百人。それが最新の調査では二千百人。約一・八倍の増加である。

商店街各店の売上も、ジビンカ開店当初と比較すると軒並み上昇している。各商店に配布されたアンケートには、売上についての質問項目が設けられた。どの店舗も売上高自体は公開しなかったが、年度比マイナスの店はゼロとのことだった。軒並み上昇を見せる中、最大で二倍に伸びたという店もあった。

商店主に宛てられた「最後にひとこと」自由記述の項目には、感謝の言葉がずらりと並んだ。全国的に見てもこれほど効果のあった「空き店舗事業」「商店街の復興事業」の成功例は無いだろう、と最大級の賛辞が寄せられている。

◆大学イメージの向上

ジビンカ開店前のアンケートで、ゼミ生らが「雛美産業大学の学生です」と自己紹介をすると、ほぼ全ての人から冷ややかな視線を向けられた。ゼミ生ら自身「無理もない」と思った。昔から雛美大は偏差値も就職率も低く、日本を代表するFラン大学。素行等の評判も悪く、引け目を感じていた。問う方自身がそんな有様なので、問われる方は当然忌避しようとする。そんな逆風の中、ゼミ生らは四百のアンケートを回収したのだ――それがどれだけ大変だったことか！

その時の質問項目に「雛美産業大学に親しみを感じるか」という問いがあった。「はい」と答えた人は全体の７％、「何とも思わない」が61％、残りの32％は「いいえ」と回答した。また、回答者の一部は、当の雛美大生が目の前にいるにもかかわらず、露骨に否定的な印象を述べた。

「履歴書には書けないよね」

「自分の子には行かせたくない」

「浪人は一時の恥、雛美大は一生の恥」

しかし、そんな悪評もここ二、三年で大逆転した。今回行われた同じ調査では、「はい」が94％。驚くべき上昇である。

いまや雛美産業大学は地域の人気大学の一つである。その理由がジビンカであるのは疑いない。ジビンカは開店以来たびたびメディアに登場し、毀誉褒貶の波にさらされながら、健気に乗り越えてきた。一連の出来事は一般大衆の目に青春群像劇として映った。権力も経験もない若い学生らに悪意を持つこと自体恥ずべきこと、むしろ応援して然るべき——そんな惻隠の心理がはたらいたのである。こうして社会のベビーフェイスたるジビンカは、そのまま母体・雛美産業大学を同じ色合いに染め上げた。人気教員の香椎が市長になったことも大きいだろう。

「すばらしい」

調査結果を読み終え、柳井は感嘆した。教壇からゼミ生を一望し、

「これだけのデータがあれば、あとは講義で習った統計学の分析方法で立派な論文が書けるはず。早速、研究論文の形にまとめてほしい。ＰＤＣＡ経済統計学を用い、どうすればこれらのデータを未来に向かってより向上できるか考察すること。

それにしても、これほどまでに活きたデータを活用して経済統計学を実践するのは、日本の学生ではきみたちが最初じゃないかな。誇りをもって臨んでほしい」

「先生」肇が挙手した。「研究が仕上がったら、香椎先生——いや、香椎市長にも見てもらえるかな」

「もちろん、そのつもりだ」柳井はうなずいた。

それから約一カ月後、研究結果を論文化したものができあがった。柳井はそれを何度も読み返し「すばらしい」「面白い」と連呼した。彼はそれを学科長に見せ、学科長は学部長に見せた。通常、学生の論文がここまでのぼってくることはない。しかしジビンカの論文は、学術的なものとしてだけでなく、もっと広範な意味で――雛美産業大学の広告素材や大谷野市の事業実績として――、多くの人の目に晒されることになった。香椎市長の目にも届いた。学長が市役所を訪れた時、香椎の教え子の成果として持ち込んだのだ。

あるゼミの日、柳井はゼミ生に告げた。

「きみたちに『全大学地域活性プレゼン大会』に出場してもらう」

ゼミ生らはキョトンとした。

「この大会はその名のとおり、全国各地の大学が地域活性をテーマにプレゼンテーションを行い、巧拙（こうせつ）を競うものだ。きみたちの卒論をいろんな人に見せたところ、このまま寝かしておくのはもったいないという意見が多数寄せられた。そこで大会に参加し、より多くの人々にジビンカの例を伝え、日本中の難航している地域活性プロジェクトの参考にしてもらうことになったんだよ」

「うへ、マジですか」肇は舌を出した。

「この大会は全国持ち回りだ。今年の大会は隣の赤松市の稲瀬川大学アリーナで開催される。近いからちょうどいいだろ？」

「出前じゃあるまいし、近いからいいってもんじゃないですよ」肇の口調は泣き言そのものだった。「プレゼンって、みんなの前で発表するんでしょ？　そんなの、もういいっすよ。やっと卒論が終わってホッとしているのに、なんで混ぜっかえすようなことを言うんです？」

「肇、まとめたのは私と詩織としずくじゃない。あんたほとんどなんにもやってないわ」夕はなじるように言った。「それに、ありがたいじゃない。私たちの研究成果が認められたってことよ。出ましょうよ。いい経験になるわ。大学生活の素晴らしい思い出になる」

「そう……ですよね」乙成は噛みしめるように言った。「私たち、頑張りましたもんね。きっとまたいい成果を出せますよね」

「もちろんよ」

「何だ、お前たち。急に意識高くなりやがって。俺たちはFラン雛美大生だぞ、忘れるな」肇は舌を出した。

「予備校調べによると、もはや雛美大はFランでは無い」勝田が口を挟んだ。「肇、お前はプレゼンが嫌なだけだろ？　人前に出て発表すると、市役所のヒアリングを思い出すんだろ？

兵太、きみもだ」

脇にいた兵太は顔を赤くした。

「ち、違う！」肇は言い返した。「んなことねえよ。じゃあ、出てやる、出ようじゃねえか！俺がステージに上がってしゃべればいいんだろ？」

「そこまでの大任は任せられないわ」夕は頭を横に振った。「恥をかくなら一人でかいて。私たちは、失敗するつもりはないの」

「くそ……。おい、兵太、何とか言い返せよ」

「いや、その」兵太は呟くように言った。「俺は遠慮しとくよ。こういうのは、適材適所っていうし」

肇は歯噛みして悔しがった。

「もう参加申し込みは出しているんだ」

柳井は手を打ち鳴らし、視線を集めた。

「早速だが、再来週、地区予選大会がある。場所は本番と同じ稲瀬川大学アリーナ。資料を作り、発表者を決めて、遅くとも三日前までにリハーサルをやれるようにしておくこと。いいね」

ゼミは騒然となった。

「再来週？」

「時間が無いなあ……」

「宝塚君」柳井は肇を見てニヤリとした。「予選の日、香椎市長もご臨席だよ」

「へっ？」

「そもそもこの大会への参加は香椎市長の提案なんだ。きみが言ったとおり香椎さんに論文を見せたからこうなったんだよ。つまり大会参加のきっかけをつくったのはきみってこと」

「マジかよ」肇は顔をしかめた。

「そう気を落としなさんな。あ、言っとくけど、この大会は優勝したらわずかながら賞金が出る」

「ほんとかよ！」肇は椅子を蹴って立ち上がった。「先生、人が悪いなあ。それを早く言ってくれよ。そういうことならぜひ頑張らせていただこうじゃないですか、なあ、みんな！」

肇は揉み手をしてみなを振り返った。

ゼミ生らは一様に呆れていたが、目は輝いていた。

プレゼン大会の準備が始まった。とにかく時間が無い。予選まで二週間。リハーサルに要する三日間を除くと十日程度しかない。

予選出場を表明しているのは近隣の七大学で、上位二校が本選に出場する権利を得る。近隣の超有名校である稲瀬川大学からは漆川紗江の率いるＩＫＣがエントリーしているが、会場提供のホスト校で地区予選はパス。いきなり本選出場である。もっとも、前回・前々回が優勝・奨励賞であることから、その特権は十分に認められていた。

ゼミ生らは焦った。時間が無いのはどこの大学も同じだが、取り掛かりが遅かったのは否めない――それでなくともジビンカの営業もある。

効率的に準備を進めるために、短時間で内容の濃い打ち合わせが重ねられた。

最初に決まったのは登壇者である。総勢四人。これは「四人以内なら何名でもいい」という大会ルールに則っている。選ばれたのは乙成・勝田・肇・兵太。勝田は壇上でＰＣを担当し、スクリーンに投影する資料画面を操作する。プレゼンテーターは乙成・肇・兵太。自他ともに認める弁舌ベタ、あがり症の三人。なぜわざわざこのような人選になったかというと、「下手にしゃべれる人間より朴訥（ぼくとつ）としたしゃべりの方が、説得性は高い」という柳井の作戦だった。

本人たちは嫌でしょうがなかった。

「ま、ダメ元で頑張って」と夕。

「ダメなんてことあるか。出るからには負けないよ」肇は言った。

次にプレゼンの資料作りに取り掛かった。スクリーンに上映するための表やグラフの制作である。

「パワーポイントなら、私、少しなら触れます」

乙成は自ら名乗り出た。ジビンカのPC管理は彼女がずっとやってきた。メジャーなプレゼン用ソフトウェアは、使用頻度こそ低かったが、他の誰よりも通じている自信があった。

柳井は「参考にして」と、過去のプレゼン大会の本選模様を録画した動画サイトのURLを教えた。乙成はそれを見て愕然とした。

――これ、パワーポイントなの？　アニメーションのソフトじゃないの？

「私、できるかな……」一転して不安一色。

「先生、質問」肇はそんな乙成の表情を見て言った。「素晴らしい発表がいつもパワーポイントを使ってるとは限らないよな。例えば、世紀の名演説は、ほとんど口一つじゃないか。リンカーンの『なんとかの、なんとかのための』とか、キング牧師の『私には夢がある』とか。そういうやり方じゃいけないの？」

「やけに詳しいね、宝塚君。でも彼らの時代にはまだパワーポイントが無いよ」柳井はそっけなく切り捨てた。

すると、

「私、やります！」乙成は吹っ切れたように言った。「難しいからこそ、やってみたいと思います」

「お前……大丈夫か」肇は目を見張った。

「大丈夫かどうかと言われると、確かに不安ですが……でも、やってみないと分かりません。みんな、助けてくださいね。みんなでやったら今までどおりうまくいくと思うんです！」

ところが、

「まーた『みんなで』、か」

冷ややかな声を発したのは兵太だ。

「これは勝負事だろ。みんなでやったからとか、努力したから、なんてのは耳障りはいいかもしれないけど、正直どうかと思う。負けた時に『みんなでやったからいい思い出』『努力した結果だから仕方が無い』って言い訳につながげられる。本気で勝とうと思うなら、苦手は避けて、できることに力を注ぐべきだ。俺は肇の言うとおり、昔ながらの演説方式が良いと思うぜ」

「確かにそのとおりかもしれない」柳井は認めた。「でも、勝負の現実について考えてほしい。プレゼン大会の審査員は大学関係者以外に、地方自治体や中央官庁の公務員、評論家、文化人など、多岐にわたっている。彼らは別にプレゼンのプロでは無い。つまり、『発表の巧さ』に引っ張られることが十分にありうるんだ。

例えば、ある人がどんな立派な研究をしても、公表する資料がまずかったら、相手に伝わらない。逆に、大した成果はなくても立派な資料を作ることができる人は、技術で聴衆をコントロールできる。この場合、本来評価されるべきは前者だよ。でも選ばれるのは後者だ。さすがに本職の研究者はだまされないかもしれないけど、さっき言ったとおり、プレゼン大会の審査はそうではない。首を傾げたくなるが、こういうことは往々にしてあるんだよ」

「何だか忌々しい話だな」

肇は吐き捨てた。兵太も憤懣（ふんまん）やるかたない様子である。

「きみらの研究結果の素晴らしさを、ぼくは承知している。その素晴らしい内容をもっと素晴らしく伝えるために、最先端の技術を導入するのは、いいことだと思うがね」

「先生の言うとおりだ」肇はうなずいた。「リンカーンもキング牧師も、パワーポイントがあったら使っていただろうし、口だけよりもうまく伝えられたかもしれない。乙成、俺、パワーポイントの本を買って勉強するから、手伝わせてくれ」

「ありがとうございます」乙成は嬉しそうに礼を述べた。

兵太は目元口元をニヤリとさせ、

「ま、よく考えたら、いっそ全部パワーポイントでやってくれた方が、俺たちはしゃべらなくて済むから楽なんだけどね」

§

初夏の陽射しは眩しく、稲瀬川大学のキャンパスは青葉のきらめきに満ちていた。並木道は日曜日ながらたくさんの人でごった返している。みな、プレゼン地区予選大会の参加者か見物客である。

肇と兵太の二人は、人の中を流れに乗って歩き、あたりをきょろきょろと眺めまわしている。

「ここはいつだって陽のオーラに包まれてるなあ」

肇は舌打ちした。稲瀬川大学のキャンパスに入るのは三年ぶり。兵太と雛美大の学祭を放ったらかしてＩＮＡ祭を訪れて以来である。

「確か、あの時のカレーはＩＫＣの出店だったよな」

兵太はうなずき、

「また俺たちがここに来るということは、俺たちとＩＫＣは相当な因縁で結ばれてるってことさ」

「またＩＫＣと戦うのか？」

「そのためには予選突破しなきゃ」

まもなく二人は予選の舞台となる稲瀬川大学アリーナに到着した。アリーナはキャンパスの中央に位置し、約二千人が収容できる赤松市の大型収容施設の一つである。しばしば有名歌手のコンサートも開かれる。

開会までまだ一時間あったが、中の階段式の客席は人でごった返していた。

「おい見ろ」肇は兵太に促した。「後ろの方に座ってる奴ら――インターネットで見たことがあるぞ」

「俺もある。ＩＫＣの奴らだ」

「あいつらシード校だろ？　なんでいるの？」

「下見に来たんだろう。もしくは馬鹿にしに来たか」

ＩＫＣは客席の一角を占めていた。みな統制されたように黒髪で黒縁眼鏡、いかにもエリート大学の優等生である。その真ん中にひときわ目を引く女性の姿がある。細身の身体に黒のスーツ、眼鏡の向こうに尖った目を光らせるのは、部長の漆川紗江である。

「あいつが親分か。美人は美人だが、人の悪そうな顔をしてやがる」

「よせ、聞こえるぜ」

「ちょっとあんたたち、遅い！」

二人が振り返ると、目の前に夕の姿があった。両手を腰に当てがい、肩を怒らせている。

「みんな二時間以上前に来てリハーサルしているのに、何をのんびりしているの？」

「別にのんびりしてたんじゃねえ」肇は言い返した。「俺たち二人、ファミレスで台本の読みあわせをしてたんだよ――なあ、兵太」

　兵太は二つうなずいた。

「とにかく舞台袖に来て。最後の確認をするから」

　二人は「へーい」と間延びした返事をし、夕に従って舞台上手の方へ走っていった。

　漆川紗江は視界の隅に彼らの様子をしっかりキャッチしていた。

「ジビンカも来たようね」

「プログラムでは今日のトリになっています」隣席の側近の男子が言った。

「プレゼン大会の実行委員会が客寄せ効果を狙っているんでしょ。テレビや新聞でさんざん扱われたからね。ま、その一端はＩＫＣが裏で手を引いているのだけど。ああ見えて、私たちの意図をうまいことかいくぐっている運のいい奴らよ。お手並み拝見ね」

「今の二人の男子、宝塚肇と武井兵太は登壇者です。開場してからやってくるとは……。リハーサルには参加していないのでしょう。大胆不敵な奴らです」

「何をどれだけ仕込んできても、所詮Ｆランの雛美大、同じことよ」漆川は強気な笑みをこぼした。「せいぜいやりたいようにやらせればいいわ。予定どおり、適当にあしらってやりなさい。それが常連校からの愛の鞭よ。公開プレゼンの怖さと難しさを教えてやるのは、私たちの義務だから」

「かしこまりました」男子学生は席を立ち引き下がった。

漆川は唇を軽く噛んだ。

――私たちの攻撃を何から何まで乗り切ったジビンカめ。絶対に赤っ恥をかかせて潰してやる!


予選が始まった。ステージでは各大学の代表チームが、綿密に練り上げたプレゼンテーションを分単位で展開していく。雛美産業大学柳井ゼミは「チーム・ジビンカ」という名称で、七校目の大トリである。出番までの間、ゼミ生ら(この日予選の場に来ていたのは、登壇する勝田・乙成・宝塚・武井の他、谷川、海老原、進藤の七人)は、控室のモニターで他校のステージを見ていた。各校とも堂々としている。洗練された発表で、説得力に溢れている。どこのチームも学内の選抜考査を潜り抜けているので、大なり小なり場数は踏んでいる。一方、チーム・ジビンカはそうではない。リハーサルは繰り返したが、ゼミでやっただけ。大勢の前で話したためしはない。乙成は他学の発表を見てびくびく震えていた。勝田の助言でさっきからずっと手の平に「人」の字を書いて呑みこんでいる。

いよいよ出番。登壇者は緊張の面持ちで舞台袖に並んだ。万が一に備えて袖に待機する夕は、四人の肩を一人ずつ叩き、「平常心、平常心」と繰り返した。

「平常心でいられるかよ」肇はぼやいた。「俺、こんなに大勢の前でしゃべるの初めてだぜ」

「大丈夫よ。客なんかみんなカボチャだと思えばいいわ」

【それでは「チーム・ジビンカ」、お願いします】

会館内にアナウンスがこだました。

「さあ、いってらっしゃい」

四人は暗転した舞台に明かりが差しこむと同時に、小走りでステージへ駆けていった。


客席後方中央あたりでは——。

「出てきたわね」漆川は呟いた。「他学の時と同じようにやりなさい」

「はい」隣席の側近が席を外した。

ここまで六組のプレゼンは、客席からなにかしらの野次が飛んだ。「聞こえないぞ！」「論理の飛躍！」とあおるものから、「名調子！」「見事な洞察！」と無意味に褒めるものまで様々である。登壇者を混乱させたり、客席に笑いを起こして進行を難しくしたり。これらは全てＩＫＣの仕業だった。彼らは会場内に分散し、携帯電話のメールでやりとりしながら野次を飛ばした。全て指示どおりで、めいめいが勝手に飛ばしているのではない。

野次についてはＩＫＣ内部にも「何のためにそんなことを」という意見があった。しかし、漆川をはじめＩＫＣ上層部は、野次も一つの主張であり、飛ばす方にもやり方や流儀があるとした。つまり彼らは、自分たちの出場しない予選大会ではあるが、すでに戦いは始まっており、客席から挑んでいる――と考えているのである。

野次があまりに空気を乱すと、【お静かに願います】【退場をお願いする場合がございます】とアナウンスがあった。しかしＩＫＣもさるもの、会場全体の空気を察し、見事なタイミングで野次を飛ばすので、一人の退場者も出すことは無い。また、あとあとプレゼン全体を振り返ると、まず間違いなく、野次は舞台演出として最適な効果を示しているのだった。

功罪あわせ持つＩＫＣの野次――それは「チーム・ジビンカ」にも襲い掛かった。

『声が小さい！』

冒頭、自己紹介のさなか、乙成はいきなり食らった。うろたえる乙成。しかし気を取り直し、深い呼吸をひとつして、一段大きな声で話しだす。彼女はここで吹っ切れたようになって、最後まで大きな声で説明を行うことができた。野次が却(かえ)って功となった。

パワーポイントの扱いについても野次が飛んだ。

『絵と説明がずれてるぞ！』

この時しゃべっていたのは肇だった。肇は口を噤み、声の方を睨みつけた。が、シーリングライトの光が強く客席は夜の海のように真っ暗である。

――畜生、覚えといてぶん殴りに行こうかと思ったのに……。

肇は悔しさを呑みこんだ。同じ野次をもらわないためには、スクリーンを見ながらタイミングを合わせて話すしかない。それまで肇は自分の原稿を読み進めるだけでスクリーンなど全然考えていなかった。野次以降、ＰＣ担当は勝田で、彼はステージ下手の椅子に掛け、机上のパソコンを操作していた。二人はアイコンタクトを取るようになった。そうして発表を進めるうちに、二人はすぐに不思議な感覚に包まれた。客席の視線が一様に固まって動く――こちらに注意を向けられているという感覚がひしひしと伝わってくる。これも野次のおかげで良くなった点といえる。

その他にもいくつか野次があった。おおむね茶化したものだった。

乙成は時間が経つにつれ客席を冷静に見られるようになっていたが、そんな中、怒りを覚えた野次があった。

『ジビエ、腐乱食材だろ？』

この野次は、参集の人々にジビエの誤った認識を叫んだ上、雛美大を侮辱する「え、ふらん（Ｆラン）」が埋め込まれているのは明らかだった（なぜならそこだけ妙に誇張して叫ばれたからだ）。客席に嘲笑のさざなみが起きた。それ以降、聴衆の集中力は明らかに減じた。乙成は終了して袖に引っ込むなり、「あれはどうかと思うんです！」と怒りをあらわにした。

だが肇ら男どもは、自分に向けられた野次以外は、「そんなこと言われたっけ？」と記憶すらなかった。緊張のあまり、自分のポジション以外は聞こえていなかったのである。


かくして「チーム・ジビンカ」の出番は終了した。時間にしてわずか十五分。登壇者には一時間にも二時間にも感じられた。

会場は一旦休憩となり、審査員は一室に籠もって地区予選優勝校の選定に入った。

全出場者は客席に移動した。一般客と同じ目線で閉会式に臨み、予選通過発表チームを知らされることになる。

休憩の間、肇は悶々としていた。

勝負で負けるのは絶対嫌だ——しかし肇は、冷静に考えてチーム・ジビンカが予選通過する確率は低いと思った。しゃべりも、パワーポイントも、内容も、他の大学に比べたらまるで大人と幼稚園児くらいの差があるように感じられた。

そして迎えた閉会式。

結果は司会の口からあっさりと述べられた。

チーム・ジビンカは予選を二位で通過し、本選出場を決めた。

「うおおお！　マジかよッ！」

肇は、客席が今まさに拍手しようとする寸前、ひとりガバッと立ち上がり、雄叫びを上げた。視線が集まり、嘲笑が湧いた。肇の両隣にいた乙成と夕が左右の腕にすがり、強引に引きずりおろして座らせた。

「馬鹿、静かになさい」

「子どもみたいですよ」

小声で注意する女子二人。しかしそんな二人の顔にしても、爆発寸前の喜びをこらえているのだった。


「みんな、ご苦労様」

閉会後、見物客が出口に流れていく中、柳井は客席でゼミ生らをねぎらった。その後ろに、ゼミ生らが久しぶりに見る顔がある。

香椎市長だった。

「先生、来てたのかよ」

肇をはじめ、ゼミ生らはみんな笑顔になった。

「本選出場おめでとう」香椎は顔をほころばせた。「今までの努力が形になったね。ぼくは、立場上大きな声では言えないけど、絶対にきみたちが予選を通過すると思っていたよ」

「そうなのか？　俺、正直、無理だと思ってた。でもできた！」

「その謙虚さは本気で取り組んできた証拠です。といって、まだ予選ですから、気を抜かずに頑張ってください。柳井先生をどんどん酷使してね。それじゃ」

香椎は柳井の肩をバシッと叩くと、回れ右して足早に立ち去った。市長職は随分忙しいようである。

本選は一週間後、再びこのステージで行われる。ゼミ生らは閉会後暗転したステージをもう一度目に焼き付け、会場を後にした。

さて、柳井は予選選考の内幕についてある程度舞台裏を掴んでいた。だがゼミ生には何も伝えなかった。

正直なところ、チーム・ジビンカの予選通過は、発表のスキル・内容構成ではなく、これまでの活動や集めたデータ、経営への本気さが評価されてのことだった。スキルや内容構成が伴っていれば一位通過も十分ありえた。しかし悲しいかな、そこは付け焼刃同然だったので、実際は二位争いが起きていた。それをなんとか僅差で押さえ、予選通過に至ったというのが本当のところである。

この事実を伝えることが、ゼミ生らのモチベーションにどうつながるか。柳井には想像がつかない。

——ゼミ生らを信じよう。香椎先生もそうしてきたし。

戸惑った結果、口を噤むことにした。柳井にとっても、このプレゼン大会は、学生と向かい合う一種の競技であった。

Chapter 17

みんなの力で

「本選では発表内容を大幅にブラッシュアップする必要があるわ！」

予選の翌日、ジビンカの夜営業後の終礼で夕が言った。

そこには、勝田、乙成、肇、兵太ら登壇組の他、谷川しずく、進藤翔もいた。

「ブラッシュアップって何をするんだよ」肇は尋ねた。

「次は角度を変えて、さらに深く切り込む。いいアイデアがあるの。これは私としずくに任せてほしい。しずくは経理を扱っているからお店の数字に詳しいはず」

「ＯＫ！」谷川は大袈裟に敬礼のポーズを取った。

「で、詩織たちには、私としずくが台本を仕上げる間に、パワーポイントの精度を上げてほしいの」

「私と勝田君で勉強しましょう」乙成が言った。

「俺も入るぞ」肇が手を挙げた。

「海老原、俺は何をすればいい？」兵太が進み出た。

「そうね……」夕は思案し「進藤君と一緒に、未使用の数字を整理してくれないかしら」。

「未使用？」

「卒論で使わなかった数字があるでしょ？　衛生検査とか食材の歩留まりとか。二人は食材管理課だから専門のはず」

「おっしゃ、任せとけ」

夕の采配で全員の役割分担が決まった。肇はみなの前に立ち、腰の高さに手を差し伸ばした。手の平を下に向け、みんなの顔をうかがう。察した勝田が肇の手の甲に自分の手を重ねた。さらに兵太が、進藤が、乙成が、谷川が続く。最後に夕が一番上に手を置いた。肇はそれを見届けると、

「頑張ろう」

「おう！」

円陣は武者震いした。伸ばされた七本の手は、一度低く潜って天井へ伸びた。

ゼミ生らはジビンカの営業を続けながら、それぞれの役割を果たしていった。

夕と谷川は、録画しておいた自分たちの予選プレゼンをチェックし、柳井を交えて反省点をあぶり出した。研究の骨子を再確認し、予選と異なる切り口を模索した。

「なんだかもったいないなぁ」柳井は言った。「こんなにおもしろい研究はなかなかないよ。ぜひゼミのみんなでやりたいものだ」

「そうしましょう。新しい意見が出るかも」

こうして内容はゼミで広く扱われた。そのおかげで、これまでジビンカの運営やプレゼン大会にあまり絡んでいなかった学生からも、意見や提案があった。彼らは言った。

「応援してるよ。大学生活に有終の美をかざってこい」


勝田は図書館でパワーポイントのガイド本を借りて朝から晩まで読み耽り、頭に詰め込んだ。放課後は毎日乙成と肇を誘い、大学の視聴覚室でファイルの試作と投影テストを行った。

勝田は予選を思い返した。予選のパワーポイントは文字が大きすぎた。ステージのスクリーンは、制作時のモニターと比べると桁違いに大きい。

――大写しにすると意外に小さな文字でも読むことができるし、その分多くの情報を詰め込むことができる。

勝田は予選でそれを学んだ。視聴覚室を利用したのは、シミュレーションに適したサイズのスクリーンがあったからだ。

本選では、単に字を出したり画面を切り替えたりするだけでなく、様々な効果を用いることにした。例えば、画面をパッと切り替えるのをオーバーラップにしたり、資料に動画を使ったり。勝田はそれらの機能を備えたサンプルを作って乙成と肇に見せた。

「こんなこともできるなんて」乙成は目を丸くした。「私たち、今までソフト機能の五％も使ってなかったみたいですね」

「だからといって何でもかんでも使って派手にすればいいってもんじゃない」勝田はスクリーンに投影した画面を見て言った。「一番大事なのは、観客をプレゼンに集中させて、画面が変わったことに気付かせないくらい自然にやることだ」

肇は並んだ二人の背後からスクリーンを眺めていた。彼はいかにも得心したようにうなずいていたが、実はほとんど分かっていなかった。効果？　機能？　演出？　サッパリである。

――勝田って器用だな。

率直にそう思った。パソコンのテクニックに限った話ではない。勝田はチームの中にあって、人の理解を引き出し、納得させ、方向づける力を持っている。ゼミの誰しも彼のことを特別優秀な人間だと思ってはいないが、彼はいつも、気が付けば然るべきポジションにいて、期待された仕事を全うする。

――こういう奴が最後の最後に成功するのかもしれない。

肇にはもうひとつ、勝田について気になっていることがある。

夕との関係である。

去年のジビンカの役員決めの時、二人の間にそういう空気があるのを察してから、ずっと胸の奥がモヤモヤしている。あれから二人はどこまで進んでいるんだろう。

夕とは俺の方が過ごしてきた時間は長いのに……なぜか心が逆らおうとする。

肇は夕に対してこれまで「恋心を抱いている」「一緒にいたい」、それどころか「ちょっといいよな」とすら思ったことはなかった。顔を合わせれば馬鹿を言い、文句を言い合い、ごくたまにだが言葉がなくても伝わることがあった。本当に仲の良い友人のように思っていた——あの役員決めの前までは。

「肇」

「お、おう」

勝田の声に肇は現実に引き戻された。

「お前も少しはパソコンを触っとけよ。本番は秒単位で進めていく。アイコンタクトじゃタイムロスだ。海老原と谷川がそこを踏まえて台本を作ってるから、お前もパワーポイントがどういうふうに動くのか、感覚で理解しておけ」

「はいよ」

肇はパソコン画面に近づいた。そうしながら勝田が夕のことを「海老原」と苗字で呼んだことに、いくらかほっとした気がした。

夕と谷川は、柳井に知恵をもらいつつ、本選の大まかな流れを仕上げた。夕はしゃべりの原稿の執筆を開始、谷川はパワーポイントの画面案を一足先にまとめた。勝田と乙成はすでにパワーポイントの使い方を習得して視聴覚室を離れ、ジビンカの事務室のノートパソコンで制作にかかっていた。このパソコンは、チーム・ジビンカ唯一のパソコンである。二人は谷川から画面案を受け取ると、中休みと営業終了後の時間を利用して本選画面を作っていった。二人がパソコンに向かっていると、他のゼミ生らが近寄ってきて「どんな感じ？」と画面を覗き込んだ。勝田と乙成はマスターしたての効果を出力してみせた。ゼミ生らは「すげえ！」「優勝確実！」と感激した。

数日後、夕がしゃべりの原稿を完成させた。原稿は登壇する四人に配られた。メンバーは予選と同じ、勝田・乙成・肇・兵太である。勝田は機械操作専門でしゃべることはないが、全員分の内容を把握しておく必要がある。夕と谷川も舞台袖に控えるディレクター役として、全内容を掌握している。

「意外に早く仕上げたな」

ある日のジビンカの昼休憩、登壇者の中で最後に台本を受け取った肇は、ページをパラパラとめくって感心した。

「画面としゃべる内容が決まったら、あとはリハーサルを重ねるだけだね！」谷川はやる気満々だった。

「パワーポイントの完成具合はどの程度なの？」夕は尋ねた。

「それが……」肇は口籠もった。「実は俺、最初はついていけてたんだけど、途中で分からなくなって、勝田と乙成に任せっきりなんだ」

「ありえないわ」夕は憤慨した。「あの二人は店の責任者をやりながら資料を作ってるのよ。しかも、もう台本も全部覚えてた。それなのに、あんたは今まで何やってたの？」

「面目ない」肇は目を伏せた。「実は兵太のバイト先で急病人が出て、アイツがそっちにかかりきりになっちゃったから、俺が代わりに食材管理課の仕事をしてたんだよ。さすがに調理とダブルはキツすぎた」

「ああ、それで」谷川は目を細めた。「昨日、事務用品の通販会社から店内装飾用の大判の画用紙が千枚届いてさあ。私、元の発注量を知らないから、それで正しいんだと思ってお金を支払ったの。そしたら後から勝田くんに『それ百枚の間違いだ』って言われて――。発注者は武井君ってなってたけど、あれやったの宝塚君ね？」

「しまった」肇は青ざめた。

夕はため息をつき、

「発注サイトでゼロを一つ書き間違うような人が、パワーポイントを扱えるようになるわけがないわね。ま、いいわ。もうじっとしといて。自分の台本を覚えるのに専念して」

肇はシュンとなって肩をすぼめた。

台本を渡された四人は、自分の担当箇所を読み込んだ。規定によると、壇上で紙を読んでしゃべっても構わないが、四人はみな頭の中に詰め込んだ。それほど分量が多くないことと、短い持ち時間で紙を出したりめくったりするのはもったいないと思ったからである。

時間を見つけてはリハーサルをした。ジビンカの客席のテーブルにノートパソコンとプロジェクターを設置し、壁に画面を投影する。脇に乙成・肇・兵太が並び、台本に沿ってしゃべり、歩き、身ぶりをする。勝田は画面を操作する。谷川は時間を測り、夕は全体を見ている。おかしなところを見つけて修正する。台本を改めたり、画面を作り変えたり。

本番前夜。

この日は一日中雨だった。予報では夕方までに止むはずが、完全に外れ、まるで台風のような荒れ模様だった。

ジビンカでは営業終了後、最終リハーサルが行われていた。雨のサッシを叩く音がやかましく、登壇者はいつもより大きな声でしゃべらなければならなかった。同じ内容を二度、三度と繰り返し、そろそろいい時間になった。しかし外は荒れ模様で、帰ろうにも帰れない。遠くで聞こえていた雷は近づいて、閃光を走らせては数秒後に轟々と鳴った。そのたびに女子が「キャッ」と声を上げる。肇と兵太はニヤニヤしてそれを眺めていた。

「そこの二人」夕は見逃さない。「よくも怖がってる女子を笑ったわね。悪趣味よ」

「な、なんだと」肇は抗(あらが)った。「俺らは普段女子に舐められてるから、いい気味だと思って笑ってやってるのさ。なあ、兵太」

「いや、俺は別に」

「おい、合わせろよ。そうやっていつも俺の株だけ下げる」

と、その時、

バリバリバリバリバリッ！

天の裂けるような音とともに、視界が真っ白になった。窓がきしり、建物がビリビリと揺れる。

「キャーッ！」

男女とも悲鳴を上げた。室内灯が一瞬ふわりと光を溜めたかと思うと、そのまま吸い込まれるように消えた。

店内は真っ暗になった。

表の雨音が耳にひときわ鮮やかに聞こえる。

「今の、店に落ちたのかしら？」

「まだ外がゴロゴロ鳴ってる」

「俺、今どっち向いてるんだ？」

「足踏んでるよ、足！」

真っ暗のまま、二、三十秒が経過した。

不意に蛍光灯が明滅し、店内が明るくなった。空調の音が小さく鳴り出し、電気が復旧したのが分かった。

一同は胸を撫で下ろした。

「おや？　雨の音がしなくなったわ」夕は外を見た。

「じゃあ、今のうちに帰りましょう」乙成が言った。「明日は八時に大学の正門前にバスが来ます。今夜は早く寝て明日に備えてください」

みんなが散りかけたその時、

「おい、みんな待ってくれ」

勝田がひどく狼狽した調子で呼びとめた。

「どうした」

肇は振り返って息を呑んだ。勝田は顔を真っ青にしている。震える手でパソコンの画面を指差し、

「今の雷でパソコンが吹っ飛んだ」消え入りそうな声で言った。

「吹っ飛んだって……そこにあるじゃないか」兵太は目をしばたいた。

「中身のデータが消えたってことだよ」

「消えたっていうと……」乙成は震える唇で呟いた。

「今までのデータが全部なくなった」

「全部って——全部ですか？」

勝田はコクリとうなずいた。

夕は壁時計を見上げ、

「まだ十時前よ。バスまで十時間ある。イチから作り直せばいいわ」

「イチから？　マジかよ！」肇は叫んだ。

「仕方がないでしょ！　やれるだけのことをやらないと。いまさら棄権なんてできないわ」

「そうかもしれねぇけど――」

「海老原も宝塚も、待て」勝田は制した。「イチから作るのも無理なんだ。なぜなら、消えたデータはパワーポイントだけじゃない。その他、保管していたデータも、ソフトウェアも、全て消えた。それどころかパソコンが起動しない」

夕は目をキョトンとさせ、

「保管したデータって、今までの資料やアンケート結果も？」

「そうだ」

「バックアップは無いの？」

「このパソコンだけだ。メモリやディスクにコピーしていない」

「大学は？　先生のＰＣや大学のサーバは？」

「渡してない」

夕の質問は途絶えた。

――おわった。

悲痛な空気がフロアに満ちみちた。

「パソコンがオシャカじゃ、発表でパワーポイントを使うことすらできないな」兵太は呟くように言った。

肇は苦い顔をして壊れたＰＣを見つめていたが、ふと顔を上げ、

「こうなりゃしょうがねえ」

そう言って腕まくりをした。

「どうするの？」夕は目を向けた。

「パワーポイントを作るんだよ」

「は？」

「おい、しずく」肇は隅でおどおどしている谷川を呼んだ。「こないだ俺が間違って発注した画用紙が大量にあったよな。あれ、使ってもいいか」

「何するつもり？」

「タテヨコにつないで貼りあわせてうんと大きな紙にし、それを何枚も作って、一枚一枚にパワーポイントの画面を描く。でっかい紙芝居を作るのさ。パワーポイントなんてデジタルの紙芝居みたいなもんだろ？　だったら似たようなのを手作りすればいい。ジビンカ特製パワーポイントだ。どうだ、すげえアイデアだろ！」

一同沈黙した。どこからかため息が聞こえた。

「なんだよ。みんな俺のアイデアの良さが分からないのか」

「相変わらず脳味噌がバカヂカラで動いているのね」夕は苦々しく言った。

「じゃあ他にやり方があるのかよ」

夕は返答に窮した。

「見せるものは無しにして、しゃべるだけでなんとかならないかな」進藤が意見した。

「それは難しいです」乙成が答えた。「台本はパワーポイントの画面ありきで作られています。台本を作り直すという手はありますが、その代わり多くの内容をしゃべりに託すことになるので、扱う内容が半分くらいになります」

「それじゃ予選以下のプレゼンになる」勝田は顔をしかめた。「棄権せず、質を落とさないとすると――」

そう言って肇に目を向け、

「俺は宝塚の方法しかないと思う」

「あなたまで？」夕は目を丸くした。「パワーポイントと同じものを手書きで再現するなんて無理よ」

「別にまるっきり同じじゃなくてもいいだろ」肇は言った。「ジビンカは今までいろんな困難に遭ってきたが、いつも俺たちの流儀で乗り越えてきた。俺たちは俺たちのやり方でいい。むしろその方が俺たちの流儀が伝わるかもしれない」

「いつから手作りが私たちの流儀になったの？」

「そういえば乙成は絵がうまかったよな」兵太が言った。「ジビンカの店内イメージを作る時、山賊のアジトを描いた。ああいう才能を活かしたらどうだろう」

「おお、いいね」肇は手を打った。「俺らの似顔絵を各ページに配置するとかさ。めくるたんびに違う顔が出て面白い。乙成の絵は人目を引くからな」

「わ、私の絵ですか？」乙成は赤くなった。「私……そんなに大きな絵を描けるでしょうか？」

「詩織！　あんたもう描くつもり？」

「本人がやる気なんだから良いじゃねえか」肇は押し出すように言った。「手書きイラストが入ると親しみが増すよ。デジタルはどこか冷たくていけないからな。俺らは手作りの温かみで勝負だ。しかも全て一点もの。それだけで随分価値があるってもんだ」

「みんなで描こ！」谷川は嬉々として声を上げた。「私は全員参加で作るのがいいと思うの！パワーポイントは勝田君と乙成さんに任せっきりで申し訳ない気がしてた。データが飛んじゃったのは残念だけど、もうこうなったら、みんなでやろうよ！　私、画用紙持ってくるわ。重いから武井君と進藤君、手伝って」

「おう！」

「ちょっと、あなたたち！」夕はおろおろするばかり。

乙成は落ち着いた調子で勝田に向かい、

「紙芝居の構成は基本的にパワーポイントと同じでいいと思います。チャートを書きだして内容を整理しましょう。無理なところは工夫を」

「了解！」

「ああ、分かったわよ！」夕は観念して叫んだ。「みんながやる気なら、私もトコトン付き合うわ！　上等よ！　芸術的に仕上げてやるんだから！」

§

翌朝。

小雨の降りしきる大学前に一台の貸切バスが停まった。

柳井が少し遅れて駆けつけると、ゼミ生らはすでに待っていた。みな目の下にクマができている。何かをやりきったような、恍惚と虚脱の入り混じった表情である。男子らはうっすらと不精髭が伸びている。

「みんなおはよう。疲れてるみたいだけど大丈夫？」

「先生おはようございます。大丈夫ですよ！」乙成が答えた。いつもよりテンションが高い。

柳井は不安になった。

「その、もの凄く大きな包みは何？」

「あ、これは……」乙成が答えかけると、

「プレゼンでサプライズをやろうと思いまして」夕が割り込んだ。

「サプライズ？　規定の範囲なんだよね？」

「もちろんです」

それは確かである。昨晩夕は、総出で夜なべをする前に、プレゼン大会の規約を読み返した。発表手段がパソコンなどの電子機器でなければならないというルールはどこにも書いていなかった。

ちなみに、昨晩は全員ジビンカに缶詰め。本選に出ないゼミ生は明け方帰宅した。

一行を乗せたバスは赤松市に向かって走り出した。

ゼミ生らは一斉に寝息を立てた。

——遅くまでリハーサルしてたのかな？

柳井は寝顔を見て首を傾げた。

一時間ほど走り赤松市・稲瀬川大学キャンパスに到着した。ゼミ生らは目を覚ました。熟睡したおかげで目のクマが消え、頭も冴えた。雨が上がり、気持ちも晴れ晴れとしている。

ゼミ生らがアリーナに入ったのは開会式の十五分前。客席はすでに人で溢れかえっていた。

本選ではリハーサルがなく、出場校は開会式が終わるまで客席についていなければならない。席はほぼ埋まっており、空いているのは雛美大・チーム・ジビンカの場所だけ。ゼミ生らはすみやかに席に着いた。柳井も端に掛けた。彼は今日一日、ここでステージを見物する。

場内は話し声で騒がしかった。人々の口にのぼるのは、優勝候補・稲瀬川大学ＩＫＣの噂である。

「去年に引き続き今年もぶっちぎりかな？」

「よそが狙うとしたら入選か敢闘賞しかないよ」

「ＩＫＣはもうリサーチ会社と言っていいから」

「漆川さんが部長になってから本選出場が当たり前になったね」

それらを耳にし、肇は呟いた。

「なんだい、面白くない」

夕はいよいよ不安になってきた。

――ほんとに紙芝居で大丈夫かな？　場違いすぎて笑われないかな。

開会式が終わり、参加校はそれぞれ控室に入った。モニターから他大学のプレゼンを見る。画面は二つあり客席の様子も見ることができる。

最初の大学のプレゼンが始まった。客席は静かに見守っている。二番目、三番目とプレゼンが続く。各校ともさすが地方予選をくぐり抜けてきた強者揃い。資料も発表もレベルが高い。

五番目に優勝候補・稲瀬川大学ＩＫＣが登場した。肇は「世間の言う優勝候補ってやつを、俺がしっかり見届けてやる」と息を荒げた。

いざ始まってみると――誰もが度肝を抜かれた。内容もパワーポイントも登壇者のパフォーマンスも完璧。ＩＫＣとそれ以外の大学の差は、まるで国連か何かの国際的カンファレンスと子どもの発表会を見比べるかのような開きがあった。

ＩＫＣの発表内容は、このサークルのライフワークである環境問題、その研究と実践の成果報告だった。彼らはジビンカのように店舗や機構を設けて継続的に活動を行ったわけではなく、全国各地でイベントを不定期開催し（立場は主催・共催等様々）、そこで得た情報を研究に還元していた。それらのイベントはクオリティが高く話題性があり、マスコミに取り上げられたこともある。

発表されたイベントの一例を挙げよう。

近年、日本の山林は整備不十分で荒れ放題になっている。ＩＫＣはこの問題に着目し、ネットを通じて森林整備の賛同者を募った。集まった数は千人超。その中から実際に約百人が集まり、山に分け入って森林整備を行った。これが林野庁の目にとまり、くだんの活動はＮＰＯ法人化された。現在は国の予算で森林環境の啓蒙活動を行っている。

これら一連の流れを、ＩＫＣははじめから青写真を描いて実現したのだ。

チーム・ジビンカは、モニターの前で息を呑んだ。

「やってることがほぼ政府機関だ」勝田は舌を巻いた。

「マジで規模が違うな。でも、問題点を探して活動に活かす……ゼミでやったＰＤＣＡサイクルって意味では、俺たちジビンカだってやってるぜ」肇は意地になっている。

夕は目をしばたき、

「ＩＫＣのすごいのは、お金の問題から目を逸らさず、継続的にできるかどうか検証しているところね」

彼女の言うとおり、ＩＫＣのプレゼンでひときわ強い印象を放ったのは、森林整備の費用対効果をＩＫＣ独自の計算式で試算したことだった。森林を保護して得られる利益と、そのためにかかる経費を弾き出し、最大に効率的な仕組みを模索している。税収、森林資源の百年単位の価値変動、整備者の人件費、事務的経費……。

ＩＫＣは森林保全活動を一回だけの収支計算に終わらせず、長期的な研究課題として取り扱っているのである。

「観念論では世界は変わりません」漆川はＩＫＣのプレゼンをこう締めくくった。「未来に道筋を描くには、持続可能な事業であることが不可欠です。もしかすると、古びた道徳観や反動思想が、この道のりを妨げるかもしれません。しかし、私たちは屈するわけにいきません。未来を守るために、時に英断し、変わらなければならないのです。——ご静聴ありがとうございました」

万雷の拍手。大袈裟でなく館内が揺れるようであった。

「古びた道徳？　反動？　俺らのことを言っているのかな？」兵太は冷笑した。

「何とでも言うがいいさ」肇はモニターから目を離した。「そろそろ俺たちの番だ。準備にかかろうぜ。客はおったまげるぞ！」

「柳井先生が一番ぶっ飛ぶだろうな」

§

上手側の舞台袖から覗き見るステージは、磨かれた床がサスペンションライトの光を返し、登壇者の緊張した面差しをしらしらと照らし上げていた。

袖に控える肇らは、粘っこい唾を飲みこんだ。唇は乾き、胃はきゅるきゅると締め付けられるよう。胸に取り付けたピンマイクが急に重たく感じられる。

『〇〇大学のみなさんでした。盛大な拍手をお送りください』

夕立のような拍手が起こり、壇上の学生らがぎこちない笑顔で下手袖に引っ込んでいった。

夕と谷川は袖幕の裾をたくし上げた。そのすぐ後ろで、勝田と兵太が紫色の大きな布をかぶせた三メートル四方の衝立のようなものを支えている。この中に徹夜で作った紙芝居が入っている。

『続いては雛美産業大学、チーム・ジビンカのみなさんです』

「さあ、頑張って」

夕と谷川が活を入れた。肇はうなずいてステージに飛び出した。続いて乙成。その後に勝田と兵太が、大掛かりな布掛けをささげ持ち、慎重に出ていく。

「なんだありゃ？」

客席で見守っていた柳井は身を乗り出して目蓋を擦った。他の聴衆もどよめいている──あの大きいのは一体？　好奇の眼差しが注がれる。

そもそもジビンカのプレゼンは、はじめから本大会の目玉の一つだった。しばしばメディアに取り上げられ毀誉褒貶にさらされた学生レストラン。際立った存在感がある。良くも悪くもきっと何か特別なことをしでかしてくれるはず──聴衆にはそんな期待があった。そして案の定、ジビンカは舞台におかしなものを持ち込んだのだった。

ジビンカの四人はステージに横並びになった。下手から乙成、肇、勝田、兵太。勝田と兵太の間に、紫の布を掛けられた紙芝居がある。もちろんこの時点で聴衆はそれがなんなのか理解していない。乙成の傍らにPC操作用の長机が置かれていたが、袖からスタッフがあらわれて下げていった。目ざとい聴衆は気が付いた。

「PCは使わない気だな」

他の大学のプレゼン時、ステージ上のスクリーンにはパワーポイントの画面が投影されている。パワーポイントが使われない時は、会場後方のビデオカメラにスイッチされ、ステージの模様が中継で映し出される。全景の他、話している人物のアップになったりする。PCを使わないとなると、スイッチングはビデオカメラのままである。

『では、プレゼンを開始してください』

アナウンスとともに鈴が鳴らされた。

乙成は話しはじめた。

「私たちジビンカ・レストランは、ゼミ生二十四名、社会人の料理人一名、応援の方二十名の、計四十五名で活動しています」

言葉尻を合図に、勝田と兵太が紫の布を引き落とした。

会場に驚きとおかしみの息遣いが渦巻いた。

一枚目の紙芝居は、ジビンカ・レストランの集合写真をイラストに描き出したものだった。

メンバーをデフォルメして三頭身のかわいらしいキャラクターにしている。スクリーン画面はさっきまで乙成が大写しになっていたが、いまや紙芝居のアップになった。一人ひとりの似顔絵を左から右にパンしていく。カリカリして歯を剝き出す顔の横には「海老原夕」、食いしん坊がよだれをたらしている顔には「宝塚肇」と書かれている。

「私たちのレストランの名前の由来ですが――」

続いて一枚目が引き落とされる。

「『ジビンカ』は、ジビエの『ジビ』と古民家の『ンカ』をくっつけたものです」

二枚目もイラストだった。キジ・シカ・イノシシの三つを合わせた絵と、古い民家の絵が、まるで公式にあてはめるように＋(プラス記号)でつなげられ、＝(イコール)でジビンカ・レストランの外観の絵柄に導いている。パッと見えて楽しくなれる絵柄で、聴衆の間にたちまち笑顔が広まった。それを舞台上の四人はすぐに察知した。

――いける！

プレゼンテーションはこの流れで進行していった。しゃべる役割は乙成と肇の間で数度入れ替わった。肇はたびたび言い間違えたが、臆することなく聴衆に押し出していった。

紙芝居は話が展開するたびにめくられていった。温かみのあるイラストの中にところどころ趣向が凝らしてあった。たとえば、高校生インターンを迎えた時の説明では、贈られたお揃いのエプロンの現物を貼りつけ、頭や手足をイラストにした。掲載された新聞を重ね貼りし、どれだけ世論にのぼったかを視覚的に訴えたりもした。実物を用いたプレゼンは、他の大学に無い臨場感を演出していた。

プレゼン開始から十分が経ち、持ち時間のちょうど半分が過ぎた。

客席の空気はくっきり二分された。

紙芝居プレゼンをショーとして楽しんでいる人々と、しかめっ面して聞いている人々である。

前者は一般の来場者で、ほとんどが登壇者の友人か家族。基本的に楽しむスタンスで、真面目くさったパソコンのプレゼンが続くよりは、突飛なイラスト紙芝居の方が息が抜けて良いと思っている。やんやと喝采し、顔を見合わせてうなずく。

「パソコンを使わないなんて、思い切ったねえ」

「こういうのがかえって新しいよ」

一方後者、しかめっ面している聴衆は、二十代～三十代前半の若い教員や院生だった。古典的・石頭な学問肌で、紙芝居などおふざけに見えて気に入らない。真に研ぎ澄まされた研究眼を持つ人なら、目にするものがパワーポイントだろうがポンチ画だろうが発表の核心を見抜けるが、哀しいかな若い彼らにそんな眼力はなかった。彼らは「漫画＝遊び」「イラスト＝片手間」のような偏見を持っていて、紙芝居がめくられるたびに苛立ちを募らせた。

そしてもう一つ、ジビンカへのやっかみもある。

およそ研究者気質の連中は、前々からジビンカに批判的だった。Fラン大学の雛美大がマスコミにひっぱりだこなど腹立たしい。食中毒問題が出た時は「思ったとおりだ」と勝ち誇り、その後問題が沈静化しジビンカが再評価された時はネットで叩いた。

そんな憎きジビンカが、店舗経営のみならずプレゼン大会でも予選突破して本選に出てくるなど、忌々しくて仕方がない。

彼らは客席で悪口を言い合った。

「紙芝居なんぞで奇をてらって。やることがあざといよ」

「中身の無さを落書きで誤魔化しているんだ」

「恥を知ってたらあんなことはできないよな」

客席でステージを見ていたＩＫＣ漆川も、紙芝居を目にして唖然とした。

「こんな真似を大舞台でやるとは、蛮勇を越えて本物の馬鹿だわ」

「部長、野次のタイミングを」側近が尋ねた。

「このプレゼンでは仕掛けない」

「しかし一部から異常に拍手が湧いていますが」

「見なさい、あのジビンカの連中の顔を。これだけ客席をおかしな空気にしておきながら、真剣そのものよ。ああいう奴らに野次を飛ばしたらこちらが野暮に思われてしまう。踊る阿呆に見る阿呆って言うわ。相手せずにおきなさい」

ＩＫＣすら手を出しかねたジビンカのプレゼンは、親しみと失笑の間を綱渡りするように進んでいった。用意された紙芝居は延べ五十枚。全て一晩で作り上げられたことを知る聴衆は一人もいないが、もし知られれば一つの驚きとなっただろう。だがジビンカは敢えてそこは触れなかった。あくまでこれがジビンカ流のやり方、いつものとおり、通常運転……と、そんな面持ちで進めていった。その余裕がプレゼンテーションに一種超然としたオーラをまとわせた。淡々と進められる説明にぽっかりと浮かんだいくつかのポンチ画。この二つが相まって、ジビンカのプレゼンは異常なまでに人間味を帯びた。少なくともそんなプレゼンは他大学には見られなかった。

「私たちの発表は以上です。ご静聴ありがとうございました」

乙成が一礼すると、肇・勝田・兵太もそれに倣った。

客席から大きな拍手が湧き起こった。

「やったぜ」肇はピンマイクを下に向けて言った。「俺たちが一番ウケたな」

「ここはお笑いのステージじゃねえよ」勝田は額の汗を光らせて息をついた。「最初はどうなることかと思ったぜ。こういうことはリハーサル無しでやるもんじゃないな」

「まったくだ」兵太がうなずいた。「もう俺、人生で怖いものなんか何もないよ」

肇はちらりと舞台袖を見た。夕と谷川が歯を見せて手を振っている。夕は親指を立て、谷川はVサイン。肇は二人に微笑み返した。

拍手が止んで、アナウンスが入った。

『チーム・ジビンカのみなさん、ありがとうございました。では引き続き、質問タイムに移らせていただきます』

「そういえば、そんなのがあったんだ」

肇は小声で乙成に訊いた。乙成は小さくうなずいた。彼女の顔はプレゼンの終了した解放感で明るかった。

――ま、たいしたことないだろ。

肇は楽観的だった。彼は観客の拍手の大きさをジビンカへの全面的な肯定と捉えていた。勝田と兵太も同様だった。質問なんてせいぜい「この企画はどうやって発案されたのですか？」「あの絵は誰が描いたんですか？」――など、軽いものばかりに決まってる。みな自分たちに都合の良い方にばかり考えていた。

しかし、現実は甘くなかった。

観客席で誰かが手を挙げ、スタッフがマイクを持って走った。スポットライトが向けられ、一人の中年女性が浮かび上がった。一般客のようである。彼女はマイクを受け取ると、やや耳に障る尖った声で尋ねた。

「ジビンカは、農薬野菜を使っているとのことですが、それを食べる子どもたちへの影響について、どうお考えですか？」

会場を満たしていた温かい空気は途端に冷めた。まるでジビンカに難癖をつけるかのような質問である。壇上四人の浮かれ気分は一瞬で吹き飛んだ。

『では、チームリーダーの乙成さん、お答えください』

アナウンスが促す。

しかし、乙成はすっかり固まって動かない。

勝田が目を遣ると、青白い顔の真ん中で両方の目蓋をぱちぱち動かしていた。顔じゅうから汗が噴き出している。唇はもごもご動き、開こうとしてはまた閉じる。

——こりゃ駄目だ。

勝田は乙成に代わってものを言おうとした。

が、よい答えが浮かばない。

この質問は袋小路だと、勝田は瞬時に悟った。「考えています」と答えれば「何を？」と言われて窮する。「考えていない」と言えば批判される。全く考えていないわけではないが、この手の質問はいくつも重ねて「なんで？」「どうして？」「なにを根拠に？」で、がんじがらめにしてくる。短い回答時間で説明しきれるものではない。問われた時点で追い詰められたも同然だ。

一方、肇は唇を噛みしめて質問者を睨みつけていた。

――なんだこの質問は！

肇はさっきまで喜びの絶頂にあったものを突き落とされ、腹立ちを覚えていた。

――ここは赤松市だ。会場には赤松市市民が多い。そして稲瀬川大学のお膝下でもある。もしかしたら、よそ者である俺たちがウケたことが気に障ったのかもしれない。だからこいつは嫌がらせのような質問をするんだ。

そう思うと全ての聴衆が敵のような気がしてくる。

壇上は膠着し、時が止まったようだった。

『どうしましたか？　チーム・ジビンカさん、答えてください』

アナウンスが回答を促す。

（おい、乙成）肇が囁いた。（答えろよ）

しかし固まった彼女は目をぱちくりするばかり。

——くそ、俺が答えるしかない。

「お、お答えします」

肇は口籠もるように発言した。

「ええと、その、農薬の野菜は、別に珍しくありません。スーパーでもどこでも、売ってる。ただ、なんちゅうか……無農薬野菜ばかりを盛り立てて、普通の野菜を悪く言うのは、ヘンじゃないですか。差別みたいで。俺たち、いや、私たちはそのことを伝えたかったんです」

言い終えて耳の端まで熱くなった。しゃべりながらものすごい勢いで客席との距離が離れていくのが分かった。

質問者は呆れ果て、

「……はぁ？　ですから、子どもに与える影響については、どうお考えなんですか？」もう一度同じ質問をした。

「ええ、はい」肇は即反応した。間をおくと中身のないことがバレてしまいそうな気がした。「子どもたちへの影響は、少ないと思います。だって……たとえば、あなたや私たちがこれまで食べてきた野菜は、きっと普通の野菜が多いと思います。けれども特に人体への影響は見られません。ですので、そういった影響については、特にないと思っているわけです」

会場はドッと沸いた。

「はいはい、どうも」質問者は苦々しく言った。「――まぁ、その程度の答えしかできないのは分かっていたわ」

彼女はマイクをスタッフに返した。

肇は真っ白になった。乙成と二人並んで木像のようにぴくりともしない。まるで魂が抜けたかのようである。勝田と兵太は目の前で肇が散ったのを見て、生きた心地がしなかった。

『えーと……、他にご質問の方はいらっしゃいませんか？』

司会者は困った様子で客席を見渡した。

客席には失笑と冷笑の余韻がかすかに残り、全体に冷ややかだった。所詮Fラン大学、まぐれのジビンカ、中身は空っぽ、質問しても無駄――そんな空気である。

「はい」

静かな館内に声が響いた。客席の頭が左右に波打った。会場端の審査員席で中年男性が手を挙げていた。その人物は東京から招かれた経済シンクタンクのアナリストだった。

『お、審査員の先生からの質問ですか。どうぞ』

男性は眼鏡のブリッジを指先でツイと持ち上げた。

「ええ、チーム・ジビンカのみなさんに伺います。ジビンカの出店による市や商店街への経済効果は、一体どのくらいあったんでしょうか？」

そう言って、熱のこもった眼差しを壇上に向けた。

実はこれは、ジビンカを不憫に思った助け船であった。先の質問で答えに窮するジビンカは、見ていて痛々しかった。学生レストランで全国に名を馳せ、プレゼン大会の注目度向上にも一役買っているジビンカ。一般来場者の中には、彼らを見に来た人も多い。それでこの有様はあまりにも無残。大会としても後味が悪い。

そこでこの審査員は考えた。

審査結果は別として、この場くらいはジビンカのいいところを引き出してあげよう、と。

そこで彼は、ジビンカがほぼ間違いなく答えられると予想した質問を投げかけた——つもりである。この質問なら間違いなく回答できるはず。なにせ、あの香椎先生の教え子なのだから——。

しかし、チーム・ジビンカは険しい表情のまま口を噤んでいた。

彼らとしても、何か答えたかった。しかしできなかった。頭は真っ白。口はしどろもどろ。すっかり臆して何をどう答えてよいのか分からない。乙成の固く閉ざされた唇から嗚咽が漏れかけた。肇の目元が苦渋に歪んだ。勝田も兵太も下唇を噛んでいる。四人とも今すぐステージから逃げ出したかった。

審査員は祈るような目で若者たちの答えを待った。司会は沈黙。客席は水を打ったように静まり返り、何かが起こるのを待っている。そこにはもう期待も侮蔑も無かった。まるで事故現場に出くわしたような凄惨な雰囲気が漂っていた。

一秒ごとに空気が重くなる。

と、その時、

「おおい、経済効果ならここにあるぞーっ！」

突然、会場後方から甲掛かった男性の声がした。会場にいた全員が声のした方を振り返った。そこには一人の老人男性のかくしゃくとした立ち姿があった。一見してかなり高齢、どう見ても八十歳を過ぎている。だが、背筋が伸び、筋張った腕を上げて盛んに振っている。顔はシーリングライトを受け、つややかに光っている。いかにも愛嬌者のおじいさんといったふうだが、目は真剣そのものだった。

『他の方が質問中です。ご静粛に願います』司会は注意した。

しかし男性はそれを無視して声を張り上げた。

「ジビンカの若者たちは、わしら高齢者のために、頑張ってくれている！　わしらの仕事を守り、収入を確保し、元気をくれている！　わしら高齢者にやりがいと居場所をくれている！」

その言葉が終わるなり、彼の近くに座っていた人々が、

「そうだ！　そうだ！」

と叫んで次々と立ち上がった。

それはあっという間に会場後方の一隅を占めた。全部で二十人ばかり、みな高齢者である。

司会者は空気を読み、スタッフにマイクを持たせて走らせた。一番手近に立っていた老人がマイクを受け取った。

「俺は猟師だ！」声は館内にワンワンと響いた。「ジビンカのおかげで、ジビエ肉の存在を多くの人々に知ってもらえた。そのことが、俺たちの仕事にどれだけ意味を与えてくれたことか！

俺たち猟師は行政の依頼で狩りをしている。畑を守るためにやらねばならん仕事だ。でも世間は動物愛護だのなんだの……そりゃ俺たちだって、生き物を殺して気持ちがいいわけじゃない。だけど誰かがやらねばならん。使命感でやってるんだ。それでもやっぱり、世間の風当たりに耐えきれず辞めていく人が後を絶たない。ただでさえ猟師人口は高齢化で減っているのに、とんでもねえことだ。

そんな中、この学生さんらは俺たちの仕事に意味を持たせ、狩られた動物の肉に価値を与えてくれた。俺たちは忘れかけていた誇りを思い出すことができた。ありがとう！」

言い終わると、隣にいた別の老人にマイクを渡した。

「私は代々農家をしてます。若い頃は元気があって、どれだけ畑に出てもヘバったりしなかったが、年を取ると身体にガタがきて、虫取り、草取り……肉体労働はもう無理。農薬や除草剤は欠かせない。それが無ければ今ごろとっくに廃業だよ。

でも、ジビンカの学生さんたちがあらわれて、高齢農家の実情を考え、農薬野菜の安全と必然を唱えてくれた。しかも自分らの店にたくさん仕入れて、実証までしてくれている。なかなかできんことですわい！　さっきの質問の女性は納得すまいけど、ちゃんとした農薬は無害なんだよ。

ジビンカみたいな若い人たちが増えたら、日本はもっと良くなるでしょうな」

「わしにも言わせろ」

脇から顔のくしゃっとしたおばあさんがマイクをもぎ取った。

「わしのところは林業をやっています。先祖が植えてくれた木が山に並んでますが、年を取って身体が動かず、木を伐れないまま、山は草が伸び放題。もうどうしようもない。

けれどもジビンカの若者は、わしらの山の木を店の設営に使ってくれた。また、高齢者の仕事を考えると言って、事あるごとに猟師さん、農家さんと並べて林業のことも紹介してくれる。ありがたいことです。

今の林業は年寄りばかり。大手は軒並み輸入木材で、このままじゃ日本の林業はお陀仏じゃ。

キツイといって辞めればわしらは収入が無くなり、山も木も荒れ放題になって、先祖の思し召しをパァにすることになる。ジビンカは八方塞がりのわしらに光を当ててくれた。感謝してもしたりんわい」

「そうだとも！」

隣にいた禿頭の老人が叫んだ。彼は両手に数冊のバインダーを掲げ、

「みなさん、これを見てください！　ここに高齢者百万人の署名があります！　全国の社会福祉協議会の協力で集めたものです。何のためのものだか分かりますか？　ジビンカは高齢者を助けているのに、たびたび世論にあおられて窮地に立たされる。どんなに危ない状況になっても下支えができるように、有志で集めたんです！　みんなジビンカに心から感謝しているからです！」

「これはわれら年寄りからのファンレターじゃ！」

「これこそ、ジビンカの経済効果じゃ！」

「ジビンカ、ばんざーい!!」

「雛美産業大学、ばんざーい！」

立ち上がった高齢者らは一斉に万歳を唱和した。彼らは心の高まるままに感謝し、もろ手を上げていた。

すると、

「ばんざーい」

「ばんざーい」

客席のあちこちで、人影が一人また一人と立ち上がり、両手を上げ、声を上げた。みな高齢者だった。彼らは共感するあまり、自ら万歳に参加したのだった。その数は次々に増えていった。

会場入り口付近に車いすのおばあちゃんが看護師と一緒に来ていた。そのおばあちゃんはすっくと立ち上がると、

「ばんざぁい！　ばんざぁい！」一緒に手を上げた。

看護師は目を丸くし、

「おや！　ご自分でお立ちになりましたね！」

「えっ？　……あらまあ！」

普段介助が無いと腰を浮かすこともできないのに——おばあちゃんは自分自身にビックリし、思わず、

「これもジビンカ効果よ！」と叫んだ。

万歳はしばらく続いた。コールはいつしか拍手の雨音に変わった。いまや全ての観客が手を叩いている。審査員も、プレゼン大会に出場しているライバル校の学生たちも拍手している。

「どうしてあなたたちまで拍手しているの！」

漆川は側で拍手しているＩＫＣの部員を睨みつけた。

「すみません」彼らは慌てて手を止めた。「つい雰囲気に呑まれて――」

「嘘をつきなさい。あなたたちが感動するのも無理はないわ」

「……へ？」

「これが――現実なのよ」

漆川はステージの四人を見据え、不敵な笑みを浮かべた。

「ジビンカ、私はこれまでの勘違いを認めるわ。私はジビンカのことを、世論のうわっ面をかすめ取るだけのデモンストレーション集団だと思っていた。環境や高齢者の問題は、誰しも扱いやすいテーマ。だから問題に関わるふりをしてただ目立ちたがっているのだ、と。

しかし、今の高齢者たちの言葉を聞いて、それが私の勘違いであると気付いた。ジビンカは、目先で動いているのではない。理想を立て、それをちゃんと社会とリンクさせている――ハートでね」

「ハート？」

「そう」漆川は部員の方を向いた。「世の中にはいろんな問題があるけど、それはハートを通して見るべきもの。もちろんデータや分析は大事。でも、最後にハートが無かったら、結果は曇って見えないわ」

部員らは、らしくない部長の発言に目をしばたいた。

§

ジビンカ降壇後、数校のプレゼンが続いた。十六時頃までに全ての発表が終了し、二十分の休憩が挟まれた。

この後、閉会式が行われ、そこで優勝校が発表される。

休憩中、審査員は別室に移動した。

チーム・ジビンカを含む全プレゼン参加者は、客席に移り、緊張の面持ちで閉会式を待っていた。

「どうせＩＫＣだろ」兵太は息をついた。「少なくとも俺たちの優勝は無い。入選すらない」

「あの質問コーナーは針のむしろだったなぁ」

「あれはやばかった。俺、足腰に力が入らなかったもん。ああいう時に人は漏らしちゃうんだろうな」

「おい二人」勝田が口を挟んだ。「そうしょげるなよ。こういうのは参加することに意義があるって言うじゃないか」

するとと兵太と肇は勝田を睨みつけ、

「俺はそういう発想は大嫌いだ」

「戦いは勝つか負けるかだ。終わってから舐めたことを言うんじゃねえよ」

「おおこわ」

勝田は苦笑いして身を引き、かたまって座っている女子のところに行った。

「俺たち、よく頑張ったよな。パソコンぶっ壊れても徹夜してさ」

「ええそうですとも」乙成は肩の力が抜けて気楽な様子だった。「正直、散々な二日間でしたが、私、今度の一件でみなさんのこと大好きになりました。勝ち負け関係なく、素敵な仲間と大会に参加できて——ジビンカをやれて良かったと思います」

「わったしもーっ!」谷川はハイテンションだった。「ね、この後みんなでカラオケいこうよ!打ち上げしないと気が済まないよ。先生も呼ぼ? 残念だったねってお小遣いくれるかも」

「もう、しずくったら」

夕は顔をしかめた。

他のゼミ生が解放的になっている中、夕だけは悶々としていた。彼女は内心悔しくて仕方なかった。せっかく頑張ってやってきたのに、それを百パーセント発表できなかったことが、口惜しくてならない。パソコンが壊れた時点で運命は決していたのかもしれない。雷の不可抗力とはいえ、自分の運の悪さが忌々しい。

「夕ちゃん」

谷川は小さく夕の名を呼んだ。谷川の目は、穏やかさの中に神妙な光を発していた。彼女は口から細い声を漏らした。

「私たち、一緒に戦った。それが全てだよ。勝ち負けは後からどうとでもついてくる。でもそんなことより、一緒に戦った、それが大事。だって私たち、みんなで、一生懸命、精一杯……」

谷川の顔が歪んだ。

夕の顔もつられて歪みかける。

「馬鹿ね」夕は谷川の頭をくしゃくしゃっと撫でた。「結果発表はまだだよ。泣くのは早いわ」

「……えへ、そうだね」

閉会式が始まった。

泣いても笑っても最後。ここで全てが決する。優勝校・準優勝校が発表され、表彰が行われる。

審査委員長がステージに上がり、最初に準優勝の名を告げた。

「稲瀬川大学ＩＫＣのみなさん！」

場内はどよめいた。歓声というより驚きである。誰もがＩＫＣが優勝すると思っていた。それが準優勝とは……。

名を呼ばれたＩＫＣはぞろぞろとステージに上がっていった。漆川をはじめ部員の表情に喜びは欠片もなかった。

次いで優勝が発表された。

暗転した会場にドラムロールが鳴り響き、客席の上をサーチライトが駆け巡る。光が止まって照らし出したのは、東京のとある大学の商学部ゼミだった。

「うそっ！」

「キャアッ！」

予期せぬ結果に、当人たちの黄色い声。

このチームは、活動自体は目を見張るものは無かったが、集めたデータの分析方法に独特の視点があり、非常にうまいプレゼンを行った。とはいえ、客席予想では全くのダークホースだった。意外な優勝校に、客席は拍手こそしたが、気の入らないものだった。

彼らは登壇しどぎまぎしながら表彰状を受け取った。そこではじめて実感が込み上げたらしく、笑顔を涙で濡らしはじめた。

全てが決し、客席は立ち上がりかけた。

「終わった、終わった」

「いやあ、驚きの結末だったね」

「まさかＩＫＣが落ちるとは」

「若い人たちの活躍は見ていて元気をもらえる」

「また来年も見にこよっと」

『ここでみなさんにご案内いたします』

ふいにアナウンスが入った。

『みなさん、お席にお戻りください。今回はこれで終わりではありません』

「えっ？　どういうこと？」客席は足を止め、耳をそばだてた。

『今回、審査員の中から、どうしても無視できない――点数は高くないが非常に面白いプレゼンがあった――という意見がありました。その結果、そのチームを審査員全員一致で特別賞に選出することになりました。ただいまより審査員特別賞の発表を行います』

会場はゆっくり暗転した。

「どんでん返し？」

「何だこの展開？　わくわくするな」

帰りかけた観客は席に腰を戻してステージに目を遣った。

会場内を再びサーチライトが駆け巡る。

『特別賞は、このチームです！』

目も眩む光の塊が、客席の一角を強く照らし出した。

「ほへっ？」

肇は視界がいきなり真っ白に飛んで、思わず変な声を漏らした。

『雛美産業大学、チーム・ジビンカのみなさんです！』

歓声、滝のような拍手――それは優勝・準優勝の発表を数倍しのぐ、会場揺れんばかりの盛大な拍手だった。

客席に白く浮かび上がったジビンカの面々の顔。呆然とするあまりしばらく無表情だったが、やがて笑みとなり、大きくゆがみ、涙にくずれ、互いに抱き合い――とにかく、感極まった。

『さあ、ステージにどうぞ！』

ゼミ生らは泣き崩れる乙成を支えて登壇した。壇上には審査員長が待っていた。ジビンカ同様、目を赤く腫らしている。

「審査員特別賞は『全大学地域活性化プレゼン大会』始まって以来の表彰です」審査員長は声を震わせて言った。「私はこれまで幾度も審査員を務めてきましたが、これほど感激し、泣いた審査は初めてでした。ありがとう！」

乙成が表彰状を受け取ると、客席から再びスコールのような拍手が降り注いだ。肇も勝田も兵太も壇上で背筋のゾワゾワするのを感じた。

「はーい、こっちーぃ」

ステージ下で声がした。一同、反射的に顔を向ける——間髪を容れずフラッシュをたかれた。

§

【全大学プレゼン、優勝校が決定する】

きのう、稲瀬川産業大学・学術アリーナ（赤松市）にて全大学地域活性化プレゼン大会の決勝が行われ、優勝・準優勝各一校の他、審査員特別賞が選出された（十面に関連記事）。優勝は東京の〇〇大学。前年優勝で本命視されていた稲大ＩＫＣは準優勝に甘んじた。また今回は審査過程で特別賞が設けられ、審査員の全員一致で雛美産業大学経済統計学ゼミ「チーム・ジビンカ」が選ばれた。手書きイラストを用いた独特のプレゼンスタイル、質問時間中の支持者の熱烈なエール、これまでたびたび世論を賑わせた活動が評価されたものと――


「さすが名記者・今津君だ」

香椎は満面に笑みを浮かべ、市長室の応接テーブルに朝刊を置いた。そしてソファに掛けたまま大きく伸びをした。

「しかし、これじゃ偏向報道と言われてもおかしくないよ。――鎌田課長、朝刊をご覧になりましたか？」

「ええ、もちろん」

部屋の入り口に立っていた鎌田課長はうなずいた。

「確かに偏向っぽくはありますが、問題無いでしょう。この新聞は大谷野市に根強い新聞ですので」

「でもほら、まずこの見出し。優勝校の名前を敢えて書かない。本文では優勝・準優勝よりジビンカに行数を割いている。しかもトップ写真は、ジビンカの表彰だよ。どう考えても誘導している」

「事実よりもニュース性を選んだということでしょう」

「なるほど、それなら意味が分かる」

香椎はもう一度新聞を広げ、嬉しそうに写真を見遣った。

鎌田は新聞を眺める香椎の後頭部を見つめ、呟いた。

「……お見それいたしました」

「え？」

「や、なんでもありません」慌てて口籠もる。

静かに目蓋を閉じ、深く呼吸する。

ここ最近、鎌田の心労は絶えなかった。

市の主が変わって数カ月、大谷野市は首長と議会でねじれ現象が起きていた。そんな中で市議会議員選挙が近づいている。先日から旧市長派の無茶な工作要求がもたらされている。対応に辟易としていると、香椎は故意か無意識か、鎌田を自分の側近につけた。

「政策企画課とは親密にやりたくてね」

鎌田は訝しがったが、実際に香椎に接していると、心がほだされるような思いがした。

——俺は香椎という人を誤解していたかもしれない。

いろんな意味で香椎は友田と並ぶ人格者であった。それに比べれば元市長の奥田など因業なひひじじいである。こうなると、議員のお歴々のことも疎ましくなってくる。それが顔に出ているのか、近頃、重鎮議員の後援会は鎌田にぞんざいな態度を取ってくるようになった。

「香椎に寝返ろうとしているのじゃなかろうな」

そんなつもりはないが、そう言われると、いろいろと考える。

——潮目かもしれん。

鎌田は香椎に向かい、静かに口を開いた。

「……本当に、よく頑張る学生さんたちで」

「いやぁ、まだまだですよ」香椎は褒められて嬉しそうにしながら、敢えて厳しい調子を装った。「ぼくとしてはこの程度で満足して欲しくない。大会は賞を新設したかもしれないけど、本来は優勝が唯一の栄誉ですよ。それに、大会に勝つことばかりが目的ではない。この体験をバネに、みんなでジビンカを——」と、そこまで言って口を噤んだ。

「どうされました？」

「もう彼らも卒業か……って」香椎は力無く呟いた。

「やはりおさびしいものですか？」

「そりゃもう」香椎はうなずいた。「教員をしていると毎年必ず何人か社会に旅立たせますが、退学だろうと進学・就職だろうと、手塩にかけた学生が自分の元を離れるとなると、つらいものです」

「しかし、先生——いや、市長」

「や、分かってます。分かってます」香椎は立ち上がった。「彼らの元を離れたのはぼくの方です。しかも何も告げずに。でも、今のぼくは、こう考えています。ぼくが教えたことは彼らの中に染みわたり、それがこれからの大谷野市の血肉になっていくでしょう。そうなれば、いつだってぼくは教え子とともにあるし、彼らにしてみればぼくと常に一緒にいるも同然」

「なるほど」鎌田はニンマリした。「香椎市長の政治観が見えた気がします」

「おや、課長のメガネに適いますか？」

「私はこれまで何代かお仕えしてきましたが——あなたみたいに抽象的な人は初めてだ」

鎌田はハッハと笑った。

「抽象的？」香椎は突っ込んだ。「しかもそこ、笑うところですか？」

「いえ、ホッとしてるんです」

「何を？」

「まあまあ」鎌田は咳払いして言った。「雛美産業大学の学生さんたちには、これからもっと頑張ってもらって、ぜひ我が市の看板になって欲しいものです」

「ちょ、課長。どういうことです？」

香椎は繰り返し尋ねたが、鎌田は答えなかった。

鎌田は回れ右して市長室を出た。

政策企画課への廊下を歩きつつ考えた。

——香椎はカリスマだ。当分選挙に負けないだろう。

鎌田の頭の中には市政の未来予想図が広がっていた。長期化する香椎市政の下、議会にいずれ彼の教え子が入ってくる。ジビンカで培ったノウハウが行政の髄を走り抜け、隅々まで行き渡る。

それまでには間違いなく自分は定年を迎えているかもしれない。しかしまあ——そんなことはどうでもいい。

鎌田は心の底から純粋にこう思った。

——大谷野市はこれからいい街になる。間違いなく。

鎌田は久しぶりにぞくぞくする感じを覚えた。

§

Epilogue　～それぞれの未来～

こうして柳井ゼミは初めての卒業生を輩出した。一人の留年もなく、香椎からバトンを受け取った柳井は胸を撫で下ろした。

ジビンカの主要メンバー一人ひとりの進路については、また後で触れよう。

その後、ジビンカ・レストランがどうなったか。

端的にいうと、後輩に引き継がれた。

実は乙成ら創業世代が二年の半ば頃、一年生ゼミから希望者を募り、後輩を育成していた。その中の主力メンバーが後を継いだわけだが、実はこの世代の人数は少ない。というのも、創業一年目くらいのジビンカは知名度が低く、関わることに特段の魅力が無かった。勧誘しても「単位が出るとはいえ、バイト代も出ないのになんで働かなきゃならないんですか」と、相手にされなかった。

しかしそれからもう一年も経過すると、ジビンカが世間でそこそこ有名になりはじめ、勧誘

◆結城薫子と田川満

せずとも志願者が増えた。募集定員を超えたので面接を行ったほどである。結果、創業メンバーの二学年下が一番厚い層となった。つまり、第一世代の卒業後は、人数の少ない一年下の「第二世代」がリーダーとなり、層の厚い二年下の「第三世代」が人数的主力をつとめ、ジビンカの運営と研究を引き継いだのである。

第一世代と同じ年季ながらジビンカに居続けている人物が一人だけいる。料理課の結城薫子である。彼女は第一世代が自分に替わる人材を見つけられなかったため（もっとも、彼女と一緒にやれるスタッフもそうそういないが）、残留したのだった。

「まるでアタシだけダブったみたいじゃやねえか」

彼女は口を尖らせた。といっても彼女は学生ではないので去る理由は無く、辞めても次のあてはない。ジビンカにしてみれば、薫子は料理の腕で不可欠な人材である。お互いに必要な関係なのだった。

しかし、この春、料理課にフレッシュな常勤メンバーが一人加わった。高校を卒業して真っ直ぐ薫子に弟子入りした若者の名は田川満――以前、高校生インターンとして夏休みの一カ月だけジビンカの厨房に入った男子である。ゼミが面接、薫子が承認し、スタッフとなった。

師弟の修練場である厨房では、毎日厳しい声が飛んだ。

「てめえ、まともに湯も沸かせねえのか！」

「やりなおしますッ！」

「未成年でも社会人なら容赦しねえぞ！」

「はいィッ！」

薫子は田川に厳しかった。罵声を飛ばし、小突きもした。だが、同じくらいの熱っぽさで可愛がりもした。

しかし、その可愛がりは、来たるべき未来を予期していたのかもしれない。

ある日の営業終了後、薫子は片付けをしながら田川に言った。

「お前、最近スジがよくなってきたな」

「どうしたんですか？　急に」

田川は笑った。が、薫子があからさまに褒めるのは不自然で気色悪かった。

「馬鹿野郎、師匠が褒めてるんだ。素直に受け入れろ」

「ありがとうございます。でも自分じゃどのくらいスジがいいのか分からなくて」

「そうだなあ……、肇とどっこいどっこいかな」

「え？　宝塚先輩と並ぶんですか？」

「あいつはすげえんだぞ。アタシだってビックリすることがあった」

「どんなところですか？」

「うーん。ここかな」薫子は自分の胸を指した。

「こっちは？」田川は自分のこめかみを指差す。

「それはお前に軍配が上がるかもしれん」薫子は笑った。「しかしお前にも随分あやしいところはある。たとえば——お前、どうしてジビンカに来たんだ？　料理の修行をしたいなら、ホテルとか専門店とか、ちょっと頭を使えば本格的な場所はいくらでも思いつくだろ？　わざわざ学生レストランなんかに来なくても」

「何を言うんですか」田川は頬を膨らませた。「俺は薫子さんの弟子になりたくて来たんです。他のところじゃだめなんです」

「そうか？」薫子は暗い目を向けた。「そう言われると嬉しいが、申し訳ない気もする——」

田川は訝しく思った。

薫子は静かに口を開いた。

「アタシ、近々ここを辞めなきゃならない」

「ええっ？」田川が愕然とした。

「シッ。まだ学生どもには言っていない」薫子は声を落とした。「昔在籍したフランスの料理学校から講師依頼が来ているんだ。別に行きたかないんだけど、師匠に義理があってな」

田川は険しい目をして重い唾を飲みこみ、

「俺も行きます。地球の裏側でも、ついて行きます」

「ダメだ。お前がいなくなったらここはどうなる。それに、今のお前がフランスに行っても自信を無くすだけだ。お前はここでもっと経験を積め。アタシが教えたことを、実践して、応用して――」

「でも、でも」

「ほら、学生どもが来る」薫子は姿勢を正した。「まだ黙っておけよ。自分で言うから」

――アタシがずっといたんじゃ、コイツのためにならない。

薫子は自分に言い聞かせた。田川の持つ健気さは、自分には無いもの。眩しすぎて何ものにも代えがたい。ずっと見守っていたい……それくらいに思っていた。

しかしこの感情をどうしていいのか、彼女には分からない。

――まだガキじゃねえか。

視界の端に、フライパンの底をタワシでこする田川が映る。

――アタシもコイツも料理人だ。ただそれだけやってりゃいいんだ。

◆鎌田元課長とその息子

ジビンカは第一・第二世代の卒業後も繁盛を続けた。ブランドイメージが固着し、売上も来店数も高い地点で一定を保ち続けた。柳井は新しいゼミ生らに対し、そこを問題点として投げかけた。「創業は易く守成は難し」――その「守成」の部分を考えるのである。これについて詳しく語ろうとすると、ジビンカ第二の物語を編み出す規模となるので割愛する。

ジビンカの経済効果は、いまや多方面に波及していた。それはさながら、一つの小さな波紋が巨大な同心円の白波となって広がっていくかのようである。市中の各所がその恩恵に浴した。

一番恩恵を受けたのは、もちろん商店街である。

一九七〇年代までに商店街のかたちを成したこの地域は、バブル期に最盛期を迎え、後は下降の一途だった。市がテコ入れを思い立った時は最低最悪の状況で、起死回生のジビンカ開店により、わずか四年で過去最高記録を塗り替えた。旧来の店が活気を取り戻し、シャッター店舗が減り、訪問者の回遊率が高まり、売上が向上した。ここまでは第一世代の実績といえよう。

第二世代以降は、その勢いがさらに強まり、周辺地域にまで影響した。たとえば、商店街の隣の筋にも店が立ち始め、商店街エリア自体が拡大した。これは全国的にもまれな傾向であった。全国から地域活性化の担当者や研究者が訪れ、何かしら秘密を盗んで帰ろうと試みた。とある学者が言った。

「現在の大谷野市商店街は、ジビンカがなくても自立を果たしている。ジビンカも、独立したブランドを確立し、自立している。両者はふたつの太陽としてそれぞれ引力を発揮し、大谷野市の発展に寄与している。それは近隣の地価上昇率を見ても明らかである」

こんにち、商店街の各店舗はジビンカに倣い古民家色をベースにしている。明治・大正・昭和風のレトロな街並みは、ショッピングだけでなく観光的魅力も含んでいる。

「よくまぁ、数年でここまで変われたものだ」

そう呟くのは、商店街に昔からある小さな八百屋の主。完全な生まれ変わりではなく、昔ながらの店と共存しているところも大谷野市商店街の特徴といえた。

商店街の次にジビンカの恩恵を受けたのは、雛美産業大学である。

長らくFラン・低レベル大学のレッテルを貼られていた雛美大であるが、いまや行動力・挑戦心を培う地方大学として全国的に名を馳せている。ジビンカに触発された雛美大の教職員が、こぞって地域で学生を活躍させて専門性を高める試みを取り入れた。それが、高校生をはじめ、若い受験生の好奇心を大いに刺激した。学生のうちから勉強としてクリエイティブな地域活動を体験できることが、魅力として映ったのである。

純粋な学力では依然として稲瀬川大学に追いつかないものの、人気の面では一切の引けを取らない。

近年は「雛美大卒」というフレーズが好まれてきている。肇らの代までは恥ずかしくて学外で言えなかったこのセリフが、いまやそれだけで自分の価値を高めてくれる。これは驚くべき変化だ。


「ぼく、来年は雛美産業大学を受けるよ」

ここに一人、父親に第一志望を告げた高校男児がいる。

父親はそれを聞いて満足げにうなずいた。

父親は息子に「どこを受けろ」と言った覚えは無い。県内有数の進学校に通わせているからには、心中「稲瀬川大学に行ってほしい」と願っていた（実際息子は模試で稲瀬川大学合格圏内のA判定をとっていた）が、そのセリフを吐くにはやりきれないものがある。何せ彼は大谷野市の行政官。隣町の赤松市の大学に通ってくれとは、大きな声では言いづらい。

しかし、有り難いことに時代が変わり、地元雛美大は勇躍した。そのタイミングで投げかけられた息子の意思表明――父の喜びはひとしおであった。

もうお分かりのとおり、この父親は鎌田蓮司。いまや大谷野市の副市長で、香椎禅太郎市長の片腕を務めている。先の政策企画課長である。

鎌田の周辺は激変していた。桜吹雪の中で行われた大谷野市市議会議員選挙は荒れに荒れ、選挙期間中、鎌田をはじめ市政の内側にいる人間の元には、旧市長派の罵声と怒号がひっきりなしに飛んできた。

選挙が終わるとそれらは嘘のように消えた。

開票翌日の新聞の大見出しはこうだ。

【明暗くっきり。旧市長派、過半数から一議席に】

革新めいた「春の嵐」は、旧来の議員を一掃した。

「鎌田、お前裏切ったな」

選挙後、唯一生き残ったとあるベテラン議員が鎌田に憎悪の声を浴びせた。

「なんのことです」

鎌田は実際に何もしていない。ただ、いままで手間をとっていた各方面へのお伺いを止めただけである。もともとそれは市職員の業務では無いし（むしろ禁忌である）、当初良かれと思って自発的にしていたことを、旧市長派が勝手に義務化して選挙のたびに命じてきていただけだ。鎌田には責められる理由など何もない。

「奥田さんが怒っているぞ」議員はすごんだ。「どうなるか分かっているだろうな」

鎌田は落ち着き払って答えた。

「私は長らくあなた方が正しいと思って支持してきました。しかし、思い返してみると、首を傾げたくなることばかりです。奥田さんは、下野後のビジョンがなく、新市政に反対するだけだった。みなさん方は本当に大谷野市の未来を考えていたのでしょうかね？　その後私は友田・香椎両市長のお側に仕え、本気で市民や大谷野市のことを考えている人の横顔を初めて見た気がしました」

「やっぱり寝返ったんだな」

「違います。私は大谷野市職員です。正しき市政の従者です。誰の思惑にも傾きません」

「さんざん猫なで声を使ってきたくせに」

議員は捨てゼリフを吐いて去った。

鎌田は議員の背中を見送った。捨てゼリフによって、長年の呪縛が解けた気がした。

――これからは思いっきり市政にぶつかっていける。

この翌春、鎌田の息子は雛美産業大学経済学部に合格し、高い倍率をかいくぐって柳井ゼミに籍を置いた。彼は真っ先にジビンカへの参加に名乗りを上げ、念願どおり、スタッフになることができた。

◆ジビンカメンバーと漆川紗江

鎌田の子息が雛美大に入学して二年後のこと。

よく晴れた月曜日の昼下がり、定休日のジビンカの庭に二十名ほどの人々の姿があった。集まったのは招待客のみ。みなスーツやブレザーなど改まった装いである。その他、プレスの腕章をしたマスコミが、庭の一側面に横並びになり、庭の真ん中に掘られた三十センチほどの穴にカメラのレンズを向けている。

「卒業してもう四年かあ」

雑然とする庭をそぞろ歩きし、植込みに目を遣って独り言をしたのは、宝塚肇である。

「店も植込みも、何にも変わらねえ」

「お前こそ、何にも変わらねえな」

脇で呟いたのは武井兵太だった。白のカッターに黒のスラックス。学生の頃にうっすらとはやしていた髭はきれいに剃られ、眼鏡の向こうに真面目そうな目が光っている。

「当たり前よ」肇は答えた。「それどころか、俺は学生の頃よりも熱く燃えているぜ」

「くせえセリフも変わらないな」

くすくすと笑い声が起きる。周囲に目を遣ると、懐かしい面々が並んでいる。勝田が、乙成が、夕が、谷川しずくが、二人のやりとりにおかしさをこらえている。

「みんな、久しぶりだな！」

ジビンカ第一世代が一堂に会したのは、卒業後四年が経過して初めてだった。

「みなさん」今のジビンカの店長を務める男子学生が呼びかけた。「時刻となりました。植樹祭を行います。雛美大学長様、商店街会長様はこちらへどうぞ――」


この日行われているのは、ジビンカが雛美産業大学の管理を離れ商店街の経営に移ることを記念したセレモニーだった。

大学ゼミの一環であり、商店街活性化事業として始まったジビンカは、目的達成後も一飲食店として十分な成功を収めていた。しかし、大学法人が管轄する店舗としては繁盛しすぎて、学生が経済を学ぶ場としては現実の社会情勢と大きく隔たっていた。大学はジビンカの今後について検討し、一度は廃止の方向で決まりかけた。しかし商店街が待ったをかけた。

「ジビンカは私たちを救ってくれた。消えてほしくない。大学が辞めるというのなら、私たちが買い取って存続させたい」

大学は市を交えて商店街と協議し、結果、ジビンカは雛美大を卒業、商店街の管理に入ることになった。

この植樹は、譲渡を記念して大学から「ジビンカ」に贈るものである。セレモニーにあたり設立に携わった元ゼミ生が招待されたのだった。

「香椎先生が来れなかったのが残念ね」夕は呟いた。

「公務ご多忙ってことらしいよ」と兵太。「何せ二期目は危なげなく通ったから」

「すげえことだよな」と肇。


ジビンカ第一世代は、卒業後それぞれの進路を歩んでいた。

乙成は流通大手の総合職である。大学で引っ込み思案だった彼女は、いまや百名規模のプロジェクトチームの中核を担う取りまとめ役。大きな仕事をこなせるのはジビンカで鍛えられたおかげだと思っている。彼女は上司に恵まれた。上司はおとなしすぎる彼女の隠された強み「打たれ強さ」を見抜き、プロジェクトに抜擢した。彼女は責任が大きければ大きいほど力を発揮しうる。評価は上々である。

勝田は外資系ベンチャーキャピタルに就職した。計算高い上に冒険ができる性格は、日本企業より海外向きだった。先輩に付き従い、月の半分は世界中を飛び回っている。ハードスケジュールで同僚らが悲鳴を上げる中、勝田は涼しい顔をしている。どうしてそんなにタフなのかと訊かれると、「プレゼン大会の前夜に比べたらたいしたことないよ」。彼も乙成同様、ジビンカでの経験が背骨になっている。

谷川しずくはコンサル会社に勤務している。彼女は大学時代にジビンカの経理をしながら、香椎の勧めで様々な資格試験を受けていた。在学中に中小企業診断士を、卒業後に簿記一級、販売士検定一級を取得。谷川は自分の本番の試験強さに気付いてくれた香椎に感謝している。一年の就職浪人を経てコンサル会社に就職。あまり大きな声では言えないが、二、三年のうちに独立を企図しているらしい。ジビンカを回顧して言う。「食中毒騒ぎの時、連日役所から電話がかかってきて……あの地獄の日々は忘れられない。でもあれで鍛えられたよ」

一番の想定外は武井兵太である。彼は大学卒業後、公務員専門学校に通い、試験を突破し、現在大谷野市役所に勤めている。大学時代は無作法、ぶっきらぼう、約束はすっぽかす、口の利き方もなっていない最悪な男だった。その彼が、まさかの公僕である。

「いいえ。私は適していると思ってました」

そう言うのは乙成だ。彼女はジビンカのリーダーとして全体を俯瞰している時、兵太が仕入れと衛生を担当し、帳簿付けの丁寧さ、段取りの細やかさはピカ一だったことを覚えている。

「見た目とギャップがあったのは事実です。彼のおかげで私は人を外見で判断しなくなりました」

「それ褒めてないぞ」兵太は赤くなって目を逸らす。

市における彼の担当は、大谷野市商店街やジビンカなど、商工関係だった。今回のジビンカの植樹についても、企画実行しているのはほぼ彼で、当時のゼミ生に連絡を取ったのも彼だ。

──実を言うと、この植樹祭は当事者のみ、つまり市関係者・商店街・大学・現ゼミ生だけで良かった。そこを兵太がうまいことに同窓会に描き変えたのである。

これには海老原夕も絡んでいる。彼女は目下、大谷野市商工会に関するＮＰＯ法人の職員をしている。高校時代のボランティア経験を活かし、高齢者や働くお母さんを支援するイベントの企画実行に携わっている。

「夕ちゃんだったら、もっと全国スケールで活躍できるんじゃないの」

再会した谷川は、夕からもらった名刺を見て正直に言った。

「いいの。今が一番性に合ってるから」

夕はにっこりしてそれ以上何も言わなかったが、谷川は何となくピンとくるところがあった。

──夕ちゃんは、きっと何かを待っているんだ──と。

セレモニーが済み、店内に移ってお茶となった。各テーブルで歓談が始まり、フロアは和やかな雰囲気に包まれている。

肇と兵太の席は隣り合っていた。

「肇、今どんな仕事をしているんだよ」

「ん？　俺か？」

肇はニヤリとし、あたりを憚るように声を殺すと、

「――今は世を忍ぶ仮の商売をしている」

「ジョークはいいから。はっきり言え」

「人の仕事をジョーク扱いするな」

「相変わらずガキみたいに突っ張りやがる」

「なんだと、誰がガキだ？」

すると、ふいに夕が割り込み、

「肇は駅裏の武藤啓のバーでヘルプやってるのよ」

「あ、バラしやがった」肇は赤面した。「みんなが大手企業や公務員にうまく収まってるから黙ってたのに」

「気後れしたわけ？　堂々としなさいよ」夕は肇の側頭を人差し指の先で小突いた。

兵太はしみじみと、

「啓かぁ、懐かしいな。薫子さんを紹介してくれたのはアイツだった」

「薫子さんはどうしてるんだろう」

「薫子さんなら、フランスにいます」

背後から男の声がした。振り返ると田川満の姿があった。

「今は母校であるパリの料理学校で講師をされています。先日、国際郵便が届きました。いま国際的な料理コンクールの企画に携わっているそうです」

「すごい！」夕は思わず声を上げた。

肇は田川をまじまじと見つめ、

「薫子さんがすごいのは承知してたけど――お前、ジビンカに入ったのは噂で聞いていたが、まだいたのか」

「まだとはなんですか」田川は腕組みして鼻をツンと反らせた。「俺がいなきゃ、ジビンカの料理は誰が責任を持つんです？　薫子さんも、自称一番弟子もいなくなったら、俺がやるしかないじゃないないですか」

「自称だと？　まだ馬鹿にしてやがる」

「あー、田川君だ。久しぶり！」

乙成・谷川・進藤らが寄って来て、その場は思い出話の空間に様変わりした。

「――おい」

みなが会話に夢中になりだしたところで、兵太は肇の脇をつき、こっそり尋ねた。

「お前が啓のところにいるからには、何か理由があるんだろ？」

肇は少考し、「まあな」と言った。

——いつか自分の店を持ちたい。そして親父の店を再興したい。

心の中にはいつもその思いがある。武藤啓は小さいなりに自分の店を持っている。その規模や雰囲気は、肇がやりたいと思っている店のイメージと近かった。もちろん先々はそれなりの規模のレストランを目指すつもりだが、立ち上げはなるべくシンプルにやりたい。その時に備え、啓の店からなにか盗めたらと思っている。武藤啓もそれを承知で肇を迎えている。

兵太はそれを見抜いていた。彼は肇の顔をじっと見つめていたが、

「お前に、今日の来賓の中のとある人物を紹介しよう。お前の将来にきっと役立つから」

「俺の将来?」

「ついて来な」

兵太は肇をフロアの奥にいざなった。肇は首を傾げつつ兵太の背中を追う。奥のテーブルは来賓で固められている。市の担当者、大谷野市商工会、大谷野市商店街役員、大学長など、お歴々が談笑している。

兵太は、その中でひときわ若い女性に近づいていった。肇はその女性を覚えていた。植樹の際、中年男性ばかり居並ぶ中で、一人だけ若い女性がいたのは妙に目を引いた。細身のパンツスーツ、黒の細縁眼鏡、ストレートの黒髪を浅く一つに留めている——いかにもキャリアウー

マン然としている。彼女は来賓だったが植樹には絡んでいなかったので、姓名を呼ばれず、肩書も分からなかった。一体どこの誰なのか。

――どこかで見たような気もするが……。

彼女は静かに席に着き、鞄からメモを取り出した。

「おい、面白い奴を連れてきたよ」

兵太は女性にフランクに声を掛けた。女性は険しい目で兵太を見上げた。別に怒っているのではなく、素地がそういう顔らしい。

「ああ、あなたは――」女は肇を見て立ち上がった。「覚えているわ。ジビンカの番長ね」

「番長？」肇は面食らった。「おい兵太、こちらはどなただよ」

「あれ？　分からないか？」兵太はクスッとした。「こちらは環境経済コンサルタントの漆川紗江さんだ」

「う、漆川、紗江？」

肇はたじろいだ。

漆川紗江といえば、稲大ＩＫＣ部長でジビンカの仇敵中の仇敵だった人物。

その漆川がなぜジビンカの植樹祭に⁉

肇が呆然としていると、漆川は涼しい顔をして言った。

「こういう形でお会いするのは初めてよね。ご存知のとおり、元の稲瀬川大学ＩＫＣ代表、漆川紗江です。卒業後は社会と環境を食でつなげるコンサル活動をやっているの」

さらりと名刺を差し出す。肇はまごつく手でそれを受け取った。

「ジビンカに触発されたんだよな？」兵太は言った。

「否定しないわ」彼女は平然と答えた。「プレゼン大会でジビンカの発表を見て思うところがあり、卒業してから自分なりの活動を始めたの。私の理念をより多くの人に理解してもらうには、まず、私自身が、あなたたちや、ジビンカを支えている人々を、より深く理解する必要がある」

漆川はしれっと答えているが、もしかしたら変節しているかもしれない。本人のみ知るところである。

「このセレモニーの件では、漆川さん本人から問い合わせを受けたんだ」兵太は補足した。「初期のジビンカの担い手が一堂に会するなら、ぜひ参加させてほしいって。この人は、俺たちが卒業した後、ジビンカがもたらした地域への影響やら経済効果やら、相当勉強したらしいよ。そういうところを見ると、やっぱ稲瀬川大学は違うなあ。雛美大も活動力って意味じゃ負けないけどさ、勉強が好きかどうかといったら、雲泥の差があるぜ」

「正直、私はジビンカを評価している。当時、まだ無名だった大学の学生らがレストランを始め、一次産業に対する世間の価値観に影響を与え、一般に難しいと言われる地方商店街の活性化を同時に成功させた。――そんな事例、他にないもの」漆川は笑みを浮かべた。「創業メンバーの集まりがあって、その中に将来出店する予定の人がいるなら、ぜひ取材したいと思って来たの。宝塚さん、もちろんジビンカのコンセプトは引き継ぐんでしょう？　詳しく話を伺ってもいいかしら」

「あの、その」肇はためらった。「俺はまだ単なる駅裏のバーテンで、店を出すとは――」

「何を泡食ってんだよ。いずれは出すんだろ！」兵太はどんと背中を叩いた。「漆川さんはこの若さでテレビでコメンテーターをやってる上に著書もあるんだ。そんなすごい人とつながっていたら、お前の未来にきっと役立つだろう」

「あなたの出店の夢については、武井君から聞いてるわ。さあ、どんな店にしたいわけ？　ミスター・ジビンカ」

「ミスター・ジビンカ？」

肇は強引に席に座らされて、根掘り葉掘り訊かれた。答えようによっては叱られる始末。肇の顔は赤くなったり青くなったり。

――こりゃあ……後に引けなくなったぞ。

（おわり）

水之　夢端（みずの　むたん）

作家。著書『ソフト経済小説で読む超高齢化社会 ― 21世紀ネバーランド政策 ―』（共著）晃洋書房、2018年、『異世界縄文タイムトラベル』幻冬舎、2020年。

椋田　撩（むくた　りょう）

作家。東京都東久留米市出身。著書『ソフト経済小説で読む超高齢化社会 ― 21世紀ネバーランド政策 ―』（共著）晃洋書房、2018年。

TTS文庫

ジビンカ・レストラン

シャッター街の奇跡の再生物語

2021年3月16日　初版第1刷発行
2021年4月26日　第2刷発行

著　　者　水之夢端
　　　　　椋田　撩
発 行 者　中田典昭
発 行 所　東京図書出版
発行発売　株式会社 リフレ出版
〒113-0021　東京都文京区本駒込 3-10-4
電話 (03)3823-9171　FAX 0120-41-8080
印　　刷　株式会社 ブレイン

ISBN978-4-86641-375-4 C0193
Printed in Japan 2021